Complete Danish

GW00685330

Complete Danish
Bente Elsworth

For UK order enquiries: please contact Bookpoint Ltd,
130 Milton Park, Abingdon, Oxon, OX14 4SB.
Telephone: +44 (0) 1235 827720. *Fax:* +44 (0) 1235 400454.
Lines are open 09.00–17.00, Monday to Saturday, with a 24-hour
message answering service. Details about our titles and how to
order are available at www.teachyourself.com

For USA order enquiries: please contact McGraw-Hill
Customer Services, PO Box 545, Blacklick, OH 43004-0545, USA.
Telephone: 1-800-722-4726. *Fax:* 1-614-755-5645.

For Canada order enquiries: please contact McGraw-Hill
Ryerson Ltd, 300 Water St, Whitby, Ontario, L1N 9B6, Canada.
Telephone: 905 430 5000. *Fax:* 905 430 5020.

Long renowned as the authoritative source for self-guided
learning – with more than 50 million copies sold worldwide –
the *Teach Yourself* series includes over 500 titles in the fields of
languages, crafts, hobbies, business, computing and education.

British Library Cataloguing in Publication Data: a catalogue record
for this title is available from the British Library.

Library of Congress Catalog Card Number: on file.

First published in UK 1994 as Teach Yourself Danish by
Hodder Education, part of Hachette UK, 338 Euston Road,
London, NW1 3BH.

First published in US 1994 by The McGraw-Hill Companies, Inc.

This edition published 2010.

The *Teach Yourself* name is a registered trade mark of
Hachette UK.

Typeset by MPS Limited, a Macmillan Company.

Printed in Great Britain for Hodder Education, an Hachette UK
Company, 338 Euston Road, London, NW1 3BH.

The publisher has used its best endeavours to ensure that the
URLs for external websites referred to in this book are correct and
active at the time of going to press. However, the publisher has no
responsibility for the websites and can give no guarantee that a site
will remain live or that the content is or will remain appropriate.

Hachette UK's policy is to use papers that are natural, renewable
and recyclable products and made from wood grown in sustainable
forests. The logging and manufacturing processes are expected to
conform to the environmental regulations of the country of origin.

Impression number   10 9 8 7 6 5 4 3 2 1

Year   2014 2013 2012 2011 2010

Contents

Meet the author

I was born in Randers, a Danish town in Jutland. After I finished school I trained as a trilingual secretary (English-German-French) and worked for a couple of years in the office of a furniture business in New York. Back in Denmark I enrolled at the University of Copenhagen to study Russian. However, I did not complete my degree course in Denmark as I moved to England a year later. Here I was able to continue my studies and obtained a BA in Russian Language and Literature.

In the meantime I had been offered a position at the University of East Anglia in the Scandinavian Sector to teach Danish. Danish was an Honours language at UEA, which meant that it was taught up to degree level. I taught Danish there for 28 years.

I have always been interested in the grammatical structures of foreign languages, so it was interesting for me to look at my native language through the eyes of my English-speaking students. I had to explain Danish constructions which seemed obvious to me, but were problematical to my students. Over the years I have come to understand the particular difficulties native English speakers face when learning Danish, and it is this insight that has dictated the approach I have adopted in *Complete Danish*.

Only got a minute?

Danish is a Scandinavian language, but English and Danish developed from a common parent language (Germanic) and have many words in common. When the Vikings came to England, the language they heard (Old English) was so similar to Old Norse that they had no great difficulty understanding it. Words from this period include: **liv** (*life*), **hus** (*house*), **spinde** (*spin*), **sommer** (*sommer*) and **vinter** (*winter*).

This is one reason why it is easy for an English-speaking student to learn Danish vocabulary. Another is that both Danish and English have borrowed from Greek, Latin and French, e.g. **biskop** (*bishop*), **alter** (*altar*), **soldat** (*soldier*), **journalist** and **garage**. Then, with the dominance of English and American culture in the 20th and 21st centuries, Danish has borrowed English words without changing their spelling, and modern Danish is full of words like **pyjamas**, **software**, **hotdog**, **interview**, **television**.

Danish and English also have a shared grammatical background. Languages are not static; they change over time. Both Danish and English have moved a long way from a grammatically complex language with three genders, several cases and a heavily inflected verbal system. The structure of phrases and sentences in Danish and English relies on word order and the use of prepositions, because the relationship between words can no longer be established through the use of cases.

The Danish alphabet has 29 letters: the 26 letters that are found in the English alphabet plus three vowels that are listed at the end: æ, ø, å. Danish has thus nine vowels (including y), and since these can also form diphthongs, the student of Danish is faced with a large number of vowel sounds. Most of these do, however, occur in English. In the pronunciation section on the CD, all the Danish sounds are demonstrated by native Danish speakers.

10 Only got ten minutes?

Danish is the native language of almost all of the population of Denmark, which numbers about 5 million. In Greenland and in the Faeroe Islands, Danish is a compulsory school subject and enjoys equality with Greenlandic and Faeroese. Until recently Greenland and the Faeroe Islands were under Danish rule, but they now have Home Rule, which means independence from Denmark in all political fields of responsibility except foreign policy, defence and monetary policy. In Iceland Danish is the first foreign language to be taught in schools, as knowledge of Danish facilitates communication with other Scandinavian countries.

Danish is one of the Scandinavian languages which form the Northern branch of the Germanic language. The Scandinavian branch split off when Germanic-speaking tribes moved north around the time of the Anglo-Saxon migration to England in the 5th and 6th centuries. Common Scandinavian or Old Norse subsequently divided into an eastern and a western branch; our knowledge of the linguistic situation as it was then comes mainly from runic inscriptions and Snorre's Icelandic Sagas. The language that the Anglo-Saxons brought to England became one of the West Germanic languages.

Danish and English thus developed from a common parent language, and when the Vikings came to England a few centuries after the separation the invaders had no difficulty understanding Old English. The English literature that existed before the invasion shows how many words the languages had in common. Examples of nouns are: **mand** (*man*), **folk** (*folk*), **ting** (*thing*), **hus** (*house*), **liv** (*life*), **sommer** (*summer*) and **vinter** (*winter*); verbs: **bringe** (*bring*), **tænke** (*think*), **høre** (*hear*) and **sidde** (*sit*); adjectives and adverbs: **fuld** (*full*), **vis** (*wise*), **vel** (*well*), **bedre** (*better*) and **bedst** (*best*).

A distinction is made between the Germanic words shared by Old Norse and Old English before the Vikings came to England and the

Scandinavian words taken over by the English during the Viking period, when many Danes settled in England. Examples of the latter group are: **steg** (*steak*), **kniv** (*knife*), **vinge** (*wing*), **lov** (*law*), **søster** (*sister*), **gæst** (*guest*), **give** (*give*), and **dø** (*die*). The Danish linguist Otto Jespersen wrote in his book on the English language, *Growth and Structure of the English Language* (8th edn, 1935): 'An Englishman cannot *thrive* or *die* or *be ill* without using Danish words, and when he eats his daily *bread* and *eggs*, he also speaks Danish.'

More Scandinavian loanwords have survived in Scottish than in English. The noun *kirk* (church) is the same word as the Danish **kirke**. Scottish *bairn* (child) is Danish **barn**, *mun* (mouth) is **mund**, *kist* (chest) is **kiste**, and *garth* (yard) is **gård**. The words *dale* (valley) and *beck* (brook) that are used in North England are also Scandinavian loanwords; the Danish nouns are: **en dal** and **en bæk**.

As well as a shared Germanic vocabulary, Danish and English have many words of Greek, Latin and French origin in common. Christianity brought along its own vocabulary to both countries. Trade and wars have their specific terms, and this influence resulted in many borrowings, e.g. such words as **en munk** (*a monk*), **en biskop** (*a bishop*), **et alter** (*an altar*), **mønt** (*mint*), **soldat** (*soldier*), **officer**, **stræde** (*street*), **journalist**, and **garage**.

In recent times Danish has taken over many English words, with the dominance of English and American culture in the 20th and 21st centuries. A Dane may wear **en sweater** or **en jumper**, **slacks** or **jeans**, and eat **en hotdog** and **en burger**. The noun **sport** is the same in Danish, and Danes play **tennis**, **kricket**, **golf** and **fodbold**. When an English word is taken over now, its spelling is no longer changed to agree with Danish spelling rules. Modern Danish text is full of English words, e.g. **pyjamas**, **software**, **hotdog**, **interview**, **television**.

There are many Danish words that are not found in English, and here knowledge of French and especially of German may help the learner. French loanwords in Danish are e.g. **paraply** (*umbrella*) and **billet** (*ticket*). Words borrowed from German are e.g. **rejse** (*travel*), **besøge** (*visit*), **farve** (*colour*), **skøn** (*beautiful*), **arbejde** (*work*) and **krig** (*war*).

It has sometimes happened that shared words with the same original meaning have changed meaning in one of the languages. This can be confusing to the student of Danish as such words can easily be misinterpreted. The Danish verb **tælle** means *count*, while **fortælle** is *tell*. The original meaning can be found in the English word *teller* (a person who counts votes or money). **En time** means *an hour*, while **tid** is *time* (*-tide* is still used in English, chiefly in *Whitsuntide*, *Christmastide*, *Yuletide*). The Danish **en mappe** is *a briefcase*; *a map* is **et kort**. **En blanket** means *a form*, while *a blanket* is **et tæppe**. There are many more such words.

Germanic is one of the Indo-European languages. In the original parent language, which was spoken around 4000 BC, it is possible to reconstruct three genders (masculine, feminine and neuter) and up to eight cases, and a verb system rich in inflections used for aspect, mood, tense, voice, person and number. With the discoveries and inventions that human ingenuity has brought to the modern, highly developed world, we may think that development from simple to complex is the norm, but the opposite is, in fact, what has taken place in the case of Proto-Indo-European. In languages generally, a development from complex to simple appears to be the normal pattern. Compared with Germanic and Old English and Old Norse, Modern English and Modern Danish have undergone great simplification. Germanic had three genders (masculine, feminine, and neuter). In Danish the first two merged, resulting in 'the common gender', but the neuter has been retained. This means that there are two indefinite articles in Danish: **en** before a common gender noun and **et** before a neuter noun: **en sommer** (*a summer*), **et hus** (*a house*). English nouns are no longer divided into genders and consequently there is only one indefinite article: *a* (*an* before a vowel).

In other areas there is greater simplification in Danish than in English. The present tense of verbs is one example. Here an *-s* is added in the third person singular in English: *I run, he/she runs*. In Danish the same form is used regardless of person: **jeg løber, han/hun løber**. The verb *to be* in English has three different forms in the present tense; the Danish verb uses only one, a form that corresponds to the English form *are*:

I am	**jeg er**
you are	**du er**
he/she/it is	**han/hun/den/det er**
we are	**vi er**
you are	**I er**
they are	**de er**

Adjectives in English are not subject to agreement. In Danish an adjective agrees with the noun it qualifies: **en varm sommer** (*a warm summer*), **et varmt hus** (*a warm house*), **varme huse** (*warm houses*). If the definite article precedes the adjective, e.g. *the warm summer*, the adjective ends in **-e** in both genders singular and in the plural, e.g. **det varme hus** (*the warm house*), and **de varme huse** (*the warm houses*).

Of the eight original cases, Danish and English have retained only the genitive for nouns, and since relationship within a clause can no longer be established by means of cases, both languages rely structurally on word order and prepositions. Mostly the word order is the same in the two languages, but there are situations where they differ. In English the subject precedes the verb (with a few exceptions), and we have the same word order in Danish when a main clause starts with the subject, e.g. **Manden købte en ny sweater i mandags**. (*The man bought a new sweater last Monday.*) If, however, the clause begins with **i mandags**, the word order changes: **I mandags købte manden en ny sweater**. Now the verb precedes the subject, and this happens whenever a sentence opens with something other than the subject.

Danish has the reputation of being a difficult language. The reason for this view is that foreigners may initially have problems with the pronunciation. Danish is not a phonetic language, so spelling is no guide to how a word is pronounced. Many Danish letters represent different sounds from the same letters used in English. However, once the learner has become aware of these differences the difficulty begins to disappear.

Danish vowels are single-vowel sounds, while English vowels tend to be a combination of two vowel sounds. In the Danish verb **smile** the vowel **i** sounds like *ee* in *bee*. In **vase** the vowel **a** sounds like *a* in *bad*.

A single unstressed **-e** at the end of a word is pronounced in Danish. It sounds like *e* in *the* (unstressed before a consonant). The words **smile** and **vase** thus have two syllables.

The Danish consonant **d** is a difficult sound for foreigners. In the middle of a word and at the end of a word following a vowel it sounds like *th* (in e.g. *other*). Danes tend to ask visitors from abroad to repeat after them, **Rødgrød med fløde** (*stewed fruit with cream*). The phrase contains four **d**'s pronounced as *th*. When a **d** appears at the beginning of a word it sounds like *d* in *dog*.

Danish is rich in vowel sounds. While the English alphabet contains five vowels, the Danish alphabet has nine written vowels: **y** is counted as a vowel and there are the additional vowels **æ**, **ø**, and **å**. The nine vowels can be pronounced in different ways and can combine into diphthongs.

A feature of Danish that may seem strange to the foreign ear is the glottal stop. The English know this from some dialects where a glottal stop replaces the pronunciation of *t*, as in *water* and *butter*. The Danish glottal stop is different from the English as it is an interruption of a voiced sound. The pronunciation of the sound begins normally, then the vocal cords close briefly producing a pause, and after that, when air from the lungs is allowed past the vocal cords again, a small explosive sound can be heard. The glottal stop can only appear in a sound that is long, stressed and voiced. Words that are similar in all other respects acquire different meanings through the presence or absence of the glottal stop.

The imperative **læs** with a glottal stop in the vowel means *read*; without a glottal stop it means *load*. The noun **tal** (*number*) has no glottal stop, while the imperative **tal** with a glottal stop in the vowel means *speak*.

The presentation of Danish grammar in *Complete Danish* presupposes no previous knowledge of grammar. The first time a grammatical term is used, it is accompanied by an explanation, e.g. 'nouns (naming words)', 'adjectives (describing or qualifying words)'. The grammar is dealt with in a systematic way, starting with simple rules and gradually introducing more complex structures, but all the time repeating what has been taught to reinforce learning.

The texts in *Complete Danish* form a continuous narrative in which the characters find themselves in many of the kind of situations that foreigners visiting Denmark encounter. They buy train tickets, book hotel accommodation, hire a car, visit friends and sights, seek medical advice and eat in restaurants as well as go shopping. The book also contains comments on life in Denmark relevant to the text. Thus, as well as teaching the language, *Complete Danish* is an introduction to Danish customs and celebrations, the different parts of the country, and Danish politics.

Introduction

This Danish course is intended for absolute beginners and requires no knowledge of any foreign language.

The aim of the book is to enable you to communicate in practical, everyday situations and to provide you with some background information about Denmark and the Danes.

The course consists of 18 units with graded dialogues and exercises. A recording with the dialogues and exercises is available and you are strongly advised to work with it.

How to use the book

Each of the 18 units follows the same pattern.

An introduction in English starts each unit and explains what you will learn in the unit.

Dialogues
There are three or four dialogues at the beginning of each unit. If you have the recording, try to listen to them first and see how much you understand, then read them carefully. The passages that are on the recording are marked with the CD track number. The prices in the dialogues should not be taken as a guide; prices have risen since the dialogues were recorded.

Quick vocabulary
The vocabulary section that follows each dialogue contains the new words and expressions that you will need to understand it.

True or false?
This contains statements about the dialogue that may be true or false. The aim of this exercise is for you to check whether you have understood the text.

Notes on the dialogues
The next section consists of comments on life in Denmark relevant to the dialogues, as well as language points and vocabulary arising from phrases used in the dialogues.

What to say
Some important words and expressions used in the dialogue are repeated here.

Language patterns
Notes explaining grammatical structures and how to create your own sentences.

Exercises
In these you practise the new words and the new information.

Comprehension
Further dialogues and texts, employing the same vocabulary.

Insight boxes
Tips to help the learner understand the grammar and remember vocabulary.

Test yourself
Ten questions to test the grammar and information taught in the unit.

If you want to progress quickly, work a little every day. Read the dialogues several times and learn the vocabulary before you move on to the exercises. Many Danish words resemble English words and can be learned easily. The grammar is not difficult. It is only the pronunciation which may cause problems at first. The sounds are described in the Pronunciation section and if you have the recording try to imitate the Danes recorded on it.

Complete Danish tells the story of George Wilson, a businessman, who travels to Denmark to establish a market there for his products. He has been invited to stay with his friends, Hans and Lone Petersen, who live in Copenhagen. After a few days his wife, Alison, will fly to Copenhagen to join him. They will spend about a month in Denmark.

Symbols and abbreviations

pl.	=	plural
sing.	=	singular
adj.	=	adjective
pron.	=	pronounced
Lit.	=	literally
pres. tense	=	present tense
inf.	=	infinitive
trans.	=	transitive
intrans.	=	intransitive
comp.	=	comparative
superl.	=	superlative

◀ = indicates material included on the recording.

Language functions

Unit 1   Introductions and greetings. Simple statements and questions.

Unit 2   Phrases used at meal times. Expressing a wish and saying 'thank you'. Negative statements.

Unit 3   Requesting others to do something and offering assistance. Asking questions about articles in shops. Describing the weather.

Unit 4   Asking for information at the airport and at the railway station. Telling the time.

Unit 5   Making suggestions. Agreeing and disagreeing.

Unit 6   Asking the way and giving directions.

Unit 7   Trying to persuade potential customers to buy your products.

Unit 8   Booking a room. Enquiring about cinema and theatre performances. Hiring a car.

Unit 9   Talking about houses, flats, buildings and gardens.

Unit 10   Describing people, using names for parts of the body and items of clothing. Talking about families.

Unit 11   The days of the week, the months and the seasons.

Unit 12   Vocabulary describing language learning and work.

Unit 13   Visiting sights in Copenhagen. Expressing permission, duty and courage.

Pronunciation

The Danish alphabet has 29 letters:

A	a	K	k	U	u
B	b	L	l	V	v
C	c	M	m	W	w
D	d	N	n	X	x
E	e	O	o	Y	y
F	f	P	p	Z	z
G	g	Q	q	Æ	æ
H	h	R	r	Ø	ø
I	i	S	s	Å	å
J	j	T	t		

The pronunciation of the Danish letters is explained below. The comparisons with English sounds are only approximate, and you will find it of great benefit to work with the CD on which the words are recorded.

Vowels

◄◗ **CD1, TR 2**

Danish has nine vowels: **a, e, i, o, u, y, æ, ø** and **å**. Vowels in Danish may be short or long. The short variant is often slightly more open than the long vowel. Apart from **i** and **u**, the vowels are much more open when immediately preceded or followed by **r** than otherwise (compare *bat* with *bar*).

Letter	How to pronounce it	Example
long **a**	slightly more open than *a* in *bad*	**bade** (*bathe*)
short **a**	slightly more open than *a* in *cat*	**kat** (*cat*)
long **e**	like extended **i** in *fit*	**bede** (*ask*)
short **e**	like **i** in *fit*	**fedt** (*fat*)
long **i**	like **ee** in *bee*	**lide** (*suffer*)
short **i**	a shortened version of the same	**dit** (*your*)
long **o**	almost like lengthened **u** in *put*	**skole** (*school*)
short **o**	like **o** in *often*	**lokke** (*lure*)
long **u**	like **ou** in *you*	**pude** (*cushion*)
short **u**	a shortened version of the same	**kunne** (*could*)
long/short **y**	This sound does not occur in English. It is produced by trying to pronounce Danish **i** (as in **lide** or **dit**) with rounded lips	**byde** (*offer*) **bytte** (*swap*)
long/short **æ**	slightly more open than **e** in *best* the short equivalent sound is written **e**	**læse** (*read*) **ven** (*friend*)
long **ø** and short **ø**	like **i** in *bird*	**høne** (*hen*) **høns** (*chickens*)
long **å**	slightly more closed than **o** in *or*	**håbe** (*hope*)
short **å**	like **o** in *got*	**hånd** (*hand*)

A double consonant generally serves to indicate that the preceding vowel is short. For example:

mase	–	masse
heder	–	hedder
pude	–	pudder
læse	–	læsse

Length, however, is connected with stress and in an unstressed position a long vowel is shortened. For example:

læse	–	læse højt

There is more about stress at the end of this pronunciation section.

The vowels in Danish are pure, not a combination of two vowel sounds (diphthongs) as is common in English.

Unstressed -e at the end of a word is pronounced like -e in *the* when it precedes a consonant. The following Danish words have two syllables, and the first vowel is a pure sound: **rose** (*rose*; a noun), **rise** (*flog*), **hose** (*stocking*) and **fade** (*dishes*).

Diphthongs

◀) CD1, TR 3

Diphthongs do occur in Danish. They are written as a combination of a vowel and consonant, usually -g, -j or -v; also -f in the prefix **af-**. Occasionally a diphthong is written as two vowels, as in **au** in **pause**. The compound vowels end in either the Danish i-sound or the **u**-sound. The first vowel is pronounced as described above, but the second element never reaches the pure i or **u**. Instead of i a sound between e and i is pronounced, and instead of u a sound between o and **u**. Several different combinations of letters may produce the same diphthong.

Sound	How to pronounce it	Example
the sound **ai**	like **i** in *fine*	**mig** (*me*), **jeg** (*I*), **eje** (*own*), **vej** (*road*)
the sound **øi**	like **oy** in *toy*	**øje** (*eye*), **løg** (*onion*)
the sound **au**	like **ow** in *how*	**hav** (*sea*)
the sound **eu**	like **eu** in the Spanish word *euro*, but a bit more closed	**peber** (*pepper*)
the sound **iu**	like **ew** in *pew*	**livlig** (*lively*)

the sound **ou**	like **o** in *obey*	**og** (*and*)
		lov (*law*)
the sound **yu**	like **u** in *Hugh*	**syv** (*seven*)
the sound **æu**	like **eu** in Spanish *euro*	**evne** (*ability*)
the sound **øu**	like **eu** in Spanish *euro*, but a bit more rounded	**øvrig** (*remaining*)
the sound **åu**	like **o** in *obey*	**låg** (*lid*)

Consonants

◄ **CD1, TR 4**

Danish has 20 consonants. However, **c, q, w, x** and **z** are only used in words of foreign origin.

All Danish consonants are short. A double consonant does not indicate length, but usually has the function of showing that the preceding vowel is short.

The pairs of consonants **b-p, d-t, g-k** are only different at the beginning of a word. For example, **k** in **lække** (*leak*) sounds exactly like **g** in **lægge** (*lay*). Similarly **p** and **b** sound the same in **stoppe** (*stop*) and **ebbe** (*low tide*), as do **t** and **d** in **sætte** (*set*) and **bredde** (*width*). The letters **p, t, k** are also pronounced as **b, d, g** after **s**: **spise** (*eat*), **stave** (*spell*) and **skinne** (*shine*).

Letter	How to pronounce it	Example
b	like **b** in *bed*	**bede** (*ask*), **købe** (*buy*)
d	like **d** in *dog*	**dag** (*day*), **dreng** (*boy*)
	In front of unstressed **e** (with a few exceptions) and at the end of a word similar to **th** in *the*	**gade** (*street*), **glad** (*glad*)
f	like **f** in *fine*	**fin** (*fine*)

g	like **g** in *go*	**gå** (*go*), **græd** (*wept*)
	In front of unstressed **e** (with a few exceptions) and at the end of a word, **g** combines with the preceding vowel to form a diphthong, or is not pronounced	**kage** (*cake*), **låg** (*lid*)
h	like **h** in *heaven*	**hus** (*house*)
	h is not pronounced before **v** or **j**	**hvis** (*if*), **hjem** (*home*)
j	like **y** in *yes*	**ja** (*yes*), **jord** (*earth*)
k	like **c** in *come*	**komme** (*come*)
	When **k** is followed by **n**, the **k** is pronounced	**knæ** (*knee*), **kniv** (*knife*)
l	like **l** in *lie*	**le** (*laugh*), **alle** (*all*)
m	identical to English **m**	**mad** (*food*)
n	identical to English **n**	**navn** (*name*)
p	like **p** in *pain*	**på** (*on*), **prop** (*cork*)
r	The quality of **r** varies according to its position in a word. At the beginning and after a consonant it is a back-tongue consonant with very little friction.	**rød** (*red*), **græde** (*weep*)
	After a vowel it is pronounced with greater distance between the tongue and the back of the mouth and no friction at all. In this position it affects the vowel, resulting in a more open vowel sound, and is barely audible as a separate sound.	**høre** (*hear*), **værre** (*worse*)
	Unstressed -**er** is pronounced like *or* in *mortality*.	**venter** (*waits*), **lærer** (*teacher*)
s	like **s** in *sea* and *house*	**se** (*see*), **vise** (*show*)
t	like **t** in *take*	**tage** (*take*), **træ** (*tree*)
v	like **v** in *very*	**verden** (*world*)

c	pronounced like **s** in front of **e, i, y, æ** and **ø**;	cølibat (*celibacy*), cykel (*cycle*)
	as **k** before **a, o** and **u**;	Cuba, camping
	ch is pronounced as **sh** in *shell*, except in recent loanwords	chef (*boss*), charme (*charm*), chips
qu	only used in words of foreign origin, pronounced as **kv**	quiz, quickstep
w	pronounced as **v**	watt
x	at the beginning of a word as **s**;	xylofon
	after a vowel as **ks**	Axel
z	pronounced as **s**	zebra, benzin

Sometimes a written letter is not pronounced. In the combinations **ld, nd, rd, ds** and **dt**, d is silent: **guld** (*gold*), **mand** (*man*), **ord** (*word*), **plads** (*place*) and **godt** (*good*). There are a few exceptions, such as **lærd** (*scholar, learned*).

The glottal stop

The glottal stop is widely used in Danish. In some dialects there is no glottal stop, but it is a feature of standard Danish. It can occur in both vowels and consonants. It is different from the glottal stop in English. This replaces *t* in some dialects, as in *water* and *butter*. In Danish the glottal stop is an interruption of a voiced sound. The pronunciation begins normally, then a glottal stop is made through the closing of the vocal cords or in most cases only a narrowing of the gap between them, resulting in a brief pause. When the air from the lungs is allowed past the vocal cords again a small explosive sound is heard, like a brief echo of the interrupted sound:

Without the glottal stop:	With the glottal stop:
man (*one*)	**mand** [man'] (*man*)
mor (*mother*)	**mord** [mo'r] (*murder*)
hun (*she*)	**hund** [hun'] (*dog*)

The rules governing the use of the glottal stop are very complex, and since it is not essential for communication it is not necessary at an early stage to concentrate on this feature of Danish. It is best learnt through imitating either the Danes on the recording or Danish friends.

Stress

The stress usually falls on the first syllable of a word. Among the exceptions to this rule are many loanwords, the words beginning with **be-**, **er-**, **ge-** and **for-**, and several Danish place names.

Additional information about the pronunciation will be given in the units as it becomes relevant.

1

På banegården
At the railway station

In this unit you will learn
- *how to form simple statements and questions*
- *how to introduce yourself*
- *how to greet people*

1 Hello, Kirsten!

At the main railway station in Copenhagen, Hans is waiting for the intercity train to arrive. George has travelled to Denmark by boat from Harwich to Esbjerg and is at the moment on this train about to finish his journey. Hans sees a neighbour on the platform.

Hans	Dav Kirsten!
Kirsten	Hej Hans! Er det i dag, jeres venner fra England kommer?
Hans	Ja, George kommer i dag. Alison kommer på fredag. Hun flyver herover.
Kirsten	Min mor kommer også med toget fra Jylland. Hun skal bo hos os i en uge.

CD1, TR 5

dav *hello* (informal greeting) **i dag** *today*
hej *hello* (informal greeting) **jeres** *your* (plural)
er *is* **venner** *friends*
det *it* **fra** *from*

QV

kommer *are coming, is coming*	**med toget** *by train*
ja *yes*	(Lit. *by the train*)
på fredag *on Friday*	**med** *with, here by*
hun *she*	**Jylland** *Jutland*
flyver *is flying, will fly*	**skal** *is going to*
herover *over here*	**bo** *stay, live*
min mor *my mother*	**hos os** *with us*
også *also*	**i en uge** *for a week*

2 What is your mother called?

Kirsten wants to do some shopping before the shops close and asks if Hans can give her mother a lift. Hans is pleased to help, but does not know her mother.

Hans	Hvad hedder din mor?
Kirsten	Hun hedder Marie Sørensen, og hun kommer fra Herning.

Hvad hedder din mor? *What is your mother called?/What is your mother's name?* (your informal)
og *and*

3 Hello George!

Kirsten leaves and the train arrives shortly afterwards.

Hans	Hej George! Velkommen til Danmark!
George	Hej Hans! Tak!
Hans	Det er en lang rejse med båd og tog fra England til København.
George	Ja, men det er en interessant rejse.
Hans	Min nabos mor skal køre med os til Holte.

Velkommen til Danmark *Welcome to Denmark!*
Tak! *Thank you!*
lang *long*

rejse *journey*
med båd og tog *by boat and train*
båd *boat*
til *to*
København *Copenhagen*
men *but*
en interessant rejse *an interesting journey*
min nabos mor *my neighbour's mother*
nabo *neighbour*
køre *go, drive, ride, travel*
med os *with us*
Holte *a suburb of Copenhagen*

4 Hans addresses an elderly lady

Hans	Undskyld, er De fru Marie Sørensen fra Herning?
Marie	Ja, jeg hedder Marie Sørensen.
Hans	Deres datter Kirsten er min nabo. De skal køre med os hjem.
Marie	Mange tak!
George	Jeg hedder George Wilson, og jeg kommer fra England.
Marie	Jeg synes, vi skal sige 'du' til hinanden. Jeg er dus med alle i Herning.

Undskyld, …? *Excuse me, …?*
De *you* (formal)
fru *Mrs*
jeg *I*
Deres datter *your* (formal) *daughter*
hjem *home*
Mange tak! *Thanks! Many thanks!*
Jeg synes, … *I think …*
vi skal sige 'du' til hinanden *we should say 'du' (informal you) to each other*
sige *say*
hinanden *each other*
Jeg er dus med alle *I say 'du' (informal you) to everybody*
alle *everybody* (plural of **al** = *all*)
i *in*

QUICK VOCAB

True or false?
Now decide which of the following statements are true (**T**) and which false (**F**).

   a Alison is arriving today.
   b Kirsten's mother is from Herning.
   c George did not enjoy his journey.

Saying 'hello'
Dav, hej and also **davs** are informal greetings, while **goddag** is the formal and polite equivalent. The next note, **du/De** (*you*), defines informal and formal usage more closely.

du/De (*you*)
There are two forms of address in Danish. There is an informal form:

(singular)   **du**
(plural)   **I**

and a formal and polite form:

(singular)   **De**
(plural)   **De**

Fifty years ago people used **du/I** only when addressing children, family and friends. Today, however, the informal form of address is more widely used. If you are in doubt about whether to use **du** or **De**, wait for the Dane to address you and then adopt the same mode of address.

Mr, Mrs, Miss and Ms
Mr	**hr.**	(an abbreviation of the first syllable of **herre**)
Mrs	**fru**	(the first syllable of **frue**)
Miss	**frk.**	(an abbreviation of **frøken**)
Ms	**fr.**	(This cannot be pronounced in Danish. It is used only as a written title.)

They are spelt with a small letter except at the beginning of a sentence.

Undskyld *(Excuse me)*
Undskyld means literally *excuse (me)*. It is used as an apology and to introduce questions:

Undskyld!	*I am sorry!*
Undskyld, ...?	*Excuse me, ...?*

What to say

How to:

▶ ask someone's name	**Hvad hedder din mor?**
▶ give your name	**Jeg hedder Hans Petersen.**
▶ say where you are from	**Jeg kommer fra England.**
▶ ask a polite question	**Undskyld, er De fru Sørensen?**
▶ greet a friend	**Hej George!**
▶ greet formally	**Goddag fru Sørensen!**
▶ express an opinion, say what you feel about something	**Jeg synes, vi skal sige 'du' til hinanden.**
	Jeg synes, det er en interessant rejse.

Language patterns

1 'A' (boat), 'a' (train)

In Danish, nouns ('naming' words) are divided into two groups or 'genders': the common gender (c) and the neuter gender (n). About 75 per cent of nouns are common gender, but there are no satisfactory rules by which the gender of a noun can be determined. When you learn a new noun you should also learn its gender.

The English *a* (indefinite article) in front of a Danish common gender noun is **en**; *a* in front of a neuter gender noun is **et**.

en båd	*a boat*
et tog	*a train*

Most of the nouns in the dialogues are common gender nouns:

en ven	en båd
en mor	en nabo
en uge	en datter
en rejse	

There is only one neuter gender noun in the dialogues:

et tog

2 'I, you, he/she/it' and 'we, you, they'

These are called personal pronouns. You met many of these in the dialogues, and here is the complete list:

I	**jeg**	*we*	**vi**
you	**du/De** (singular)	*you*	**I/De** (plural)
he	**han**	*they*	**de**
she	**hun**		
it {	**den** (common gender)		
	det (neuter gender)		

-**eg** in **jeg** is pronounced like *I*.
In **det** the -**t** is silent.
De/de is pronounced with the Danish -**i**- sound as in **dit**.

3 'Am, are' and 'is' (present tense of 'to be'): *er*

While in English the verb *to be* has three different forms in the present tense (I *am*, you *are*, he *is*), in Danish there is only one form (**er**):

```
jeg er                          vi er
du er/De er                     I er/De er
han er                          de er
hun er
den er
det er
```

4 The present tense

The present tense of Danish verbs ends in **-r**. You have seen several examples of this in the dialogues, such as **George kommer i dag** and **hun hedder Marie Sørensen**. Notice that the verb stays the same whatever goes before it:

jeg flyver til København
du/De flyver til England
han flyver til Danmark
hun flyver til Manchester
den flyver til Jylland
det flyver til Århus
vi flyver til Odense
I/De flyver til Gatwick
de flyver til Skotland

The present tense is used to describe:

a what usually happens.
Han flyver... *He flies to Århus every day.*

b what is happening now.
Han flyver... *He is flying above Copenhagen at the moment.*

c what will happen.
Han flyver... *He'll fly tomorrow.*

It is used to indicate the future, especially in connection with expressions of time such as *soon, tomorrow, on Sunday, next year.*

5 Skal *(is/are going to)*

This verb was used in the dialogues when the characters talked about what they were planning to do; it means *is/are going (to)*:

Hun skal bo hos os i en uge.   *She is going to stay with us for a week.*
De skal køre med os til Holte.   *You are going (to go) with us to Holte.*

Skal was also used in Marie Sørensen's suggestion:

Jeg synes, vi skal sige 'du' til   *I think we should say 'du' to each*
   hinanden.   *other.*

After **skal** the main verb of the sentence ends in **-e** or a stressed vowel, e.g. **sige**; this form of the verb is called the infinitive.

6 The infinitive

The infinitive ends in unstressed **-e**, which is added to the stem (the main part of a verb without any endings). If the stem of the verb has only one syllable and ends in a stressed vowel no **-e** is added, e.g. **bo** (*stay*, *live*), though there are some exceptions. The present tense ending **-r** is added to the infinitive.

komme + r = kommer
bo + r = bor

The infinitive *to be* is **at være**.

particular thing or person and without locating it in time. In
English it is often prefaced by the word *to*, e.g. *It is interesting*
to walk *through the old town.*

7 Statements and questions

Look at the sentences below and notice the change in word order
when a statement becomes a question and vice versa.

Statements

Han kommer fra England.	*He is from England.*
Hun hedder Marie.	*She is called Marie.*
Hans bor i Holte.	*Hans lives in Holte.*

Questions

Kommer han fra England?	*Is he from England?*
Hedder hun Marie?	*Is she called Marie?*
Bor Hans i Holte?	*Does Hans live in Holte?*

The answer may be *yes* **ja**, or *no* **nej**. If the answer is *yes* to a
negative question (e.g. Doesn't he live in London?) the Danish
reply is **jo**.

You can also form a question by using an interrogative word such
as *what, when, how, why.*

hvad (*what*): Hvad hedder din mor?

8 Possession: my neighbour's mother

In Danish -s is added without an apostrophe: **min nabos mor.**

However, nouns ending in -s, e.g. **Hans**, add -es or an apostrophe:
Hanses hat or **Hans' hat** (*Hans's hat*).

Exercises

1 Answer the following questions in Danish:
- **a** Hvad hedder Hans' nabo?
- **b** Hvad hedder Hans' ven fra England?
- **c** Hvad hedder Kirstens mor?
- **d** Hvad hedder du?

2 Change these statements into questions:
- **a** Alison kommer på fredag.
- **b** Marie Sørensen bor i Herning.
- **c** George kører med toget fra Esbjerg til København.
- **d** Det er en interessant rejse.

3 Re-write the following sentences replacing the characters' names and nouns with pronouns. Here is an example to start you off:

George kommer fra England. Han kommer fra England.

- **a** Kommer jeres venner i dag?
- **b** Alison flyver herover.
- **c** Rejsen er lang.
- **d** Toget kører til København.
- **e** Hans og Kirsten bor i Holte.

4 Complete the following dialogue by filling in the answers:

◀) **CD1, TR 9**

- Goddag! Hvad hedder du?

a

- Jeg hedder Poul. Jeg kommer fra København. Kommer du også fra København?

b

- Bor du i London?

c

5 Complete the following dialogue:

◄ CD1, TR 10

a
- Jeg hedder Anna Jensen.

b
- Nej, jeg bor i Esbjerg.

c
- Nej, min datter bor i England.

6 How do you say the following in Danish?

◄ CD1, TR 11

a Hello John! Welcome to Denmark!
b Hello Mads! Thank you!
c I think it is an interesting journey.
d What is your mother called?
e She is called Edith Olesen.
f She is going to stay with us for a week.
g Excuse me, are you Viggo Nielsen?
h No, my name is Per Hansen.
i I am sorry!

Comprehension

Travelling to England

Hans's wife, Lone, is talking to Kirsten's husband, Niels.

Lone	Kirsten siger, du skal rejse til England i næste uge.
Niels	Ja, jeg skal flyve til Manchester på mandag.
Lone	Jeg synes, det er en interessant rejse med båd fra Esbjerg til Harwich.

(Contd)

◄ CD1, TR 12

> **Niels** Det synes jeg også, men det er en lang rejse. Jeg kan flyve fra København til Manchester. Jeg kommer tilbage til København på tirsdag.

True or false?

Now decide which of the following statements are true (**T**) and which are false (**F**).

a Niels is travelling to England on Monday.
b Niels will travel by boat from Esbjerg to Harwich.
c Niels will travel to Manchester and back to Copenhagen on the same day.

Insight: The preposition 'med'

Danish **med** frequently corresponds to English *with*, e.g. **Hun skal køre med os.** (In *midwife*, the first part, *mid*, is an old English preposition meaning *with*.) However, the use of prepositions can be very different in the two languages. In *She is going to stay with us*, English *with* is Danish **hos**: **Hun skal bo hos os. Med** is used in the sense of *by* in **De rejser med båd/tog.** *They travel by boat/train.*

København *Copenhagen*

Det er interessant at være turist i København. Mange englændere rejser til København. De rejser med båd fra Harwich til Esbjerg og med tog fra Esbjerg til Danmarks hovedstad, eller de flyver derover. København er Danmarks politiske centrum. Dronningen bor på Amalienborg Slot. Der er mange museer og parker. Alle går i Tivoli.

englændere *Englishmen, English people*
en englænder *an Englishman*
en hovedstad *a capital*
eller *or*
derover *over there*
politiske *political*
et centrum *a centre*
dronningen *the queen*
en dronning *a queen*
på Amalienborg Slot *at Amalienborg Palace*
et slot *a castle, a palace*
der er *there are*
museer *museums*
et museum *a museum*
parker *parks*
en park *a park*
alle *everybody*
går i Tivoli *visit the Tivoli Gardens*
gå *go, walk*

Tivoli Gardens, Copenhagen

True or false?
Which of these are true (**T**) and which are false (**F**)?

a Few English tourists visit Copenhagen.
b The queen lives at Amalienborg Palace.
c Only a few of the tourists visit the Tivoli Gardens.

Test yourself

Translate into Danish:

1 We live in London.
2 They are coming today.
3 What is your mother called?
4 George is going to stay with us.
5 He travels by train to Copenhagen.
6 She thinks it is an interesting journey.
7 They will fly to Denmark on Tuesday.
8 Do you (pl.) live in England?
9 Excuse me, are you Kirsten's mother?
10 Is he going to be in Manchester for a week?

2

Tak for mad!
It was a lovely meal!

In this unit you will learn
- *how to say phrases used at meal times in Denmark*
- *how to express a wish*
- *how to make negative statements*

1 Hello, George!

When Hans parks the car outside their house, Lone comes out to welcome him and George.

Lone	Dav George! Velkommen til Danmark!	
George	Hej Lone! Tak skal du have!	
Lone	Er du træt?	
George	Ja, lidt. Det er en lang rejse.	
Lone	Er du sulten?	
George	Ja, jeg er meget sulten.	
Lone	Maden er næsten færdig. Vi kan spise om et kvarter.	
Hans	Du trænger til en gin og tonic, George. Det gør vi alle tre.	
George	Ja tak, det vil jeg gerne have.	
Hans	Værsgo, en stærk gin og tonic!	
George	Tusind tak!	

CD1, TR 13

Tak skal du have! *Thank you (very much)!*
træt *tired*
lidt *a little*
sulten *hungry*
meget sulten *very hungry*
maden *the food*
næsten *nearly*
færdig *ready*
spise *eat*
om et kvarter *in a quarter of an hour*
trænger til *need*
det gør vi alle tre *all three of us do* (Lit. that we do all three)
gør present tense of **gøre** *(do)*
det vil jeg gerne have *I would like (to have) that* (Lit. that I would like to have)
vil gerne *would like*
Værsgo! *Here you are!*
stærk *strong*
Tusind tak! *Thank you very much!*

2 A quarter of an hour later

Lone	Værsgo! Nu skal vi spise. Vi skal have klar suppe, flæskesteg med rødkål og æblekage.
George	Det lyder godt. Jeg holder meget af dansk mad.
Lone	Har du en flaske rødvin, Hans?
Hans	Her er to flasker rødvin.
George	Det bliver hyggeligt.

Værsgo! (here) an invitation to come to table
nu *now*
have *have*
klar suppe *consommé*
flæskesteg med rødkål *roast pork with red cabbage*
æblekage a dessert similar to trifle, made with stewed apples
det lyder godt *that sounds good*
lyde *(to) sound*

jeg holder meget af *I am very fond of*
holde af *be fond of, like*
dansk mad *Danish food*
Har du …? *Do you have …? Have you got …?*
en flaske *a bottle*
rødvin *red wine*
her *here*
to flasker rødvin *two bottles of red wine*
det bliver hyggeligt *it will be 'cosy' (we shall have a lovely time)*
blive *become*
hyggeligt *'cosy', homely, nice*

3 An hour later

Lone	Du kan godt spise noget mere, ikke George?	
George	Jo tak, det kan jeg godt. Det smager så godt.	
Hans	Jeg kan også godt spise lidt mere æblekage. Man kan godt drikke rødvin til æblekage. Skål!	
George	Ja, det kan man. Skål!	

CD1, TR 15

godt *well* (not to be translated here)
noget mere *some more*
ikke George? *Can't you, George?*
Jo tak *Yes please* (after a negative question)
det smager så godt *it tastes so good*
smage *(to) taste*
man kan godt drikke *one can drink*
man *one*
drikke *(to) drink*
til æblekage *with* **æblekage**
Skål! *Cheers!*

QUICK VOCAB

4 Shortly afterwards

Lone	Velbekomme! Nu trænger vi til en kop kaffe.
George	Tak for mad. Det smagte dejligt.
Hans	Tak for mad, skat.

CD1, TR 16

Velbekomme! At the end of the meal the hostess or host says
  velbekomme. There is no equivalent phrase in English. It means: *may
  it (the food) do you good*
en kop kaffe *a cup of coffee*
det smagte dejligt *it tasted lovely*
dejligt *lovely*
skat *darling*

True or false?
  a George is hungry.
  b George would like a gin and tonic.
  c George has never tasted Danish food before.
  d They drink a bottle of white wine.
  e Hans eats several helpings of the dessert.

Shaking hands
When you arrive at a Danish home and are greeted, you shake
hands with your host as you say *hello* to each other. When leaving,
you shake hands again. *Goodbye* is **farvel**, while the informal
equivalent is **hej** or **hej-hej**.

Værsgo *(Here you are!)*
Værsgo is a contracted form of **værsågod,** which literally means
be so good. You use it when handing somebody something in the
sense *here you are!*: **Værsgo, en stærk gin og tonic!**

Værsgo is also used as an invitation to come to table: **Værsgo!
Nu skal vi spise** (corresponding to *Dinner is served*).

Tak for mad *(It was a lovely meal)*
When the host or hostess says **velbekomme** at the end of the meal,
everybody thanks them for the food, using the phrase **tak for mad.**
It is part of table manners.

What to say

How to:

▶ express what you would like	**Jeg vil gerne** followed by the infinitive of the main verb, e.g. **Jeg vil gerne rejse til København.**
	Ja tak, det vil jeg gerne have: *Yes please, I would like that.* (Literally, yes please, that I would like to have.)
	Jeg vil gerne komme på fredag: *I would like to come on Friday.*
▶ say 'thank you'	**Tak!**
	Tak skal du have!
'many thanks!'	**Mange tak!**
'thank you very much!'	**Tusind tak!**
▶ say 'yes please!'	**Ja tak!**
	Jo tak!
'no thanks!'	**Nej tak!**
▶ say phrases used at meal times	**Værsgo!**
	Tak for mad!
	Velbekomme!

Language patterns

1 The (boat), the (train)

In Danish *the* is not a separate word, but an ending. If the noun is common gender, **-en** is added to the word; if it is neuter gender, **-et** is added.

The common gender:

en båd	*a boat*
båden	*the boat*

The neuter gender:

et tog	*a train*
toget	*the train*

The is not an ending if there is a qualifying word immediately before the noun, e.g. the *long* journey. (See Unit 5.)

Nouns that end in unstressed **-e** only add **-n** or **-t**:

en rejse	*a journey*
rejsen	*the journey*
en uge	*a week*
ugen	*the week*

A double consonant in Danish does not indicate length, but serves to show that the preceding vowel is short. A word never ends in a double consonant. If the vowel before the final consonant is short and stressed the consonant is doubled when the ending is added:

en kop	*a cup*
koppen	*the cup*
et slot	*a palace*
slottet	*the palace*

2 'Me, you, him/her/it' and 'us, you, them'

In the first unit you were given the personal pronouns in the form that is used when the personal pronoun performs the act that the verb describes (*I* travel, *you* eat, *he* drinks, etc.); in other words, when they are the subject. In this note you have the forms that are used when the pronoun is the object (I can see *him*, we visit *them*, etc.). Here is the complete list:

me	**mig**	*us*	**os**
you	**dig/Dem**	*you*	**jer/Dem**
him	**ham**	*them*	**dem**
her	**hende**		
it	**den/det**		

-ig in **mig** and **dig** is pronounced like *I*; **d** in **hende** is silent.

Here are some examples, using the phrase **holde af** (*be fond of*):

de holder af *mig*	*they are fond of me*
hun holder af *dig*	*she is fond of you* (informal, singular)
vi holder af *Dem*	*we are fond of you* (formal, singular)
jeg holder af *ham*	*I am fond of him*
vi holder af *hende*	*we are fond of her*
han holder af *den*	*he is fond of it* (common gender)
hun holder af *det*	*she is fond of it* (neuter gender)
de holder af *os*	*they are fond of us*
jeg holder af *jer*	*I am fond of you* (informal, plural)
vi holder af *Dem*	*we are fond of you* (formal, plural)
hun holder af *dem*	*she is fond of them*

Insight: Pronouns

A pronoun is a word used instead of a noun or a noun phrase. A personal pronoun designates a person or thing already mentioned or known. English personal pronouns have a subject form: *I, we, he, she*, etc., and an object form: *me, us, him, her*, etc.

The English personal pronoun *you* can refer to one person or several, and it is both the subject form (*you travel by train*) and the object form (*we saw you, we gave you the flower*). In Danish the subject forms are: **du** (sing.), **I** (pl.); and the object forms: **dig** (sing.), **jer** (pl.).

3 Expressing a wish

Look at the sentences below and notice that after **vil gerne** and **vil ikke** the main verb is in the infinitive.

Saying what you would like:

Jeg *vil gerne* have lidt æblekage.   *I would like to have a little* ***æblekage.***

Saying what you would like to do:

Jeg *vil gerne* rejse på fredag.   *I would like to travel on Friday.*

Saying what you do not want to do:

Jeg *vil ikke* flyve på mandag.   *I don't want to fly on Monday.*

4 The present tense of 'to have'

Have (*have*) is pronounced *ha*. The present tense of the verb has only one syllable – **har:**

I have	**jeg har**	*we have*	**vi har**
you have	**du/De har**	*you have*	**I/De har**
he/she/it has	**han/hun/den/det har**	*they have*	**de har**

5 How to form negative statements

Look at the sentences below and see how you change a positive statement into a negative one.

Hun har en ven i England.   *She has a friend in England.*
Hun har ikke en ven i England.   *She does not have a friend in England.*

In statements formulated in this way (main clauses) the word **ikke**, which means *not*, is placed after the verb.

In sentences with **skal** or **vil** followed by an infinitive, **ikke** is placed between **skal** or **vil** and the infinitive:

Jeg skal ikke flyve til London på mandag. *I am not flying to London on Monday.*

6 Numerals: 0–10

◀) **CD1, TR 17**

0	nul	6	seks
1	en	7	syv
2	to	8	otte
3	tre	9	ni
4	fire	10	ti
5	fem		

Exercises

1 Complete the right-hand column. There are four examples to help you:

en båd	**båden**	(*the boat*)
en rejse	**rejsen**	(*the journey*)
en ven	**vennen**	(*the friend*)
et tog	**toget**	(*the train*)
en nabo	a	(*the neighbour*)
en turist	b	(*the tourist*)
et slot	c	(*the palace*)
en dronning	d	(*the queen*)
en uge	e	(*the week*)
en kop	f	(*the cup*)

2 Insert **ikke** in the following sentences. Here is an example:

George kommer i dag.   George kommer ikke i dag.

   a Det er en lang rejse.
   b Alison flyver til København.
   c Hun hedder Marie Sørensen.
   d De spiser æblekage.
   e Han kan spise mere.
   f Hun skal bo hos os.
   g Vi skal køre nu.

3 Express the following wishes in Danish:

◀) CD1, TR 18

   a I would like to fly on Friday.
   b I would like to stay with them.
   c I would like to travel to England.
   d I would like a cup of coffee.

4 Rewrite the following sentences, replacing the names and the nouns with *him*, *her*, *it* and *them*, as in this example:

Han skal bo hos Hans og Lone.   Han skal bo hos dem.

   a De spiser æblekagen.
   b Jeg skal køre med Hans og Kirsten.
   c De holder meget af Niels.
   d Vi siger 'du' til Kirstens mor.

5 Answer the following questions in Danish:
   a Er George træt?
   b Hvad trænger han til?
   c Hvad skal de have at spise?
   d Holder George af dansk mad?
   e Drikker de vin til maden?

6 Arrange the following sentences so that they form a dialogue:

    a Hej Lise! Tak skal du have!
    b Dav Mette! Velkommen til København!
    c Ja, lidt. Det er en lang rejse.
    d Er du træt?
    e Ja tak! Det vil jeg gerne have.
    f Du trænger til en kop kaffe.

Comprehension

A Danish meal

◄) **CD1, TR 19**

Det er dejligt at spise hos en dansk familie. Jeg holder meget af dansk mad. Mine danske venner bor i København. De hedder Lene og Mikael Larsen. Lene siger: 'Værsgo! Nu skal vi spise', når maden er færdig. Mikael kommer med en flaske rødvin. Jeg synes, maden smager godt. Lene siger: 'Du kan godt spise noget mere, ikke David?', og jeg siger: 'Jo tak, det kan jeg godt'. Jeg vil gerne have mere vin. Vi drikker to flasker vin. Til dessert spiser vi chokoladeis. Lene siger: 'Velbekomme!', og Mikael og jeg siger: 'Tak for mad!'

at *to* (before the infinitive **spise**)	**kommer med** *brings*
en familie *a family*	**en dessert** *a dessert*
når *when*	**chokoladeis** *chocolate ice cream*

> ## Insight: jeg synes
> In Unit 1 you were taught that the present tense of Danish verbs ends in **-r**. **Synes** was originally a different form (the passive voice, explained in Unit 9), and means literally *is shown, appears*. What was once **mig synes** (*it appears to me*) has now become **jeg synes**.

True or false?
Which of these are true (**T**) and which are false (**F**)?

a David enjoys eating a meal in a Danish home.
b His Danish friends live in Jutland.
c David does not like the wine.
d They have ice cream for dessert.

Test yourself

Translate into Danish:

1 George would like a glass of wine.
2 He would like to fly on Tuesday.
3 You (sing.) need a cup of coffee.
4 I think the food tastes good.
5 They have five bottles of wine.
6 Do you (sing.) think the journey is interesting?
7 The queen doesn't eat the soup.
8 You (pl.) travel to London by train.
9 Can we stay with you (pl.)?
10 I don't want to drive with them.

3

På indkøb
Shopping

In this unit you will learn
- *how to ask a favour*
- *how to offer assistance*
- *how to say phrases that you will need when shopping*
- *how to describe the weather*

1 Good morning!

Lone is making coffee in the kitchen.

George	Godmorgen!
Lone	Godmorgen! Har du sovet godt?
George	Ja tak, jeg har sovet som en sten.
Lone	*(addressing Hans who is still in the bedroom)* Hans! Kan du lige gå hen til bageren efter morgenbrød og mælk?
Hans	Ja, det skal jeg nok, men jeg skal lige have et brusebad først.
George	Jeg kan gå hen til bageren. Jeg ved godt, hvor butikken ligger.
Lone	Tak skal du have! Så dækker jeg bord i mellemtiden.

♠ CD1, TR 20

Godmorgen! *Good morning!*
Har du sovet godt? *Did you sleep well?* (Lit. have you slept well?)
en sten *a stone*
sove som en sten *sleep like a log*

QV

Unit 3 På indkøb *Shopping* 27

lige *just*

hen This word indicates movement away from the speaker. There is no equivalent in modern English.

en bager *a baker*

til bageren *to the baker's*

efter here: *for*

morgenbrød *breakfast rolls*

mælk *milk*

det skal jeg nok *I'll do that.* (Lit. I shall certainly (do) that).

et brusebad *a shower*

først *first*

jeg ved *I know* (*to know* = **at vide**)

hvor *where*

en butik *a shop*

ligge *lie, be situated*

så *then*

dække bord *lay the table*

et bord *a table*

i mellemtiden *in the meantime*

Insight: jeg ved

In Unit 1 you were taught that the present tense of Danish verbs ends in **-r**. **Jeg ved** was originally the past tense of a verb meaning *see* (you know = you saw). So past tense became present tense.

2 At the baker's

Ekspeditricen	Hvad skulle det være?
George	Jeg vil gerne have 3 rundstykker og 3 stykker wienerbrød.
Ekspeditricen	Ellers andet?
George	Ja, en liter letmælk og noget piskefløde. Hvad koster en halv liter piskefløde?
Ekspeditricen	Den koster 12 (tolv) kroner.
George	Jeg skal have en kvart liter. Hvor meget bliver det?
Ekspeditricen	Det bliver 30 (tredive) kroner.

en ekspeditrice *a shop assistant*
Hvad skulle det være? *Can I help you?* (Lit. what should it be?)
et rundstykke (tre rundstykker) *a roll (three rolls)*
tre stykker wienerbrød *three Danish pastries*
et stykke wienerbrød *a Danish pastry*
ellers andet *anything else*
en liter letmælk *a litre of semi-skimmed milk*
noget piskefløde *some whipping cream* (**fløde** = *cream*)
hvad koster ...? *how much is ...?*
koste *cost*
en halv liter piskefløde *half a litre of whipping cream*
en krone *a crown* (Danish coin)
en kvart liter *a quarter of a litre*
Hvor meget bliver det? *How much is (all) that?* (Lit. how much
does that become?)

3 At the florist's

Ekspeditricen	Godmorgen! Kan jeg hjælpe Dem?
George	Ja tak, jeg vil gerne have en buket blomster. Hvad koster roserne?
Ekspeditricen	En stor buket med 10 røde roser koster 60 (tres) kroner.
George	Det er lidt for dyrt, synes jeg.
Ekspeditricen	En lille buket med tre tulipaner og tre påskeliljer koster 15 (femten) kroner.
George	Det er billigt. Den vil jeg gerne have.
Ekspeditricen	*(wraps the flowers and hands them to George)* Værsgo!
George	*(handing her the money)* Værsgo, her er lige penge! Vil De være så venlig at sige mig, hvordan jeg kommer hen til Kløvervej?

hjælpe *help*
en buket *a bouquet*
blomster *flowers* (**en blomst** = *a flower*)
roserne *the roses* (**en rose** = *a rose*)
stor *big*

ti røde roser *ten red roses*
Det er lidt for dyrt. *That is a bit too expensive.*
..., synes jeg *..., I think*
lille *small*
tulipaner *tulips* (**en tulipan** = *a tulip*)
påskeliljer *daffodils* (**en påskelilje** = *a daffodil*)
Det er billigt. *That is cheap.*
her er lige penge *here is the exact amount*
penge (plural) *money*
Vil De være så venlig ... *Could you please ...* (Lit. will you be so kind ...)?
sige *tell*
hvordan *how*
Kløvervej *Clover Road* (typical street name in a residential area)

4 Hans and Lone are waiting for George

CD1, TR 23

Lone	Hvor bliver George dog af?
Hans	Bare han ikke er faret vild i vores villakvarter.
George	*(arriving)* Det må I undskylde. Det var jeg længe om. Værsgo, morgenbrød, mælk, fløde og en buket blomster!
Lone	Tusind tak, George!
Hans	Hvordan er vejret i dag?
George	Det regner, men det er ikke koldt.
Hans	Blæser det?
George	Nej, det blæser ikke.
Lone	Det klarer op i løbet af formiddagen. Vi kan gå en tur i eftermiddag.
Hans	Hvis solen skinner i eftermiddag, kan vi køre op til Dyrehaven og gå en tur der.

QUICK VOCAB

Hvor bliver George af? *Where has George got to?*
dog used in exclamatory remarks (here it conveys slight impatience)
Bare han ikke er faret vild. *I hope he hasn't lost his way.*
bare ... *I hope/I do hope ...*
(at) fare vild *(to) lose one's way*
i vores villakvarter *in our estate* (**et villakvarter** = *an estate*)
Det må I undskylde. *I am sorry.* (Lit. you must excuse/forgive that)

30

Det var jeg længe om. *That took me a long time.*
længe *long, a long time*
Hvordan er vejret i dag? *What is the weather like today?*
det regner *it is raining*
koldt *cold*
det blæser *it is windy*
det klarer op *it will brighten up*
i løbet af *in the course of*
formiddagen *the morning* (the time between 9 o'clock and noon)
gå en tur *go for a walk*
i eftermiddag *this afternoon*
hvis *if*
solen *the sun*
skinner *shines*
op til Dyrehaven *up to the Deer Park* (an area of parkland and woods)
der *there*

True or false?
a Hans goes to the baker's to buy rolls and milk.
b George buys ten red roses.
c It is raining, but it is not windy.

How much is this?
If you want to inquire about the price of an article you use the
phrase: **Hvad koster den/det?** When you want to pay for several
items that you have selected you ask: **Hvor meget bliver det?**

You might receive the answer: **Den/Det koster 20 (tyve) kroner
flasken.** *It costs 20 crowns a bottle.* Notice that the definite form
(**flasken**) is used in Danish, i.e. 20 crowns *the* bottle.

Please
There is no single equivalent in Danish for the word *please*.
In requests among friends the word **lige** is often used. It adds
politeness to what would otherwise be a brusque request.
Kan du lige gå ned til bageren?

Vil De være så venlig at ... is the more formal way of introducing
a request.

What to say

How to:

▶ offer to do something	**Jeg kan gå hen til bageren.**
▶ offer assistance in a shop	**Hvad skulle det være?**
	Kan jeg hjælpe Dem?
▶ ask for something in a shop	**Jeg vil gerne have ...**
▶ ask the price	**Hvad koster en liter letmælk?**
	Hvor meget bliver det?
▶ express surprise that some-body has not yet arrived	**Hvor bliver George af?**
▶ apologize	**Det må I undskylde.**
▶ ask what the weather's like	**Hvordan er vejret i dag?**
▶ say that it is raining	**Det regner.**
▶ say that it is windy	**Det blæser.**
▶ say that the sun is shining	**Solen skinner.**

Language patterns

1 The plural forms of nouns

In Danish there are three ways of forming the plural of nouns:
(i) Some nouns add -e, (ii) some add -er (if the word ends in -e add only -r) and (iii) some have no plural ending. The rule mentioned in Unit 2 (note 1) concerning the doubling of a final consonant following a short and stressed vowel also applies when the plural ending is added.

en båd	*a boat*	bå**de**	*boats*
et bord	*a table*	bord**e**	*tables*
en blomst	*a flower*	blomst**er**	*flowers*
en ven	*a friend*	ven**ner**	*friends*
en rose	*a rose*	rose**r**	*roses*
en sten	*a stone*	sten	*stones*
et tog	*a train*	tog	*trains*

The Danish equivalent of *the* immediately preceding a noun in the plural is an ending. -ne is added to the plural form regardless of whether the word is common gender or neuter gender. If the noun does not have a plural ending, an extra syllable is created by the insertion of -e- between this plural form and the ending.

både	*boats*	både**ne**	*the boats*
borde	*tables*	borde**ne**	*the tables*
blomster	*flowers*	blomster**ne**	*the flowers*
venner	*friends*	venner**ne**	*the friends*
roser	*roses*	roser**ne**	*the roses*
sten	*stones*	sten**ene**	*the stones*
tog	*trains*	tog**ene**	*the trains*

At the back of the book you will find a list of all the Danish words that are used in the dialogues and texts, in alphabetical order (*Danish–English vocabulary*). The gender and plural form of the nouns are indicated in brackets.

2 Adjectives

Adjectives are 'describing' or 'qualifying' words. In Danish, adjectives do not always appear in the same form. Endings are added and they are determined by the form of the noun that an adjective qualifies. After the indefinite article **en/et**, adjectives are inflected according to gender. After **en** no ending is added. After **et**, -t is added.

en rød blomst   *a red flower*
et rødt bord   *a red table*

In the plural the adjective ends in -e.

røde blomster   *red flowers*
røde borde   *red tables*

If the adjective follows the noun, separated from it by a form of the verb *to be*, as in *the rose is red*, the adjective is inflected in Danish. Describing a common gender noun in the singular, it does not add an ending. Referring back to a neuter gender noun in the singular, it adds -t. If the noun is in the plural, the adjective ends in -e.

Buketten er billig.	*The bouquet is cheap.*
Bordet er dyrt.	*The table is expensive.*
Det er dyrt.	*That is expensive.*
Blomsterne er billige.	*The flowers are cheap.*

A final consonant following a short and stressed vowel is doubled before -e: **turisterne er trætte** (*the tourists are tired*).

The adjective **lille** (*small*) does not add -t in the neuter gender: **et lille bord. Lille** is only used in the singular; in the plural it is replaced by **små: små borde.** The adjective **små** does not end in -e, although it is a plural form.

3 Word order

While in an English sentence the subject (the person or thing 'doing' something) normally comes before the verb, e.g. *Then I shall lay the table*, their order is frequently reversed in a Danish clause. This is called inversion. It happens in the following cases:

a In a main clause that does not start with the subject:

Så *dækker jeg* bord i mellemtiden.	*Then **I shall** lay the table in the meantime.* (Lit. then shall I …)

A main clause is a sentence, containing a subject and a verb, which is a complete statement, while a subordinate clause is an incomplete statement that only makes sense when it is joined to the main clause. *I'll come tomorrow* is a main clause. *When I come tomorrow* is a subordinate clause.

b In a main clause that follows a subordinate clause:

Hvis solen skinner i eftermiddag, *kan vi køre* op til Dyrehaven.	*If the sun shines this afternoon **we can** drive up to Dyrehaven.* (Lit. … can we drive …)

c In questions (see Unit 1, note 7):

Bor Hans i Holte?   *Does Hans live in Holte?*

4 'My, your, his/her/its' and 'our, your, their'

Singular forms

a *my*: **min, mit, mine.** In Danish, *my* agrees with the noun that it is attached to:

min nabo	*my neighbour*
mit slot	*my castle*
mine venner	*my friends*

b *your* (sing.): **din, dit, dine.** This form of the pronoun also agrees with the noun:

din familie	*your family*
dit tog	*your train*
dine flasker	*your bottles*

c In the third person singular the possessive pronouns have two forms. The required form depends on the grammatical relationship between the subject of the clause and the possessive pronoun as explained below. The possessive pronoun *his* is either **hans** or **sin/sit/sine**, *her* is either **hendes** or **sin/sit/sine**, and *its* is either **dens/dets** or **sin/sit/sine**.

his: **hans.** No agreement, which means this form is used regardless of gender and number:

hans mor	*his mother*
hans rundstykke	*his roll*
hans blomster	*his flowers*

her: **hendes.** No agreement:

hendes datter	*her daughter*
hendes bord	*her table*
hendes penge	*her money*

its: **dens** or **dets**, depending on whether *it* is common gender or neuter gender:

***dens* blomster**	*its (common gender) flowers*
***dets* park**	*its (neuter gender) park*

his, *her* and *its*: **sin, sit, sine** (agreement). This form is used when the sentence is constructed in a certain way. If *he* is the subject of the verb and the action involves something or somebody that belongs to *him*, then **sin, sit,** or **sine** is used:

Han hjælper *sin* mor.   *He helps his mother.*

Similarly:

Hun hjælper *sine* venner.   *She helps her friends.*

If you said: *Han* hjælper *hans* mor, it would be someone else's mother he was helping.

Plural forms

a   *our*: **vores** (no agreement):
   ***vores* slot**   *our castle*

b   *your* (pl.): **jeres** (no agreement):
   ***jeres* dronning**   *your queen*

c   *their*: **deres** (no agreement):
   ***deres* hovedstad**   *their capital*

The formal *your* is **Deres** in both the singular and the plural (no agreement):

***Deres* is**   *your ice cream*

The possessive pronoun **hans** is pronounced differently from the name **Hans**. In **Hans** there is a glottal stop in the **n**, while there is no glottal stop in **hans**.

5 En flaske vin (*a bottle of wine*)

Notice that in Danish **vin** follows immediately after **flaske**. Similarly:

en liter mælk	*a litre of milk*
en kop kaffe	*a cup of coffee*

6 Numerals: 11–20

◀) **CD1, TR 24**

11	elleve	16	seksten
12	tolv	17	sytten
13	tretten	18	atten
14	fjorten	19	nitten
15	femten	20	tyve

-ek- in **seksten** is pronounced like *I*.

Exercises

1 Write down the plural and the definite forms of the following nouns, as in these examples:

en dag	dagen	dage	dagene
(*a day*)	(*the day*)	(*days*)	(*the days*)
en ven	ven**nen**	ven**ner**	ven**nerne**

a	en buket	**e**	et slot
b	et bord	**f**	en nabo
c	en dronning	**g**	en familie
d	et tog	**h**	en båd

2 Complete the following dialogue by filling in what the customer says in Danish:

◄》 CD1, TR 25

Ekspeditricen: Hvad skulle det være?
(The customer): *I would like a bottle of red wine.*
a
Ekspeditricen: Jeg har en god flaske rødvin her. Den koster 90 (halvfems) kroner.
(The customer): *That is a bit too expensive, I think!*
b
Ekspeditricen: Her er en god og billig vin. Den koster 50 (halvtreds) kroner flasken.
(The customer): *Yes, that is cheap. I would like that.*
c

3 Change the following adjectives and nouns from the singular to the plural as in this example:

en billig flaske (*a cheap bottle*), billige flasker (*cheap bottles*)

a	en dyr buket	**e**	et hyggeligt slot
b	en dansk familie	**f**	en stærk vin
c	en lille park	**g**	en lang rejse
d	en træt ekspeditrice		

4 Move the words in bold to the beginning of the sentence and place the verb before the subject. (See **Language patterns**, note 3, on inversion.) Here is an example:

Det klarer op **i løbet af formiddagen. I løbet af formiddagen** klarer det op.

a Jeg dækker bord i **mellemtiden.**

b Vi spiser chokoladeis **til dessert.**

c George kommer **i dag.**

d Jeg skal flyve til London **på mandag.**

e Vi skal spise **nu.**

f Jeg kører til Holte **om et kvarter.**

5 Insert the possessive pronoun in the correct form in the following sentences:

   a (*my*) _____ mor bor i Herning.

   b (*his*) _____ mor bor i København.

   c (*our*) _____ venner flyver til Danmark.

   d (*their*) _____ dronning bor på Amalienborg slot.

   e (*her*) _____ buket er dyr.

   f Hun drikker (*his*) _____ vin.

   g Hun bor hos (*her*) _____ datter i en uge.

   h Hvad hedder (*your* pl.) _____ nabo?

   i Bor (*your* sing.) _____ venner i London?

   j Han rejser over til (*his*) _____ venner i Jylland.

6 Imagine you are going shopping and you want to buy the items pictured below. What would you say to the shop assistant:

◄)) **CD1, TR 26**

a

b

c   d

7 Answer the following questions in Danish, using whole sentences.

a Har George sovet godt?
b Går Hans til bageren?
c Er roserne billige?
d Skinner solen?

Comprehension

In the morning

◆) **CD1, TR 27**

Når vejret er godt, går jeg til bageren om morgenen, inden vi spiser morgenmad. Jeg køber fire rundstykker og to stykker wienerbrød. Bageren sælger også mælk, og jeg køber en liter letmælk. Jens laver kaffe, og når jeg kommer tilbage, er kaffen færdig. Det er dyrt at købe morgenbrød hver dag, men jeg synes, det smager så godt. Jeg køber også rundstykker og wienerbrød, når det regner. Så kører jeg hen til bagerbutikken.

<table>
<tr><td>

QUICK VOCAB

</td><td>

gå *walk*
om morgenen *in the morning*
inden *before*
morgenmad *breakfast*
mad (-en) *food*
købe *buy*

</td><td>

sælge *sell*
lave *make*
hver *each*
dag (-en, -e) *day*
så (godt) *so (good)*

</td></tr>
</table>

True or false?

Which of these are true (**T**) and which are false (**F**)?

a I only go to the baker's when the sun is shining.
b I buy two Danish pastries.
c The baker also sells milk.
d I make coffee when I return home.

Test yourself

Translate into Danish:

1 How is the weather today?
2 It is windy and it is raining.
3 I know where the shop is.
4 How much are the roses?
5 The flowers are expensive.
6 I would like a cheap bouquet.
7 Her mother travels to Copenhagen.
8 Kirsten is going to stay with her friends in Jutland.
9 On Friday Alison is flying to Denmark.
10 If the sun shines tomorrow we can go for a walk.

4

I lufthavnen
At the airport

In this unit you will learn
* *how to ask for information at a railway station and an airport*
* *how to tell the time*

1 Buying tickets at the railway station

It is Friday, the day of Alison's arrival. The plane arrives at 2 p.m. Before going to the airport to meet her, George calls at the main railway station to buy train tickets to Århus. He and Alison are travelling to Jutland on Monday. Lone has taken the day off work.

CD1, TR 28

George	Min kone og jeg skal rejse til Århus på mandag midt på dagen. Hvornår afgår der tog fra København?
Billetsælger	Der afgår intercitytog fra København hver time: 12.00, 13.00 osv. (tolv nul nul, tretten nul nul, og så videre). Man skal have pladsbillet til toget.
George	Jeg vil gerne have to billetter til toget klokken 12.00.
Billetsælger	Enkeltbilletter eller returbilletter?
George	Enkeltbilletter.
Billetsælger	Rygere eller ikke-rygere?
George	Ikke-rygere.
Billetsælger	Det bliver 442,00 (fire hundrede toogfyrre) kroner.

kone (-n, -r) *wife*
midt på dagen *in the middle of the day, midday*
hvornår? *when?* (in a question)
afgå *depart*
billetsælger (-en, -e) *ticket office clerk*
hver time *each hour*
time (-n, -r) *hour*
osv. (og så videre) *etc.*
skal *must* (here used to imply necessity)
pladsbillet *seat reservation*
billet (-ten, -ter) *ticket*
klokken 12.00 *at 12 o'clock, at 12 noon*
enkeltbillet *single ticket*
returbillet *return ticket*
rygere *smokers*
ikke-rygere *non-smokers*

Smoking is no longer allowed on Danish public transport.

Insight: Compound nouns

In Danish, compound nouns (*intercity train, single ticket*)
are written as one word. The last part of the compound
determines the gender and the plural ending, e.g. **et
intercitytog, mange intercitytog; en enkeltbillet, mange
enkeltbilletter.**

2 Waiting at the airport

Lone and George arrive at the airport at 2 o'clock. They have a
cup of coffee while they are waiting for the arriving passengers to
reclaim their baggage.

Lone	Det er nu nemt at flyve fra England til Danmark. Hvor længe varer flyveturen?
George	Den tager ca. to timer. Men Alison skal med toget ned til London og derfra med undergrundsbanen ud til Heathrow. Hun rejste hjemmefra klokken halv seks i morges.

(Contd)

◉ CD1, TR 29

Det er nemt. *It is easy.*
nu here: *I must say*
vare længe *take a long time*
Hvor længe varer flyveturen? *How long does the flight take?*
den tager *it takes*
ca. (cirka) *circa, approximately*
Alison skal med toget After **skal** the verb of movement is often omitted in Danish. Here **rejse** is implied.
ned *down*
derfra *from there*
undergrundsbanen *the Tube*
ud *out*
rejste *travelled* (past tense)
rejste hjemmefra *left home*
klokken halv seks *at half past five*
i morges *this morning*
passager (-en, -er) *passenger*
har været *has/have been*
fly (-et, -) *(aero)plane*
jeg tror ikke ... *I don't think ...*
er kommet *has/have come/arrived*

3 Still waiting at the airport

Lone rings Hans at work and learns that Alison called him from Heathrow a couple of hours ago to say that she had arrived late at the airport because the train had been delayed. Lone returns to George.

| Lone | Jeg har talt med Hans. Alison ringede til ham klokken halv 1 (et) fra Heathrow. Toget var forsinket, og hun ankom til lufthavnen så sent, at hun ikke kunne komme med flyet. |

QUICK VOCAB

har talt *have talked*
tale med *talk to*
ringede til *telephoned* (past tense of **ringe**)
klokken halv 1 (et) *at half past 12*
var forsinket *was delayed*
ankom *arrived* (past tense of **ankomme**)
lufthavn (-en, -e) *airport*
så sent *so late*
at *that*
kunne *could*
sagde *said* (past tense of **sige**)
må *must*
finde ud af *find out*

4 George goes to the information desk

CD1, TR 31

George   Undskyld, kan De sige mig, hvornår det næste fly
              ankommer fra London?
Funktionær   Ja, der ankommer et British Airways fly 15.45
              (femten femogfyrre).
George   Min kone kommer med et SAS fly.
Funktionær   Det ankommer 17.30 (sytten tredive).

QV

funktionær (-en, -er) *employee*
der ankommer et British Airways fly ... *a British Airways plane
arrives ...* (Lit. *there arrives a British Airways plane ...*)

True or false?
a George buys return tickets to Århus.
b Alison and George live a long way from London.
c Alison arrives late in Copenhagen because her plane took
   off late from Heathrow.
d Alison arrives at half past five.

Telling the time

Hvad er klokken?	*What is the time?*
Klokken er 1 (et).	*It is 1 o'clock.*
Klokken er 7.	*It is 7 o'clock.*

It is a quarter past eight. The word *past* is **over** in Danish, and *a quarter* is **et kvarter** or just **kvart**. The whole phrase is **klokken er et kvarter over 8** or **klokken er kvart over 8**. **Klokken** can be replaced by **den: den er kvart over 8.**

It is a quarter to nine (*to* in Danish is **i**) is **den er kvart (et kvarter) i 9.**

It is half past ten. In Danish you relate the half-past expressions to the following hour. *Half past ten* is **halv 11** (Lit. half 11). The whole phrase is **den er halv 11.**

It is 5 (minutes) past 10 is **den er 5 minutter over 10** (you cannot leave out the word **minutter**).

It is 25 past 10. The time between 21 minutes past and 29 minutes past the hour is usually expressed by giving the number of minutes left before the 'half hour'. In this case you say that *it is five minutes to half past ten* (Lit. to half 11): **den er 5 minutter i halv 11.**

It is 22 minutes to 11. The time between 29 minutes to the hour and 21 minutes to the hour is usually expressed in a similar way, by giving the number of minutes past the 'half hour': **den er 8 minutter over halv 11.**

It is 20 to 11 is simply **den er 20 minutter i 11.**

At 12 o'clock is **klokken 12** (there is no word in Danish corresponding to *at*).

Arrival and departure times at airports and railway stations are given by the 24-hour clock, starting at midnight. E.g., the time *15.03* is expressed as **femten nul tre** and *21.17* as **enogtyve sytten.**

Insight: klokken

The Danish noun **en klokke** means *a bell*. **En kirkeklokke** is *a church bell*. It has acquired the meaning of an instrument that measures time because of the built-in bell that was struck on the hour. English *clock* has lost the original sense of *bell*.

In den er kvart i 9 (*it is a quarter to nine*), *it* is **den** (not **det**) because it is the answer to: **Hvad er klokken? Klokken/Den er kvart i 9.**

What to say

How to:

▶ ask when there are trains departing for a certain destination	**Hvornår afgår (kører) der tog til Århus?**
▶ say that a seat reservation is required	**Man skal have pladsbillet til toget.**
▶ inquire about the arrival time of an aeroplane	**Undskyld, kan De sige mig, hvornår det næste fly ankommer fra London?**

Language patterns

1 Talking about the past

When you talk about something that took place or was done earlier in the day, or longer ago, you do not use the form of the verb that ends in **-r** (the present tense), but either the past tense (**hun rejste ned til London**: *she travelled down to London*) or the perfect tense (**jeg har talt med Hans**: *I have talked to Hans*). English and Danish use the two tenses in the same way, although in practice there are occasional differences. The past tense refers to a certain time prior to the moment of speaking and stresses the fact that an action was completed then. The perfect tense is concerned with the result of a past action, relating it to the present moment. Compare these two examples:

hun ringede klokken halv 1   *she rang at half past 12* (past tense)
hun har ringet   *she has telephoned* (perfect tense)

In English some verbs add an ending in the past tense: *talk-ed*, *help-ed*, and others form the past tense by changing the vowel: *drink/drank*, *hang/hung*. The same two groups are found in Danish.

a Some verbs have an ending which is added to the stem of the verb. This ending is either **-ede** or **-te**:

infinitive: ringe	*stem:* ring	*past tense:* ring**ede**
koste	kost	kost**ede**
bo	bo	bo**ede**
tale	tal	tal**te**
spise	spis	spis**te**
trænge	træng	træng**te**

No rules can be given as to which of the two endings a verb from this group takes. In the vocabulary at the end of the book the past tense of all verbs is indicated in brackets.

b The other group does not have an ending in the past tense. Here the tense is shown by a change of vowel:

infinitive: hj**æ**lpe	*past tense:* hj**a**lp
dr**i**kke	dr**a**k
v**æ**re (*be*)	v**a**r (*was*)

There are a few verbs without a change of vowel:

infinitive: h**e**dde	*past tense:* h**e**d
k**o**mme	k**o**m

c There are also a number of irregular verbs. These have an ending in the past tense and in most cases a change of vowel. The ending is either **-de** or **-te**:

infinitive: sige	*past tense:* sagde
gøre	gjorde
have (*have*)	havde (*had*)

2 Questions

When you want to ask a question, you either place the verb before the subject (inversion), which you read about in Unit 1 (note 7), or you start the sentence with an interrogative word, e.g.

hvad	*what*
hvor	*where*
hvordan	*how*
hvornår	*when*

who is **hvem**:

Hvem kommer i dag?	*Who is coming today?*
Hvem talte du med?	*Who did you talk to?*

whose is **hvis**:

Hvis datter rejste til London?	*Whose daughter travelled to London?*

which is **hvilken, hvilket, hvilke**:

Hvilken båd sejlede du med?	*Which boat did you sail on?*
Hvilket bord købte I?	*Which table did you buy?*
Hvilke blomster købte han?	*Which flowers did he buy?*

Colloquially, however, people use **hvad for en, hvad for et, hvad for nogen:**

Hvad for en buket vil du have?	*Which bouquet would you like?*
Hvad for et tog kommer han med?	*Which train is he coming on?*
Hvad for nogen billetter købte du?	*What kind of tickets did you buy?*

Insight: Hvor, hvor længe

Hvor on its own means *where*, e.g. **Hvor bor han?** *Where does he live?*

Hvor followed by an adjective or adverb means *how*, e.g. **Hvor længe varer flyveturen?** *How long does the flight take?*

3 Numerals: 20–100

◀) **CD1, TR 32**

20	tyve	70	halvfjerds
30	tredive	80	firs
40	fyrre	90	halvfems
50	halvtreds	100	hundrede
60	tres		

The numerals after 40 are the abbreviated forms of multiples of 20. The word for 50 (**halvtreds**) is an abbreviation of **halvtredsindstyve**. **Sinds** means 'times', and here **tyve** is multiplied by **halvtredje** (*two and a half*).

60	comes from *three times 20*: **tresindstyve**
70	comes from *three and a half* (**halvfjerde**) *times 20*: **halvfjerd-sindstyve**
80	comes from *four times 20*: **firsindstyve**
90	comes from *four and a half* (**halvfemte**) *times 20*: **halvfemsindstyve**

While **halvanden/halvandet** is still used (*one and a half*), the words above starting with **halv-** are outdated expressions.

When speaking, you say the unit before the tens digit. *Twenty-one* is *one and twenty*: **enogtyve**.

35: **femogtredive**, 67: **syvogtres**, 98: **otteoghalvfems**, 109: (et) hundrede (og) ni, 382: tre hundrede (og) **toogfirs**.

> ## Insight: Numerals on cheques
> On cheques the numerals from 30 to 90 are written: **treti, firti, femti, seksti, syvti, otti, niti**.

Exercises

1 Change the following adjectives and nouns from the plural to the singular, as in the examples:

roserne er dyre
 (the roses are expensive)
bordene er lange

rosen er dyr
 (the rose is expensive)
bordet er langt

  a buketterne er billige
  b togene er røde
  c passagererne er trætte
  d flaskerne er små

  e turisterne er venlige
  f desserterne er gode
  g slottene er dyre

2 Fill in the gaps by inserting the possessive pronouns in the correct form.
  a Hvor er (*my*) —— billetter?
  b Han kan ikke spise (*his*) —— chokoladeis.
  c Hvor bor (*her*) —— mor?
  d Hvornår kommer (*your* pl.) —— nabo?
  e De talte med (*their*) —— datter.
  f Jeg ringer til (*your* sing.) —— venner.
  g (*his*) —— fly er forsinket.

3 In the following sentences the expressions of time are illustrated with clocks. Express these times in words, as in the example.

◀) **CD1, TR 33**

Hvad er klokken?
Klokken er kvart over ni.

a Lotte kommer

d Jeg ringer

b Vi spiser klokken

e Klokken er

c Han skal gå

f Klokken er

4 In the following dialogue translate the English sentences into Danish.

◄) CD1, TR 34

- Hvornår ankommer det næste tog fra Korsør?
a *The train is delayed. It will arrive at one o'clock.*
- Jeg skal rejse til Esbjerg i morgen med Englænderen. Hvornår afgår toget?
b *Englænderen departs at 12.30. You must have a seat reservation.*
- Jeg vil gerne have en billet til toget.
c *A single or a return ticket?*
- En returbillet.
d *That's 438.00 kroner.*

5 Change the verbs in bold type in the following sentences from the present tense to the past tense. All the verbs form the past tense by adding **-ede** to the stem.

a Jens og Lise **bor** i Odense.
b Lise **dækker** bord.
c Jens **ringer** til Jørgen.
d Det **regner**.
e Det **klarer** op i løbet af formiddagen.
f Turen **varer** ikke længe.
g Blomsterne **koster** 60 kroner.
h Jørgen **laver** kaffe.

6 Change the verbs in bold in the following sentences from the present tense to the past tense. All the verbs form the past tense by adding **-te** to the stem.

a Det **blæser**.
b Vi **kører** til København.
c Peter **køber** 20 roser.
d Maden **smager** godt.
e Vi **spiser** chokoladeis.
f De **trænger** til en kop kaffe.
g Marie **taler** med Hans.
h Eva **rejser** til London.

7 Answer the following questions, using whole sentences.
a Hvornår skal Alison og George rejse til Århus?
b Køber George enkeltbilletter eller returbilletter?
c Hvornår afgår der intercitytog fra København?

_____

Comprehension

Travelling by train

Jeg synes, det er nemt at rejse med toget. Der afgår intercitytog fra København hver time. De kører fra hovedstaden over Sjælland og Fyn til Jylland. I Jylland kører togene nordpå op gennem de store byer i Østjylland til Frederikshavn. Det er ikke særlig dyrt at rejse med toget. Jeg kan lide at tale med mennesker, jeg møder i toget. Vi snakker om vejret, vores problemer og vores familie. Jeg har mødt mange interessante mennesker.

QUICK VOCAB

over *over, across*
Sjælland *Zealand*
Fyn *Funen*
nordpå *northwards, north*
op *up*
gennem *through*
de store byer *the large towns*
by (-en, -er) *town*
Østjylland *Eastern Jutland*
det er ikke særlig dyrt *it is not very expensive*
kan lide *like*
menneske (-t, -r) *person, human being*
møde (-te, -t) *meet*
snakke (-ede, -et) *talk, chat*
om *about*
problem (-et, -er) *problem*

True or false?
a Intercity trains depart from Copenhagen every two hours.
b In Jutland the trains travel north through large towns.
c It is expensive to travel by train in Denmark.

At the airport

Lone	Hvor bliver passagererne af? Flyet landede klokken halv 6, og nu er den 6.
George	De står nok og venter på bagagen.
Lone	Jeg tror, de kommer nu.
George	Ja, der kommer Alison. Hej og velkommen, skat!
Lone	Hej, Alison! Det har været en besværlig rejse.
Alison	Ja, det har været en lang dag. Har I ventet herude i lufthavnen hele eftermiddagen?
George	Nej, vi har været i biografen. Jeg er ked af, din rejse har været så besværlig. Næste gang vi skal til Danmark, rejser vi sammen.

lande (-ede, -et) *land*
stå (stod, stået) *stand*
nok *probably*
vente (-ede, -et) *wait*
bagage (-n) *luggage*
har været *has been*
besværlig *difficult, tiresome*
herude *out here*
hele eftermiddagen *all afternoon*
biograf (-en, -er) *cinema*
Jeg er ked af ... *I am sorry ...*
næste gang *next time*
gang (-en, -e) *time*
sammen *together*

True or false?
a The plane arrives at 6 o'clock.
b Lone and George spent the afternoon at the airport.
c George and Alison will travel together when they next go to Denmark.

Test yourself

Translate into Danish:

1 What is the time?
2 It is half past twelve.
3 She travelled by train to the airport.
4 When did she ring?
5 What did her neighbour say?
6 When the weather was fine we went for a walk.
7 How long did the flight take?
8 Excuse me, can you tell me where they live?
9 I am sorry your journey was so difficult.
10 Next time we'll travel together.

5

Weekend i Nordsjælland
Weekend in North Zealand

In this unit you will learn
- *how to make suggestions*
- *how to express agreement and disagreement*

1 During breakfast the next morning

Hans	Nå, hvad skal vi lave i dag?
Lone	(*addressing Alison and George*) I aften er vi inviteret til en fest hos nogle af vores venner. De hedder Lars og Malene. Det er sankthansaften i aften, og de holder en fest i deres sommerhus i Gilleleje.
Hans	Ja, men den begynder først klokken 6. Hvad har I lyst til at lave i mellemtiden?
Alison	Jeg vil meget gerne se Louisiana.
Hans	Det er en god idé. Lad os køre op til Louisiana. Vi kan spise frokost på en restaurant først og sidst på eftermiddagen køre op til Gilleleje.
Lone	Jeg synes ikke, vi skal besøge Louisiana i dag. Lad os tage derop i morgen og køre til Helsingør i stedet. Jeg kan få billetter til forestillingen på Kronborg Slot i eftermiddag. En engelsk teatergruppe opfører for tiden Hamlet.

Nå, ... *Well, ...*
lave (-ede, -et) *do*
i aften *this evening, tonight*
aften (-en, -er) *evening*
invitere (-ede, -et) *invite*
fest (-en, -er) *party*
nogle af vores venner *some of our friends*
sankthansaften *St. John's Eve* (23 June)
holde (holdt, holdt) *hold, keep* (here: *have*)
sommerhus (-et, -e) *summer cottage*
hus (-et, -e) *house*
Gilleleje a fishing town on the north coast
begynde (-te, -t) *begin*
først *not until*
Hvad har I lyst til at lave? *What do you feel like doing?*
have lyst til *feel like*
jeg vil meget gerne se *I would like very much to see*
se (så, set) *see*
Louisiana a museum of modern art
idé (-en, -er) *idea*
lad os *let us*
lade (lod, ladet or **ladt)** *let*
frokost (-en, -er) *lunch*
på en restaurant (pl. -er) *at a restaurant*
sidst på eftermiddagen *at the end of the afternoon*
besøge (-te, -t) *visit*
tage (tog, taget) *take* (here: *go*)
derop *up there*
i morgen *tomorrow*
i stedet *instead*
få (fik, fået) *get*
forestilling (-en, -er) *performance*
Kronborg Slot the Castle of Elsinore
engelsk *English*
teatergruppe (-n, -r) *theatre company*
opføre (-te, -t) *perform*
for tiden *at the moment*

2 About 6 o'clock in the evening

◀ CD1, TR 37

Alison	Bor Lars og Malene i Gilleleje hele året rundt?
Lone	Nej, de har sommerhus heroppe. De bor i en lejlighed inde midt i København. Vi har ikke besøgt dem heroppe før.
Hans	Jeg tror godt, jeg ved hvor huset ligger. Det er vist det røde hus derhenne.
Lone	Nej, huset er ikke rødt. Det er gult, og det ligger lidt uden for Gilleleje.
George	Jeg håber, vi finder det. Kunne vi ikke spørge om vej?
Hans	Kan du huske adressen, Lone?
Lone	Nej, jeg troede, Lars havde givet dig adressen.
Hans	Ja, det gjorde han, men jeg har glemt den. Jeg kører lidt uden for byen. Der finder vi nok et gult hus.
George	Hvor er her smukt! Når jeg tænker på Danmark, tænker jeg altid på farven blå: blå himmel, blåt hav.
Lone	Lad os køre over til det gamle, gule hus derovre ved den lille skov. Hvis det ikke er Lars og Malenes, ved ejeren måske, hvor deres ligger.
Hans	Ja, det lyder fornuftigt.

hele året rundt *all year round*
år (-et, -) *year*
heroppe *up here*
lejlighed (-en, -er) *flat*
inde midt i København *in the middle of Copenhagen*
før *before*
vist *probably*
derhenne *over there, up there*
gul *yellow*
uden for Gilleleje *outside Gilleleje*
håbe (-ede, -et) *hope*
finde (fandt, fundet) *find*
spørge om vej *ask the way*
spørge (spurgte, spurgt) *ask*
huske (-ede, -et) *remember*
adresse (-n, -r) *address*

QUICK VOCAB

give (gav, givet) *give*
glemme (-te, -t) *forget*
Hvor er her smukt! *How beautiful it is here!*
tænke på (-te, -t) *think of*
altid *always*
farve (-n, -r) *colour*
blå *blue*
himmel (-en, himle) *sky, heaven*
hav (-et, -e) *sea*
det gamle, gule hus *the old, yellow house*
gammel *old*
derovre *over there*
ved *by*
den lille skov *the small wood*
skov (-en, -e) *wood, forest*
ejer (-en, -e) *owner*
måske *perhaps*
fornuftig *sensible, reasonable*

3 Around 10 o'clock in the evening

CD1, TR 38

Alison	Bliver det slet ikke mørkt her?
Lone	Jo, nu begynder det snart at blive mørkt.
Lars	Jeg går ned til stranden nu og tænder bålet.
Malene	Vi kommer om 10 minutter. Skal vi tage noget med derned?
Lars	Bare jeres sangstemmer.
Alison	Hvad skal vi synge?
Hans	Når vi sidder omkring bålet sankthansaften, synger vi sange om den danske sommer, først og fremmest **Vi elsker vort land**, der handler om sankthansaften:

over mark, under strand,
vil vi bålet på fædrenes gravhøje tænde,
hver by har sin heks, og hvert sogn sine trolde,
dem vil vi fra livet med glædesblus holde,
vi vil fred her til lands,
sankte Hans, sankte Hans,
den kan vindes, hvor hjerterne aldrig bliver tvivlende kolde.

Bliver det slet ikke mørkt her? *Doesn't it get dark here at all?*
blive (blev, blevet) *become*
mørk *dark*
snart *soon*
ned *down*
strand (-en, -e) *beach*
tænde (-te, -t) *light*
bål (-et, -) *bonfire*
Skal vi tage noget med derned? *Shall we bring something?*
derned *down there*
bare *only*
sangstemme (-n, -r) *singing voice*
synge (sang, sunget) *sing*
sidde (sad, siddet) *sit*
omkring *around, round*
sang (-en, -e) *song*
sommer (-en, somre) *summer*
først og fremmest *first and foremost*
elske (-ede, -et) *love*
vort (old neuter form of **vores**) *our*
land (-et, -e) *country*
der *which/who/that*
handle om (-ede, -et) *be about, deal with*

QUICK VOCAB

the lines from the song by Holger Drachmann:
> on field and beach
> we shall light our bonfires on our fathers' burial mounds,
> each town has its witch, each parish its trolls,
> we shall keep them at bay with a merry blaze,
> we want peace in our land,
> St John, St John,
> it can be won where hearts never become cold with doubt.

True or false?
   a Alison would like to visit Louisiana.
   b Lone thinks that it is a good idea to visit Louisiana before going to the party on Saturday evening.

c Lone and Hans have visited Lars and Malene in Gilleleje before.

d Lars and Malene's cottage is yellow and it is situated a little outside the town of Gilleleje.

Sankthansaften

Sankthansaften is the eve of an old saint's day on which an ancient pagan ritual continues to be performed with the lighting of bonfires all over the country.

Kronborg Slot

Kronborg Slot (the castle of Elsinore) is situated in **Helsingør** where the sound between Denmark and Sweden is at its narrowest. It was built in the first half of the 15th century by the Danish king, Erik of Pomerania, when he introduced the Sound Dues – a toll to be paid by ships passing Elsinore. The king built a number of castles on both sides of the Sound to make sure that these dues were paid. **Kronborg Slot** has provided the setting for many productions of Shakespeare's *Hamlet*.

synes, tro, tænke *(think)*

When you express your personal opinion about somebody or something you introduce the statement with **jeg synes**:

Jeg synes, blomsterne er lidt for dyre.   *I think the flowers are a bit too expensive.*

If you begin a sentence with **jeg tror,** you are implying that you believe something to be the case, but you are not completely sure:

Jeg tror, de kommer klokken 3.   *I think they will arrive at 3 o'clock.*

Jeg tænker can replace **jeg tror** (Jeg tænker, de kommer klokken 3), but not **jeg synes**. The verb *think* in *think of something* is **tænke**:

Jeg tænker ofte på ham.   *I often think of him.*

først (first; not until)

Vi kan spise frokost på en restaurant først og ...	*We can eat lunch at a restaurant first and ...*
Festen begynder først klokken 6.	*The party does not start until 6 o'clock.*

What to say

How to:

▶ ask what someone feels like doing	**Hvad har du lyst til at lave?**
▶ express agreement	**Jeg synes, det er en god idé.**
▶ express disagreement	**Jeg synes ikke, vi skal besøge Louisiana i dag.**
▶ express an assumption	**Jeg tror godt, jeg ved, hvor huset ligger.**
▶ make a suggestion	**Lad os køre over til det gamle, gule hus.**

Language patterns

1 The word 'the' and adjectives

a In Unit 2 (note 1) you were told that *the* is not a separate word in Danish, but an ending. In the singular, **-en** or **-n** is added to a common gender noun and **-et** or **-t** to a neuter noun. Note 1 in Unit 3 explained that *the* immediately before a noun in the plural is also an ending: **-ne**. However, if there is an adjective between the article and the noun, *the* is not an ending, but a separate word, an article, as in English.

Note that after the definite article (*the*), the adjective normally ends in **-e**.

den røde blomst   *the red flower* (common gender, singular)
det gule hus   *the yellow house* (neuter gender, singular)

In the plural the article is the same for both genders: **de.**

de røde blomster   *the red flowers*
de gule huse   *the yellow houses*

b Adjectives that end in **-el, -en, -er** drop the **e** when the
ending **-e** is added: **sulten + -e = sultne.** A double consonant
immediately before **-e-** is simplified: **gammel + e = gamle.**

en gammel by, den gamle by   *an old town, the old town*
et sultent menneske, det sultne   *a hungry person, the hungry*
  menneske   *person*

c Most adjectives that consist of one syllable and end in a vowel
do not add **-e** when this is otherwise required: **blå, små.**
et blåt hav, det blå hav, små huse

Insight: Definite article with adjective

When a noun in the definite form is preceded by an adjective,
a separate definite article is used. In the singular, a distinction
is made between common gender and neuter, e.g. **den store
skov, det store bål.** The plural form is **de** for both genders,
e.g. **de store skove, de store bål.**

---

2 Plural of nouns

Before the plural ending most nouns that end in **-el, -en** or **-er**
drop the **e**. For example, **sommer** becomes **somre** in the plural,
and **himmel** becomes **himle** (a preceding double consonant is
simplified).

Nouns denoting professions and nationalities mainly end in **-er**.
These do not drop the **e** in the plural. For example **bager** (*baker*)
becomes **bagere** and **englænder** becomes **englændere.** In these
nouns, however, the plural ending disappears when the definite

article *the* is used: **bagere** (*bakers*) becomes **bagerne** (*the bakers*). Similarly **englændere** becomes **englænderne**.

The word **menneske** ends in -**r** in the plural. Before the definite ending (-**ne**) the -**r** tends to disappear:
et menneske, mennesket, mennesker, menneskene

Sometimes a vowel change takes place when the plural ending is added. This happens in **datter** (*daughter*), **døtre** (*daughters*), and **hovedstad** (*capital*), **hovedstæder** (*capitals*).

Insight: Gammel, gamle; datter, døtre
A double consonant indicates that the preceding vowel is short. When the ending -**e** is added, the words remain two-syllable words: the -**e**- in the second syllable disappears. Now a double consonant is no longer needed as the first vowel is followed by two consonants: -**ml**- or -**tr**-.

---

3 The position of words like 'ikke' (not) and 'altid' (always) in a main clause

In Unit 2 (note 5) you learned how to form negative statements in Danish by placing **ikke** after the verb:

Hun kommer i dag.	*She is coming today.*
Hun kommer *ikke* i dag.	*She is not coming today.*

Words meaning *not*, *never*, *always*, *often*, *seldom*, *only*, *soon* and *probably* are placed after the verb in a main clause:

Vi spiser *altid* rundstykker om morgenen.	*We always eat rolls in the morning.*

If the verb consists of an auxiliary (or 'helping') verb and a past participle (the perfect tense), these words (adverbs) follow immediately after the auxiliary verb:

Jeg har *ikke* købt billetterne.	*I have not bought the tickets.*

As mentioned in Unit 2 (note 5), the position of adverbs in sentences with **skal** or **vil** (and also **må** or **kan**) followed by an infinitive is between these verbs and the infinitive:

Han vil bare **se huset.**   *He only wants to see the house.*

4 Prepositions in expressions of time

Prepositions are words such as *in, on, for, at*, etc. Note how they are used in Danish in the following phrases to express time:

i **dag**	*today*
i **morgen**	*tomorrow*
i **næste uge**	*next week*
i **morges**	*this morning*
i **eftermiddag**	*this afternoon*
i **aften**	*this evening*
i **mellemtiden**	*in the meantime*
i løbet af **formiddagen**	*in the course of the morning*
på **mandag**	*on Monday* (future)
i **en uge**	*for a week*
om **et kvarter**	*in a quarter of an hour*
midt *på* **dagen**	*in the middle of the day*
sidst *på* **eftermiddagen**	*at the end of the afternoon*
for **tiden**	*at the moment*

Exercises

1 Change the noun and adjective to make a sentence, as in the following examples:

det dejlige hus	huset er dejligt
(the lovely house)	*(the house is lovely)*
de gule huse	husene er gule
(the yellow houses)	*(the houses are yellow)*

a den fornuftige ven
b det lange tog
c den smukke dronning
d de dyre blomster

e de venlige bagere
f det gamle slot
g den sultne passager

2 Look at the advertisement below and then answer the questions in English.

a How much does a single room cost per night?
b Is breakfast included in the price?
c How long does it take to drive from the hotel to the beach?

3 In the following sentences change **en/et** to **den/det** as in this example:

De er inviteret til **en** stor fest. (**den** store fest)

a Om eftermiddagen spiser de på **en** hyggelig restaurant.
b **En** sulten englænder spiser æblekage.

c Han drikker **en** dyr vin.

d De kører over til **et** blåt hus.

e Lars og Malene bor i **et** gammelt, gult hus.

f Lars tænder **et** stort bål.

4 In the following dialogue translate the English sentences into Danish.

◀) CD1, TR 39

– Hvad har du lyst til at lave i dag?

a *I would like to visit a museum.*

– Det er en god idé. Vi kan spise frokost på en restaurant først og besøge et museum i eftermiddag.

b *I don't think we should eat at a restaurant. It is too expensive.*

– Der ligger en billig restaurant inde midt i København. Maden der er god.

c *If the food is good and cheap, I would like to eat there.*

5 Change the pronouns from the singular to the plural in the following sentences (e.g. *I* to *we*, *me* to *us*, *my* to *our*, *he* to *they*).

a **Jeg** rejste til England med **min** datter.

b **Han** ringer til **mig** hver dag.

c **Jeg** skal nok køre **dig** op til Gilleleje.

d **Hun** vil gerne købe **dit** hus.

e **Mine** blomster var ikke dyre.

f **Hans** fly er forsinket.

g Kan **du** køre **ham** ud i lufthavnen?

6 Insert the words in brackets into the following sentences.

a (**nok** *probably*) De kommer i morgen.

b (**bare** *only*) Jeg skal dække bord.

c (**ikke**) Han har tændt bålet.

d (**altid** *always*) Jeg ringer til min mor midt på dagen.

e (**snart** *soon*) Det begynder at blive mørkt.

f (ikke) Solen skinner.
g (ikke) Det har regnet hele dagen.
h (ikke) Jeg kan få billetter til forestillingen.

7 Answer the following questions, using whole sentences.
  a Synes Hans, det er en god idé at køre op til Louisiana?
  b Kører de op til Helsingør i stedet?
  c Ligger Lars og Malenes sommerhus i Gilleleje?
  d Hvordan finder de huset?

Comprehension

A walk in the woods

Trine	Hvad har du lyst til at lave i dag?
Karen	Jeg synes, vi skal køre ud til en skov og gå en tur.
Trine	Vejret er ikke godt, det regner.
Karen	Gør det? Blæser det også?
Trine	Nej, men det er meget koldt. Jeg har ikke lyst til at gå en tur i dag.
Karen	Jeg trænger til at gå en tur.
Trine	Skal vi ikke vente til i eftermiddag? Hvis det klarer op i løbet af formiddagen, kan vi køre op til Dyrehaven i eftermiddag og gå en tur der.

CD1, TR 40

Gør det? *is it?* (here following 'it is raining')

True or false?
  a Karen changes her mind about going to the wood when she learns that it is raining.
  b It is not particularly cold.
  c Trine would like a walk in Dyrehaven later in the day if the weather improves.

Test yourself

Translate into Danish:

1 Our friends are having a party.
2 This morning we ate breakfast at half past six.
3 I think I know where the castle is.
4 She forgot the red flowers.
5 The old man lives in the small yellow house.
6 What do you (pl.) feel like doing today?
7 I hope I can get tickets for the performance.
8 I think of the blue sea and the blue sky.
9 It is beginning to get dark.
10 We'll come down to the beach in ten minutes.

6

Med toget til Jylland
By train to Jutland

In this unit you will learn
- *how to ask the way*
- *how to give directions*

1 Finding seats on the train

It is Monday and the time is 11.45 a.m. Alison and George have just found their reserved seats on the intercity train that departs at 12 o'clock.

Alison	To vinduespladser. Det var heldigt!
George	Ja, jeg glæder mig til turen.
En dame	Undskyld, men jeg tror, I har sat jer på de forkerte pladser. Min mand og jeg skal sidde på pladserne 57 og 58, og jeg fik at vide, at den ene er en vinduesplads.
George	Det må I meget undskylde. Vores pladser er 55 og 56, og jeg troede, at begge pladser var vinduespladser.
Damen	George!! Måske tager jeg fejl, men du minder mig om en, jeg engang kendte.
George	Jette!!

CD1, TR 41

vinduesplads (-en, -er) *window seat*
Det var heldigt! *How fortunate!* (Lit. that was lucky)
glæde sig til (-ede, -et) *look forward to*

QV

tur (-en, -e) *trip, journey*
I har sat jer *you have sat down*
sætte sig (satte, sat) *sit down*
forkert *wrong*
plads (-en, -er) *place, seat*
få at vide *be told* (Lit. get to know)
den ene *one (of them)*
Det må I meget undskylde. *I am very sorry.*
undskylde (-te, -t) *excuse*
begge *both*
tage fejl *be mistaken, be wrong*
minde (-ede, -et) (om) *remind (of)*
en *one, someone*
engang *once*
kende (-te, -t) *know*

2 A meeting

◀ CD1, TR 42

Alison	Kender I hinanden?
George	Ja, men vi har ikke set hinanden i 25 år. Kan du huske, at jeg engang fortalte, at jeg har været på højskole i Danmark? Det var i det år, jeg tog fri, inden jeg begyndte at læse på universitetet.

QUICK VOCAB

fortælle (fortalte, fortalt) *tell*
højskole (-n, -r) *(folk) high school*
tage (et år) fri *take (a year) off*
inden *before*
læse (-te, -t) *read, study*
universitet (-et, -er) *university*

3 Jette addresses her husband

CD1, TR 43

Jette	Jeg har fundet pladserne, og jeg har fundet en ven, som jeg ikke har set i 25 år. *(Addressing George)* Ja, det er min mand, Peter.
George	Goddag, jeg hedder George, og min kone hedder Alison.
Alison	Goddag. I må undskylde, at vi tog jeres vinduesplads.
Jette	Det gør ikke noget. Bliv endelig siddende. Vi kender turen. Vi rejser som regel med toget, når vi skal til København.
George	Hvor i landet bor I?
Peter	Vi bor i Århus.
George	Vi skal også til Århus. Vi skal holde et forretningsmøde der.

som *who, which, that*
Det er min mand. *This is my husband.*
mand (-en, mænd) *man, husband*
det gør ikke noget *it does not matter, that's all right!*
bliv endelig siddende *do stay*
endelig adverb which here gives the same emphasis as English *do*
som regel *usually, as a rule*
Vi skal også til Århus. After **skal** and **vil** a verb of movement is often omitted in Danish: **Vi skal også (rejse) til Århus**.
forretningsmøde (-t, -r) *business meeting*

4 Old friends

Jette	Vi skal faktisk ud og bo i vores sommerhus på Mols i en måned. Når I er færdige med forretningsmødet, kunne I så ikke tænke jer at komme ud og besøge os? Vi har masser af plads. I kunne bo hos os i et par dage.
Alison	Det er virkelig sødt af jer, men det er alt for galt!
Jette	Nej, tværtimod. Jeg vil meget gerne lære dig at kende, og jeg vil også gerne snakke med George om gamle dage.
George	Jeg vil leje en bil i Århus, så vi kan køre til Mols. Hvor ligger jeres sommerhus?
Peter	Det er let at finde. Når I kommer til Molskroen, skal I dreje til venstre mod Ebeltoft. Når I har kørt en kilometer, skal I dreje til venstre igen. Det er en blind vej, og vores hus er det sidste hus på højre hånd.

faktisk *in fact*
en måned (-en, -er) *month*
være færdig med *have finished*
kunne tænke sig *feel like*
masser af plads *lots of room*
et par *a few, a couple of*
virkelig sødt *really kind* (Lit. sweet)
Men det er alt for galt! *But you are far too kind!*
tværtimod *on the contrary*

lære at kende *get to know*
leje (-ede, -et) *hire, rent*
bil (-en, -er) *car*
så *so*
let *easy*
kro (-en, -er) *inn*
dreje til venstre *turn left*
dreje (-ede, -et) *turn*
mod *towards*
kilometer (-en, -) *kilometre*
igen *again*
en blind vej *a cul-de-sac*
blind *blind*
sidst *last*
på højre hånd *on your right*

Insight: færdig

The adjective **færdig** means *ready, finished, done*. The verb *finish* meaning 'get through' is **være/blive færdig med** (Lit. be done with). **Jeg er færdig med bogen.** (*I have finished the book.*) **Han er færdig med at spise.** (*He has finished eating.*)

True or false?

a George and Jette have not seen each other for 25 years.
b Peter and Jette occasionally go by train to Copenhagen.
c Jette insists on having the window seat that she has reserved.
d George and Alison accept the invitation to spend a couple of days with Peter and Jette in Mols.

En (folke)højskole *(Folk high school)*
En højskole or **folkehøjskole** is a residential school for people over 18. There are no exams, and adults of all ages can spend a period here learning a number of subjects of their own choice and living together with other people. The first folk high school was built in 1844 by Kristen Kold (1816–1870). The inspiration came from N.F.S. Grundtvig (1783–1872), who wanted to educate the Danish population and prepare people from all levels of society

for democracy. The folk high school has changed since the first schools were founded in the middle of the 19th century and among the subjects taught today are ecology and Third World problems. However, it still fulfils its role as one of the many factors shaping Danish democracy.

højre/venstre *(right/left)*
højre right, right-hand

på højre hånd	*on your right*
dreje til højre	*turn right, turn to the right*
til højre for	*to the right of*

venstre left, left-hand

på venstre hånd	*on your left*
dreje til venstre	*turn left, turn to the left*
til venstre for	*to the left of*

What to say

How to:

▶ ask the way	**Undskyld, kan De/du sige mig, hvor Tivoli ligger?** *(Excuse me, can you tell me where the Tivoli Gardens are?)*
▶ give directions	**Når De kommer til banegården, skal De dreje til højre. Tivoli ligger på venstre side af gaden.**
▶ ask the way	**Vil De være så venlig at sige mig, hvordan jeg kommer hen til Kløvervej?**
▶ give a negative reply	**Det kan jeg ikke hjælpe Dem med, jeg kender ikke kvarteret.**
▶ ask the way	**Hvor ligger jeres hus?**

▶ give directions

Det ligger lidt uden for Gilleleje, mellem Gilleleje og Hornbæk. Når I har kørt ca. 2 kilometer, kan I se huset fra vejen. I skal dreje til venstre mod havet og vores hus er det sidste på højre hånd.

Language patterns

1 Reflexive verbs

Reflexive verbs consist of a verb and a reflexive pronoun. They are called reflexive verbs because the action of the verb reflects on, is thrown back on, the subject. What is done is done to the subject.

(**at**) **sætte** means *(to) place* (for example, the vase on the table).

(**at**) **sætte sig** means *(to) sit down* (Lit. place oneself).

The reflexive pronoun **sig** is used only in the third person singular (after **han/hun/den/det**) and the third person plural (after **de**). In the first and second persons the personal pronouns are used in the 'object' form. Here is the present tense of **sætte sig**:

jeg sætter **mig**	vi sætter **os**
du sætter **dig**/De sætter **Dem**	I sætter **jer**/De sætter **Dem**
han/hun/den/det sætter **sig**	de sætter **sig**

....
Insight: Reflexive verbs

There are a large number of reflexive verbs in Danish. In some cases these can be both reflexive and non-reflexive in English, depending on emphasis: *He washes and shaves before breakfast. He washed himself slowly and shaved himself carefully.* Danish uses only the reflexive construction.

While some verbs are reflexive in both English and Danish, a number of Danish reflexive verbs correspond to English

(Contd)

non-reflexive verbs, e.g. **koncentrere sig** (*concentrate*), **skynde sig** (*hurry*), **komme sig** (*recover*), **bekymre sig** (*worry*), **glæde sig til** (*look forward to*).

2 The perfect tense

As you saw in Unit 4 (note 1) the perfect tense is used in both English and Danish when you relate an action in the past to the present moment. The perfect tense is concerned with the result, while the past tense stresses the fact that the action took place in the past.

The perfect tense consists of an auxiliary or 'helping' verb, plus the main verb in a form which is called the past participle. This form is sometimes identical with the past tense in English, as in *talked* and *has talked*, but not always, as in *drank* and *has drunk*. In Danish the past participle ends in **-t**.

a If the past tense ends in **-ede**, the past participle ends in **-et**:

ring**ede**	har ring**et**

If the past tense ends in **-te**, the past participle ends in **-t**:

tal**te**	har tal**t**

b In many of the verbs that do not have an ending in the past tense, but where the tense is shown by a change of vowel, a third vowel appears in the past participle:

hj**æ**lpe	hj**a**lp	har hj**u**lpet
dr**i**kke	dr**a**k	har dr**u**kket
v**æ**re	v**a**r	har v**æ**ret

c If the irregular verbs have a different vowel in the past tense from the infinitive, the same vowel appears in the past participle:

sige	sagde	har sagt
gøre	gjorde	har gjort
spørge	spurgte	har spurgt
sætte	satte	har sat

Where there is no vowel change the vowel stays the same in the past participle too:

have	havde	har haft

In the vocabulary lists at the end of the book the past tense and the past participle of the verbs are indicated in brackets.

The auxiliary verb is not always **har** in the perfect tense. Verbs of movement and verbs that imply 'change' use **er** in the perfect tense:

han er rejst til Danmark
hun er kommet

de er blevet store *(have become)*
det er begyndt at regne

3 The imperative

The imperative is the form of the verb you use when you invite or tell someone to do something. It is identical with the stem of the verb and you use the same form whether addressing one person or several people:

Kom!
Rejs!
Bliv siddende!

4 Relative clauses

Relative clauses are subordinate clauses that define or give additional information about something or somebody mentioned in the main clause (the antecedent).

Jeg har fundet en ven, *som jeg*	*I have found a friend whom*
ikke har set i 25 år.	*I haven't seen for 25 years.*
Vi synger en sang, *der handler*	*We sing a song which is about*
om sankthansaften.	*(deals with) St. John's Eve.*

In English a relative clause begins with *who* or *whom* when it relates to a person/people, and otherwise with *which* or *that*. In Danish no such distinction is made, and **som** or **der** can refer to any antecedent. The word **som** can be used both as the subject and as the object of the relative clause. In the first example above it is the object. In the second example **der** is the grammatical subject. The word **der** could be replaced by **som** in this clause:

| **Vi synger en sang, *som* handler** | *We sing a song which is about* |
| **om sankthansaften.** | *(deals with) St. John's Eve.* |

Der can only be used as the subject.

When the word that establishes the relationship is the grammatical object of the relative clause, it is sometimes left out in both English and Danish.

| **Jeg kan lide at tale med** | *I like talking to people I meet* |
| **mennesker, jeg møder i toget.** | *on the train.* |

When *it* can be omitted in English, it can be omitted in Danish.

Relative clauses can relate to the whole of the main clause. For example, *he is very angry, which worries me*. In this case **som** or **der** cannot be used. Unit 12 contains more information about relative clauses.

Insight: Relative pronouns

Danish **som** and **der** translate *who, whom, which* and *that*. The use of **der** is limited. It can only be the subject, and even as the subject it is not used after **og** (*and*) and **men** (*but*).
Pigen, der bor i lejligheden, og som har et sommerhus i Gilleleje, kommer ikke.

Exercises

1 Change the verbs in bold type in the following sentences from the past tense to the perfect tense:

a Jens **besøgte** os.

b Malene **dækkede** bord.

c Det **regnede**.

d Hun **glemte** at købe mælk.

e De **købte** fem billetter.

f Vi **drak** en flaske vin.

g De **fandt** huset.

h Flyet **ankom**.

i Vejret **var** godt.

j Han **sagde**, at blomsterne var for dyre.

2 Change the verbs in the following sentences from the perfect tense to the past tense.

a Det **er begyndt** at regne.

b Vi **har inviteret** dem til en fest.

c De **har boet** i en lejlighed.

d De **er rejst** til England.

e Jeg **har fået** pengene.

f Jeg **har fortalt** ham om slottet.

g Hendes datter **er blevet** stor.

h Jeg **har været** i København.

3 Combine the two sentences by making the sentence in brackets part of the first sentence as a relative clause. Here are two examples:

Vi har set forestillingen. (Forestillingen handler om Danmark i dag.): **Vi har set forestillingen, der/som handler om Danmark i dag.**

Jeg har set forestillingen. (En engelsk teatergruppe opfører forestillingen på Kronborg Slot.): **Jeg har set forestillingen, som en engelsk teatergruppe opfører på Kronborg Slot.**

a Lars og Malene har et sommerhus. (Deres sommerhus ligger i Gilleleje.)

b Vi går ned til bålet. (Lars har tændt bålet.)

c De har drukket den dyre flaske vin. (George gav dem den dyre flaske vin.)

d Hans spiser lidt mere af æblekagen. (Lone har lavet æblekagen.)

e Vi rejser over til København. (København er Danmarks hovedstad.)

4 Translate *think* into **synes, tror** or **tænker** in the following sentences. (See Unit 5).

a Jeg –, vi skal rejse med toget til Jylland.

b Jeg –, mange mennesker vil rejse til Jylland i morgen.

c Vi – på at købe et hus i Århus.

d Jeg –, Århus er en dejlig by.

e Hvornår kommer Marie? Jeg –, hun kommer med toget, der ankommer 15.03.

f Jeg – ikke, vi skal besøge Louisiana i dag.

g Jeg –, det klarer op i løbet af formiddagen.

h Jeg –, vi skal køre ud til en skov og gå en tur i eftermiddag.

5 Translate the following into Danish:
What is the time? It is half past six.
The performance begins at 8 o'clock.
I must be in Gilleleje at twenty-five past seven.
I'll leave (**jeg kører**) at a quarter to seven.
My daughter has to be at the airport at twenty-five to seven tomorrow.

6 Now you are going to give directions. First answer A's question, and then B's. You meet them at different places, as indicated on the plan opposite.

◀) **CD1, TR 45**

gå hen ad en gade *walk along/down a street*
på hjørnet af *at the corner of*
over for *opposite*

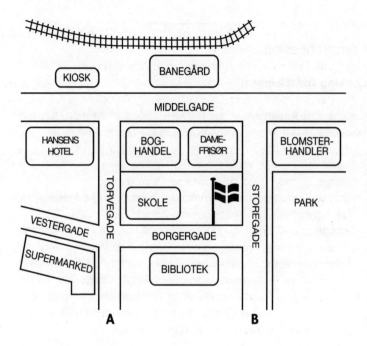

A Undskyld, kan du sige mig, hvor der ligger en blomster-handler?

B Undskyld, kan du sige mig, hvor Hansens Hotel ligger?

7 Translate the following into Danish:
- **a** Twelve red roses.
- **b** Twenty yellow tulips.
- **c** Thirty-five English tourists.
- **d** Eighty small houses.
- **e** Fifty-two old trains.
- **f** Seventy-nine hungry passengers.
- **g** Sixty-seven cheap restaurants.
- **h** Ninety-nine sensible men.

Comprehension

Looking for the hotel

George and Alison are at the railway station in Århus. They have booked a room in one of the hotels in the centre of Århus.

Alison	Ved du, hvor hotellet ligger?
George	Ja, det er ikke ret langt herfra.

(They walk to where George thinks the hotel is, but he is wrong and they have to ask a passer-by for directions.)

George	Undskyld, kan du sige mig, hvor hotel Kattegat ligger?
Forbipasserende	Ja, I skal ned til banegården for enden af denne gade. Der skal I gå til højre. Når I kommer til tredje gade på venstre hånd, skal I gå rundt om hjørnet, så ligger hotellet lige ved siden af hjørneejendommen.

hotel (-let, -ler) *hotel*
ikke ret langt *not very far*
forbipasserende
  (formally adj.) *passer-by*
for enden af *at the end*
ende (-n, -r) *end*
denne/dette *this*

gade (-n, -r) *street*
tredje *third*
rundt om *round*
hjørne (-t, -r) *corner*
lige ved siden af *right next to*
hjørneejendom
  (-men, -me) *corner property*

True or false?
a The passer-by says to George and Alison that they have to walk back to the railway station and then turn left.
b The hotel is situated at the corner of two streets.

In the evening in the hotel room

Alison	Du har aldrig fortalt mig ret meget om det år, du tilbragte i Danmark, da du var 19.
George	Det er fordi det skete, før jeg mødte dig.

Alison	Var du på højskole hele tiden?
George	Nej, kun de sidste 4 måneder, fra marts til slutningen af juni. Jeg arbejdede først i onkel Viggos forretning i Vejle i 8 måneder. Jeg kunne ikke tale dansk ret godt, da jeg kom over til Danmark, men jeg fik lært sproget i løbet af de 8 måneder.

aldrig *never*
(aldrig/ikke) ... ret (meget) *(never/not) ... very (much)*
om *about*
det år (du tilbragte) *the year (you spent).* A noun that is defined by a relative clause is often preceded by a demonstrative pronoun in Danish (Lit. *that year*) instead of being in the definite form (*the year*).
tilbringe (tilbragte, tilbragt) *spend* (of time, not money)
da *when*
fordi *because*
ske (-te, -t) *happen*
kun *only*
marts *March*
slutning (-en, -er) *end*
juni *June*
arbejde (-ede, -et) *work*
onkel (-en, onkler) *uncle*
forretning (-en, -er) *business, shop*
lære (-te, -t) *learn*
fik lært *managed to learn.* **Få** plus the past participle of a verb means 'get' (done) or 'manage to' (do).
sprog (-et, -) *language*

QUICK VOCAB

Insight: How to translate 'when'

Da is used for a single event in the past, e.g. **..., da du var 19.**
Når means *whenever* and can be used with a verb in the present or past tense, e.g. **Vi rejser med toget, når vi skal til København.** For future events only **når** can be used.

True or false?

a George did not speak Danish very well when he arrived in Denmark at the age of 19.

b He knew Alison when he left England to spend a year in Denmark.

c He worked in his uncle's shop in Vejle before he went to the folk high school.

Test yourself

Translate into Danish:

1 Her husband has rented a car.

2 I have spent many years in England.

3 The children have become big.

4 She has never told him about the car that she hired when she stayed with her mother.

5 George's wife sat down in the wrong seat.

6 When he lived in Denmark, he worked in a shop.

7 I'll give her the tickets when she comes tomorrow.

8 The performance has started.

9 We'll drive to the cinema which is situated opposite the railway station.

10 When you (pl.) have driven one kilometre you have to turn right.

7

Til forretningsmøde
At a business meeting

In this unit you will learn
• *how to persuade someone by using 'sales talk'*

1 Tuesday morning

The alarm clock goes off at 7 o'clock and wakes up Alison and George. Alison hurries to the bathroom. She washes and dresses. George has fallen asleep again.

Vækkeuret ringer klokken 7 og vækker Alison og George. Alison skynder sig ud på badeværelset. Hun vasker sig og klæder sig på. George er faldet i søvn igen.

Alison	Skynd dig, George! Klokken er allerede 20 minutter over 7.
George	Jeg skal nok være færdig, når morgenmaden kommer om 10 minutter.

⚫ CD1, TR 48

vækkeur (-et, -e) *alarm clock*
ringe (-ede, -et) *ring*
vække (-ede, -et) *wake up*
skynde sig (-te, -t) *hurry*
badeværelse (-t, -r) *bathroom*
vaske sig (-ede, -et) *get washed*

QUICK VOCAB

klæde sig på (-te, -t) *dress (oneself)*
falde i søvn (faldt, faldet) *fall asleep*
allerede *already*
jeg skal nok *I shall (certainly), I will*

2 Breakfast has arrived

◀ CD1, TR 49

Alison	Skal jeg skænke din kaffe?
George	Du må hellere vente et par minutter. Jeg er ikke helt færdig med at barbere mig.
Alison	Det ser lækkert ud. Jeg håber, du er sulten.
George	Der kommer ikke til at gå noget til spilde. Jeg vil gerne begynde med cornflakes, derefter et blødkogt æg, så et par stykker ristet franskbrød med appelsinmarmelade og til sidst et stykke wienerbrød.

QUICK VOCAB

skænke (-ede, -et) *pour*
må hellere *had better*
hellere *rather*
helt *completely*
barbere sig (-ede, -et) *shave (oneself)*
se (så, set) ... ud *look...*
lækker *delicious*
komme til (here in the future sense) *will*
gå til spilde *go to waste, be wasted*
Der kommer ikke til at gå noget til spilde. *Nothing will be wasted.*
blødkogt *soft-boiled*
derefter *after that*
æg (-get, -) *egg*
riste (-ede, -et) *toast*
franskbrød (-et, -) *loaf of white bread*
et stykke ristet franskbrød *a piece of toast*
marmelade (-n, -r) *jam*
appelsinmarmelade *marmalade*
appelsin (-en, -er) *orange*
til sidst *finally*

3 At the reception

George and Alison have invited a number of buyers from large supermarkets and also leading confectioners to a reception at a luxury hotel. The invitation mentions a surprise gift to all participants, who will be considered priority customers if they decide to buy the exquisite chocolates that George and Alison are trying to introduce into the Danish market. George addresses the large crowd of people who have turned up.

George	Jeg vil gerne byde jer velkommen. Jeg håber, at I alle sammen har fået et glas vin og har smagt på chokoladen. Og det er om den, jeg nu vil sige et par ord. Det er jo ikke nogen helt almindelig chokolade. Den er lavet efter en helt ny opskrift af de fineste ingredienser uden nogen kunstige tilsætningsstoffer. Det betyder selvfølgelig, at den er dyrere end de fleste andre slags chokolade, men vores erfaring er, at folk er begyndt at interessere sig mere for kvalitet end for billige priser. Der er nu større efterspørgsel efter luksusvarer end nogensinde før. Vores æsker er lavet af genbrugspapir, dvs. at vores produkt på ingen måde skader naturen, og det er jo meget vigtigt nu, hvor de fleste mennesker er blevet så miljøbevidste. Vores prioritetskunder vil naturligvis få et gratis display, og vi kan tilbyde særlig favorable priser, hvis I sælger over 100 æsker om måneden. Og i dag vil vi gerne give alle en lille gave: en lille skål af det fineste engelske porcelæn fyldt med chokolade.

◆ CD1, TR 50

byde velkommen (bød, budt) *bid welcome*
alle sammen *all of you*
glas (-set, -) *glass*
vin (-en, -e) *wine*
smage på (-te, -t) *taste, sample, try*
chokolade (-n, -r) *chocolate*

QUICK VOCAB

ord (-et, -) *word*

jo This implies that the listeners are well aware of the truth of what is being said.

almindelig *ordinary, common, usual*

ny *new*

Det er ikke nogen helt almindelig chokolade. *It is no ordinary chocolate.*

opskrift (-en, -er) *recipe*

finest *finest*

ingrediens (-en, -er) *ingredient*

uden *without*

kunstig *artificial*

tilsætningsstof (-fet, -fer) *additive*

betyde (betød, betydet) *mean*

selvfølgelig *of course*

dyrere *more expensive*

end *than*

de fleste *most*

andre *other*

slags (-en, -) *kind, sort*

erfaring (-en, -er) *experience*

folk (-et) *people*

interessere (-ede, -et) sig (for) *be interested (in)*

kvalitet (-en, -er) *quality*

billige priser *low prices*

pris (-en, -er) *price*

større *bigger*

efterspørgsel (-en) (efter) *demand (for)*

luksusvarer *luxury goods*

luksus (-en) *luxury*

vare (-n, -r) *article, product*

nogensinde *ever*

æske (-n, -r) *box*

genbrugspapir (-et) *recycled paper*

dvs. (det vil sige) *that is to say*

produkt (-et, -er) *product*

på ingen måde *in no way*

måde (-n, -r) *way, manner*

på en måde *in a way*
skade (-ede, -et) *harm*
natur (-en) *nature, countryside*
vigtig *important*
miljøbevidst *environmentally aware*
prioritetskunde (-n, -r) *priority customer*
kunde (-n, -r) *customer*
naturligvis *of course*
gratis *free*
display (-et, -/-s) *display unit*
tilbyde (tilbød, tilbudt) *offer*
særlig *particularly*
favorabel *favourable*
om måneden *a month* (each month)
gave (-n, -r) *present*
skål (-en, -e) *bowl*
porcelæn (-et) *porcelain*
fylde (-te, -t) *fill*

Insight

De fleste andre slags chokolade (*most other kinds of chocolate*)
Notice the use of the definite article in **de fleste**, corresponding
to *most*. **Andre** is the plural form of **anden/andet** (*other*).

Meget, særlig
Det er meget svært means *It is very difficult. It is not very
difficult*, however, is: **Det er ikke særlig** (or **ret**) **svært**. (**Meget**
cannot be used here.) Without **ikke**, the adverb **særlig** means
particularly, especially: **et særlig svært problem** (*a particularly
difficult problem*).

True or false?
  a George is not very hungry.
  b George and Alison are selling a low-price product.
  c The surprise present is a big box of chocolates.

How to translate 'know'

Jeg *ved*, hvor forretningen ligger.	I *know* where the shop is.
Du minder mig om en, jeg engang *kendte*.	You remind me of someone I once *knew*.

The verb (**at**) **vide, ved** (pres. tense), **vidste, vidst** is used when what is known or not known is expressed by a clause:

Jeg *ved*, at hun kommer på fredag.	I know that she is coming on Friday.
Hun *ved* ikke, om de kan tale engelsk.	She does not know if they can speak English.

It is also used if the grammatical object is **det.** If you are told something you know already, you say:

Det *ved* jeg.	I know. (Lit. I know it.)

The verb (**at**) **kende, kendte, kendt** is used when the grammatical object is a person, a subject or a place:

Jeg *kender* ham ikke.	I don't know him.
Kender du nogen gode hoteller i Kolding?	Do you know of any good hotels in Kolding?

få at vide:

Jeg *fik at vide*, at ...	I was told that ...

lære at kende:

Jeg vil meget gerne *lære* dig *at kende*.	I would very much like to get to know you.

How to translate 'when'

Vi rejser som regel med toget, *når* vi skal til København.	We usually go by train **when** we go to Copenhagen.

... det år, du tilbragte i   *... the year you spent in Denmark*
Danmark, *da* du var 19.   ***when*** *you were 19.*
Hvornår* afgår der tog fra**   ***When *are there trains departing*
København til Århus?   *from Copenhagen to Århus?*

The word **når** corresponds to *whenever*. It can be used with a verb in the present or the past tense:

***Når* de besøgte os, gik vi**   *When they visited us we always*
altid i biografen.   *went to the pictures.*

Når is also used when you talk about future events:

***Når* hun kommer på mandag,**   *When she comes on Monday*
kan jeg give hende pengene.   *I can give her the money.*

Da is used when you talk about a single event in the past:

***Da* han ankom til København,**   *When he arrived in Copenhagen*
var han meget træt.   *he was very tired.*

Hvornår introduces a question:

***Hvornår* mødte du Jette?**   *When did you meet Jette?*

The Danish word *der*
Der can be used in a relative clause as the word that establishes the relationship with the antecedent in the main clause. (See Unit 6, note 4.)

De skal med toget, *der* afgår   *They are leaving on the train that*
klokken 3.   *departs at 3 o'clock.*

In the sentence below, **der** is an adverb of place ('there').

Vi kan køre op til Dyrehaven   *We can drive up to the Deer Park*
og gå en tur *der*.   *and go for a walk there.*

Der often introduces a sentence in which the subject is in the indefinite form (**en mand, et tog/mænd, tog**). For example:

Der afgår intercitytog fra København hver time.	*Intercity trains depart from Copenhagen every hour.*
Der står en mand derhenne på hjørnet.	*There is a man standing over there at the corner.*
Der afgår et tog 15.34.	*There is a train departing at 15.34.*

What to say

How to:

▶ welcome guests	**Jeg vil gerne byde jer velkommen.**
▶ make what you say seem obvious	**Det betyder selvfølgelig, at ...**
	Vores prioritetskunder vil naturligvis få et gratis display.
▶ imply that the listener is well aware of the truth of what you are saying	**Det er jo ikke nogen helt almindelig chokolade.**
	Det er jo meget vigtigt nu, hvor ...

Language patterns

1 The position of adverbs (e.g. *ikke, altid, aldrig*) **in a subordinate clause**

As explained in Unit 3 (note 3), a main clause is a sentence which is a complete statement, while a subordinate clause only makes sense when it is joined to the main clause. There are some main clauses that seem incomplete: for example, **han siger, at ...** (*he says that ...*), **vi ved ikke, om ...** (*we don't know if ...*), **jeg synes ikke, at ...** (*I don't think that ...*). If the subordinate clause is replaced by *it* or *so*, the main clause becomes complete in itself: *he says so, we don't know (it), I think so.*

In Unit 5 (note 3) you learned about the position, in a main clause, of adverbs indicating time (**altid** *always*, **nu** *now*, **ofte** *often*, **sjældent** *seldom*, **snart** *soon*), and of adverbs that negate (**ikke, aldrig** *never*) or in some other way qualify the meaning of the whole clause (**måske** *perhaps*, **kun, bare** *only*). These are placed after the verb or between the auxiliary verb and the main verb in a main clause.

In a subordinate clause such adverbs are placed before the verb(s) immediately after the subject:

Hvis hun *ikke* har set filmen, kan vi gå i biografen.	*If she has not seen the film we can go to the cinema.*

Main clause:

Jeg kunne *ikke* tale dansk ret godt.	*I could not speak Danish very well.*

Subordinate clause:

Fordi jeg *ikke* kunne tale dansk ret godt, arbejdede jeg ...	*Because I could not speak Danish very well I worked ...*

2 Demonstrative pronouns

Words such as *this*, *that*, *these* and *those* are called demonstrative pronouns.

for enden af *denne* gade	*at the end of this street*

The neuter form singular is **dette: dette hus** (*this house*). The plural form (*these*) is **disse: disse blomster** (*these flowers*).

In the spoken language these tend to be replaced by the informal forms:

den her gade, *det her* hus, *de her* blomster

That is **den/det** and *those* is **de.**

These forms tend similarly to be replaced by the informal forms: **den der, det der** and **de der.**

The noun that a relative clause defines is often preceded by **den, det** or **de** instead of being in the definite form: **det år, du tilbragte i Danmark** (Lit. that year you spent in Denmark).

3 Modal verbs

Modal verbs are auxiliary verbs that define the motivation or circumstances surrounding the action of a verb in the infinitive, which carries the main meaning. Verbs such as *can, must, shall* are examples of modal verbs.

a Inf. **kunne,** pres. tense **kan,** past tense **kunne,** past participle **kunnet.**

The verb **kan** implies either that it is possible to do something or that someone is capable of doing something:

Jeg *kan* flyve fra København til Manchester.	*I can fly from Copenhagen to Manchester.*
Jeg *kan* godt spise lidt mere.	*I can eat a little more.*

b Inf. **måtte,** pres. tense **må,** past tense **måtte,** past participle **måttet.**

The verb **må** implies that it is necessary to do something:

Det *må* I undskylde	*I am sorry* (Lit. you have to excuse that.)

Note that **må ikke** means *must not.*

c Inf. **skulle,** pres. tense **skal,** past tense **skulle,** past participle **skullet.**

You use **skal** when you are talking about plans or arrangements:

Hun *skal* bo hos os i en uge.	*She is going to stay with us for a week.*
Vi *skal* ud og bo i vores sommerhus i en måned.	*We are going to stay at our cottage for a month.*

Skal is also used to imply that an action is necessary because of an order, a law or a regulation:

Man *skal* have pladsbillet til toget.	*A seat reservation is required for the train.*

Skal is used in suggestions, and sometimes it simply implies future:

Jeg synes, vi *skal* sige 'du' til hinanden.	*I think we should address each other by our first names.*
Jeg *skal* lige have et brusebad først.	*First I'll just have a shower.*

d Inf. ville, pres. tense vil, past tense ville, past participle villet.

The verb **vil** implies that someone wants to/intends to do something:

Han *vil* gøre det.	*He intends to do it.*
Han *vil gerne* gøre det.	*He would like to do it.*
Han *vil ikke* gøre det.	*He will not (won't) do it.*

Unit 13 contains more information about modal verbs.

Exercises

1 Add **ikke** to the main clauses of the following sentences.
  a Det betyder, at chokoladen er dyrere end andre slags chokolade.
  b Jeg kunne tale dansk, da jeg kom til Danmark.
  c Jeg kan lide at tale med mennesker, jeg møder i toget.

d Vi rejser med toget, når vi skal til København.

e Kaffen var færdig, da jeg kom tilbage.

f Jeg synes, vi skal besøge Louisiana i dag.

2 Add the adverb in brackets to the subordinate clause of the following sentences.

    a (aldrig) Han kender ikke Tivoli, fordi han har været i København.

    b (snart) Jeg håber, det klarer op.

    c (måske) Han siger, at de kommer på mandag.

    d (altid) Fordi det regner, kører vi aldrig op til Gilleleje.

    e (ikke) Hvis solen skinner i eftermiddag, kan vi gå i biografen.

3 Change the verbs in the following sentences from the past tense to the present tense.

◄) CD1, TR 51

    a Toget **afgik** 12.44.

    b Flyet **ankom** klokken 6.

    c Vi **besøgte** dem hvert år i juni måned.

    d Lars **gav** Hans adressen.

    e Det **gjorde** han.

    f Hans **kunne** ikke huske det.

    g De **fandt** Lars og Malenes hus.

    h Huset **lå** lidt uden for Gilleleje.

    i Det **var** meget koldt.

    j Jeg **trængte** til at gå en tur.

    k Han **havde** ikke lyst til at gå en tur.

    l Bageren **solgte** også mælk.

    m Jens **lavede** kaffe.

4 Translate the following sentences into Danish. All the verbs are reflexive verbs in Danish.

    a She washes and dresses.

    b Hurry, George!

    c We have to hurry.

    d I washed and dressed.

e They have sat down.
f George shaved.
g Did you hurry? ('you' plural)

5 Translate the following into Danish.

◆)) **CD1, TR 52**

I would like to welcome you to this business meeting. I hope
that you have all had a cup of coffee. I want to say a couple
of words about the coffee, which is a particularly fine coffee.
It is, of course, more expensive than most other kinds of
coffee, but there is a great demand for our coffee in England,
and I know that the Danes too like strong coffee. I can offer
you special (favourable) prices.

6 Answer these questions, using whole sentences.
   a Hvornår ringer vækkeuret?
   b Går George ud på badeværelset først?
   c Er George sulten?
   d Hvorfor (*why*) er George og Alisons chokolade dyrere end
      de fleste andre slags chokolade?
   e Hvorfor er der nu stor efterspørgsel efter luksusvarer?

Comprehension

George chats to Poul Jensen

After the serious part of the business meeting George talks
informally to his guests, one of whom is Poul Jensen.

Poul	Er du dansker eller englænder?
George	Både og. Min far er englænder, og min mor er dansker. Jeg har altid boet i England, men da jeg var 19, tilbragte jeg et år i Danmark og jeg har tit været på ferie herovre.
	(Contd)

◆ **CD1, TR 53**

QUICK VOCAB

dansker (-en, -e) *Dane*
både ... og *both ... and*
far (faderen/faren, fædre) *father*
mor (moderen/moren, mødre) *mother*
tit *often*
ferie (-n, -r) *holiday*
herovre *over here*
hvor mange *how many*
Hvor mange sprog kan du? *How many languages do you know?*
fransk *French*
skole (-n, -r) *school*
tælle med (talte, talt) *include, count*

Insight: Min far er englænder, og min mor er dansker.
Notice that Danish has no indefinite article here: *My father is an Englishman and my mother is a Dane.*

True or false?
 a George has spent many holidays in Denmark.
 b George's father is a Dane.
 c George knows several languages.

Alison talks to Gitte Sørensen

CD1, TR 54

Gitte	I taler begge to virkelig godt dansk.
Alison	George taler godt dansk, men jeg er ikke så god til det nu. Jeg har desværre glemt en masse ord. Begge mine forældre er englændere, men jeg gik i en dansk skole, da jeg var 8 år gammel. Min fars firma eksporterede dengang en masse varer til Danmark, og mine forældre, min bror og jeg boede i Ålborg i næsten et år. George er tosproget, og når vi er i Danmark, insisterer han på, at vi taler dansk hele tiden.

god til det *good at it*
desværre *unfortunately*
en masse (ord) *a lot of (words)*
forældre (pl.) *parents*
firma (-et, -er) *firm*
eksportere (-ede, -et) *export*
dengang *then, at that time*
bror (broderen/broren, brødre) *brother*
tosproget *bilingual*
insistere på (-ede, -et) *insist*

Insight: Hele tiden

In Unit 4 you were taught that when a noun in the definite form is preceded by an adjective a definite article is used. **Hele tiden** (*the whole time*) is an exception, as the noun has the definite ending: **hele byen, hele landet, hele dagen, hele måneden**, etc.

True or false?
a Alison is bilingual in English and Danish.
b Alison went to a Danish school when she was eight years old.
c Alison's parents are both English.

_____

Test yourself

Translate into Danish:

1 When the alarm clock went off, Alison got up.
2 She washed and dressed.
3 George is very hungry.
4 If the customers buy 100 boxes George can offer them particularly favourable prices.
5 Both parents learned Danish during the year they spent in Denmark.

6 Both Anna and Maria have seen the performance.
7 If he doesn't feel like going out to the wood, we'll stay at home.
8 I don't want to work all the time.
9 She would like buy one of the houses at the end of this street.
10 I was told that she knows my mother. But I don't know if she has met my father.

8

På hotellet
At the hotel

In this unit you will learn
- *how to book a hotel room*
- *how to inquire about cinema and theatre performances*
- *how to hire a car*

1 Later in the day

CD1, TR 55

George	Jeg bliver nødt til at rejse herover igen i august, men jeg tror ikke, jeg vil bo på det samme hotel. Det er egentlig temmelig dyrt. Jeg kan lige så godt bestille et værelse nu.
Alison	Hvor vil du så bo?
George	Der ligger et mindre hotel ikke langt fra det hotel, vi bor på. Lad os gå ind og spørge, hvad et enkeltværelse koster.

jeg bliver nødt til *I shall have to*
være nødt til *have to, need to*
august *August*
samme *same*
egentlig *actually*
temmelig *rather*
lige så godt *just as well*
jeg kan lige så godt *I might (just) as well*
bestille (-te, -t) *book*

QUICK VOCAB

værelse (-t, -r) *room*
mindre *smaller*
langt *far*
enkeltværelse (-t, -r) *single room*

2 In the foyer of the small hotel

Receptionisten	Goddag, kan jeg hjælpe Dem med noget?
George	Ja, har De et ledigt enkeltværelse i august, fra den 6. (sjette) til den 11. (elvte)?
Receptionisten	Ja, det kan vi godt klare.
George	Hvad koster et enkeltværelse?
Receptionisten	Det koster 175 (hundrede og femoghalvfjerds) kroner pr. nat.
George	Er det med morgenmad?
Receptionisten	Ja, den bliver bragt op på værelset, når De ønsker det, mellem klokken 7 og 9.
George	Det lyder udmærket. Jeg vil gerne bestille et værelse.

receptionist (-en, -er) receptionist
ledig *vacant*
sjette (6.) *sixth*
elvte (11.) *eleventh*
klare (-ede, -et) *manage*

pr. (per) nat *per night, a night*
nat (-ten, nætter) *night*
bringe (bragte, bragt) *bring*
ønske (-ede, -et) *wish*
mellem *between*
udmærket *splendid*

3 Inquiring about car hire

George and Alison arrive back at the hotel where they are staying and approach the receptionist.

CD1, TR 57

Receptionisten	Goddag hr. og fru Wilson! Værsgo, her har De nøglen til værelse 307! Jeg håber, værelset er tilfredsstillende.
George	Mange tak. Ja, værelset er udmærket.

Receptionisten	Hvis der er noget, De har brug for, må De endelig sige til.
George	Der er faktisk noget, De eventuelt kunne hjælpe os med. Vi vil gerne leje en bil i et par dage.
Receptionisten	Ja, det kan jeg godt arrangere for Dem. Hvor mange dage drejer det sig om?
George	4 dage. Hvad koster det egentlig at leje en bil?
Receptionisten	Det afhænger af bilens størrelse. Det koster et bestemt beløb pr. dag plus forsikringen, og De skal selv betale benzinen.

QUICK VOCAB

nøgle (-n, -r) *key*
tilfredsstillende *satisfactory*
have brug for *want, need*
sige til (sagde, sagt) *say so*
eventuelt *possibly*
arrangere (-ede, -et) *arrange*
dreje sig om (-ede, -et) *be a matter of, be about, amount to*
afhænge (af) (afhang, afhængt) *depend (on)*
størrelse (-n, -r) *size*
bestemt *certain, fixed*
beløb (-et, -) *amount*
plus *plus*
forsikring (-en, -er) *insurance*
selv *yourselves (himself, etc.)*
betale (-te, -t) *pay for*
benzin (-en) *petrol*

Insight: eventuelt

There are a number of Danish words that formally resemble English words, but have a different meaning. They are known as 'false friends'. While the English *eventually* means 'at last', the Danish word **eventuelt** corresponds to *possibly* or can be rendered in a construction with *may*.

4 Booking cinema tickets

George and Alison have bought a newspaper and are looking at the pages with information about entertainment.

CD1, TR 58

George	Hvad har du lyst til at lave i aften?
Alison	Jeg synes, vi skal gå i biografen. Hans og Lone snakkede forleden aften om en dansk film. Kan du huske, hvad den hedder?
George	Ja, 'Italiensk for begyndere'. Den går i en af biograferne. Jeg ringer lige og bestiller billetter. Hallo! Jeg vil gerne bestille 2 billetter til 'Italiensk for begyndere' klokken 21. Er der udsolgt? Jamen, hvad så med klokken 19? Det er fint. Så kommer vi klokken 19 i stedet. Mit mobilnummer er 20 14 86 85. Det skal vi nok. Vi kommer et kvarter før filmen begynder.

QUICK VOCAB

forleden *the other (day)*
ny *new*
film (-en, -) *film*
italiensk *Italian*
begynder (-en, -e) *beginner*
gå (gik, gået) *be on, be shown*
hallo *hello*
udsolgt *sold out*
jamen *well, but*
hvad så med *what about*
i stedet (for) *instead (of)*
mobilnummer (-et, -numre) *mobile telephone number*

True or false?
a George does not want to stay at the same hotel when he goes to Denmark in August.
b Breakfast is included in the price.

c The receptionist tells George that the insurance is included in the fixed price he has to pay per day for hiring a car.

d The performance at 7 o'clock is sold out.

How to translate 'both'

If *both* is followed by *and* the corresponding Danish word is **både**. When George is asked if he is a Dane or an Englishman he says, **Både og.** (**George er både dansker og englænder.**) Otherwise the Danish word is **begge (to):**

I taler *begge to* virkelig godt dansk.	*You both speak Danish very* (Lit. really) *well.*

Unstressed adverbs add meaning

Colloquial Danish uses a number of unstressed adverbs which add to the literal meaning of the sentence an implied other meaning. The inclusion of **nok, da, dog, jo** or **nu** (etc.) in a factual statement conveys a subjective reaction to the previous line in a dialogue. The word **da** inserted in an otherwise neutral piece of information could signal that you disagree with what has just been said.

Unit 16 contains more information about such adverbs.

You have seen the adverb **nok** used in various contexts:

Lone	*Hvor bliver passagererne af?*
George	*De står **nok** og venter på bagagen.*

George is aware that Lone is impatient and wants to calm her: *They are probably waiting for their baggage.*

Alison	*Skynd dig, George!*
George	*Jeg skal **nok** være færdig, når morgenmaden kommer.*

George feels that it was wrong of him to go back to sleep and apologizes: *I shall definitely (I promise to) be ready when breakfast arrives.*

The Danish word så

When **så** is used in front of an adjective or an adverb it means *so*:

Det smager så godt. *It tastes so good.*

Så can mean *then* or *in that case*. If it is placed at the beginning of a main clause, this has inversion:

Så dækker jeg bord i *Then I'll lay the table in the*
mellemtiden. *meantime.*

Så can also mean *so, therefore* or *so that* introducing a subordinate clause:

Jeg vil leje en bil i Århus, så vi *I am going to (I intend to) hire a car*
kan køre til Mols. *in Århus, so (or so that) we can drive*
  to Mols.

The Danish sentence can mean both *I intend to hire a car in Århus, and for that reason we can drive to Mols* and *I shall hire a car in Århus so that we can drive to Mols.*

How to translate 'need'

The phrase **trænge til** means *need, want, be in need of*:

Du trænger til en gin og tonic, *You need a gin and tonic, George!*
George!
Jeg trænger til at gå en tur. *I need to go for a walk.*

Have **brug for** also means *need, want*, but the two phrases are not synonymous:

Hvis der er noget de har brug *If you need anything, do let me*
for, må De endelig sige til. *know (Lit. say so).*

You use **trænge til** when you need to put something right, such as when you need a walk because you have been sitting reading for hours, or you need a new coat because the old one is worn and beyond repair. You also use **trænge til** when something is out of order and needs to be put right – for instance when your watch needs to be repaired because it is broken.

Have brug for is used when the need is created by circumstances – you need a new coat because you have been invited to a wedding, or you need a car because you cannot get to work by public transport.

The phrase **være nødt til** also means *need*. This is followed by an infinitive preceded by **at**, or simply **det**. It means literally 'I am forced to':

Jeg *er nødt til* at rejse herover igen i august. *I need to come back in August.*

Denmark, a Dane, Danish
Notice that only countries are spelt with a capital letter in Danish. Inhabitants of countries, languages, and adjectives of nationality begin with a small letter: **England, en englænder, engelsk.**

What to say

How to:

- ▶ inquire at a hotel whether it has any vacancies at a certain time — **Har De et ledigt enkeltværelse fra den 6. til den 11. august?**
- ▶ inquire whether breakfast is included in the price — **Er det med morgenmad?**
- ▶ book a room — **Jeg vil gerne bestille et værelse fra den 6. til den 11. august.**
- ▶ ask the price of hiring a car — **Hvad koster det at leje en bil?**

▶ reserve cinema tickets   **Jeg vil gerne bestille 2 billetter til 'Italiensk for begyndere' klokken 21.**

Language patterns

1 Comparison of adjectives

Most adjectives add **-ere** in the comparative and **-est** in the superlative:

fin *(fine)*	fin**ere** *(finer)*	fin**est** *(finest)*
sød *(sweet)*	sød**ere** *(sweeter)*	sød**est** *(sweetest)*
nem *(easy)*	nem**mere** *(easier)*	nem**mest** *(easiest)*

Adjectives ending in **-ig** only add **-st** in the superlative:

billig *(cheap)*	billig**ere** *(cheaper)*	billig**st** *(cheapest)*
venlig *(kind)*	venlig**ere** *(kinder)*	venlig**st** *(kindest)*

In some adjectives the vowel undergoes a change:

stor *(big)*	st**ø**rre *(bigger)*	st**ø**rst *(biggest)*
lang *(long)*	l**æ**ngere *(longer)*	l**æ**ngst *(longest)*

A few adjectives have an irregular comparison:

gammel *(old)*	**ældre** *(older)*	**ældst** *(oldest)*
god *(good)*	**bedre** *(better)*	**bedst** *(best)*
lille *(small)*	**mindre** *(smaller)*	**mindst** *(smallest)*
meget *(much)*	**mere** *(more)*	**mest** *(most)*
mange *(many)*	**flere** *(more)*	**flest** *(most)*

Insight: 'more' and 'most'

In Danish a distinction is made between singular and plural when using *more* and *most*, e.g. **mere vand** (*more water*), **flere mennesker** (*more people*); **det meste** (*most of it*), **de fleste mennesker** (*most people*).

A number of adjectives form the comparative and superlative by means of **mere** and **mest** instead of an ending. This happens with adjectives of three syllables or more (except most adjectives ending in **-lig**):

| favorabel *(favourable)* | **mere** favorabel | **mest** favorabel |
| hyggelig *(cosy)* | hyggelig**ere** | hyggelig**st** |

This is also the case with adjectives of more than one syllable that end in **-sk**, **-et**, or unstressed **-e**. Adjectives ending in **-el**, **-en**, **-er** drop **-e-** before **-l**, **-n** or **-r** in the comparative and the superlative, but often **mere** and **mest** are used instead of the endings because of the awkward pronunciation, especially in the comparative:

| lækker *(delicious)* | lækr**ere/mere** lækker | lækr**est** |
| sulten *(hungry)* | **mere** sulten | **mest** sulten |

The comparative ending in **-ere** does not agree with the noun – it remains unchanged:

Glasset er billigere end skålen.   *The glass is cheaper than the bowl.*

If a superlative qualifies a noun in the definite form it ends in **-e:**

det dejligste sommerhus   *the most charming cottage*

2 Adjectives ending in *-et* and *-sk*

When -e is added to adjectives that end in -et (e.g. **forsinket, udmærket**), -t- becomes -d-: **det forsinkede tog.** Adjectives ending in -sk (e.g. **politisk, engelsk, dansk**) do not add -t when qualifying a neuter noun in the indefinite form singular: **et engelsk tog.**

3 'Somebody, something' etc. – indefinite adjectives and pronouns

The Danish forms serve as both adjective and pronoun.

Nogen is common gender singular and means *somebody/anybody, some/any*:

Nogen må have set ham.	*Somebody must have seen him.*
Så du nogen?	*Did you see anybody?*
Der er ikke nogen efterspørgsel efter denne vare.	*There isn't any demand for this article.*

Nogen is also used in the plural meaning *any*:

Har De nogen roser?	*Do you have any roses?*
Der kom ikke nogen danskere.	*No Danes turned up.*

Noget is neuter singular and means *something/anything, some/any*:

Han gav mig noget.	*He gave me something.*
Han sagde ikke noget.	*He didn't say anything.*
Jeg har ikke noget papir.	*I haven't any paper.*

Noget is used quantitatively to indicate a certain amount (*some, a little*) before both common gender and neuter nouns:

Vil du have noget mælk?	*Do you want some milk?*

Nogle is plural and it means *some*. It is pronounced like **nogen**. So it is only when you write the words that you distinguish between the two plural forms **nogle** (*some*) and **nogen** (*any*):

Der ligger nogle smukke slotte i Nordsjælland.	*There are some beautiful castles in North Zealand.*

De havde ikke *nogen* rundstykker tilbage, der var udsolgt. *They didn't have any rolls left, they were sold out.*

Exercises

1 Fill in the gaps in the sentences by putting the adjectives in the comparative, as in the following example:

Hun er venlig. Hun er **venligere** end sin mand.

- **a** Roserne er dyre. De er —— end tulipanerne.
- **b** Kroen er hyggelig. Den er —— end hotellet.
- **c** Jeg er sulten. Jeg er altid —— om morgenen end midt på dagen.
- **d** Jens er stærk. Han er —— end Peter.
- **e** Efterspørgselen er stor. Den er —— nu end sidste år.
- **f** Min far er gammel. Han er —— end min mor.
- **g** Jeg drikker meget kaffe. Jeg drikker —— kaffe end min bror.
- **h** De har mange penge. De har —— penge end os.

2 Translate the English sentences into Danish in the following telephone conversation.

◄) CD1, TR 59

- Jernbanehotellet.
- **a** *Hello. My name is Peter Smith. I would like to book a room.*
- Hvornår?
- **b** *From tomorrow until the 11th.*
- Det kan vi desværre ikke klare. Vi har ikke nogen ledige enkeltværelser før på fredag.
- **c** *I'll come on Friday instead and stay until the 11th. How much is a single room?*
- 200 kr. pr. nat.

d *Is breakfast included in the price?*
- Nej, det er det ikke. Men De kan spise morgenmad i vores restaurant.

3 Fill in the gaps by changing the adjectives in the following phrases from the indefinite form singular to the definite form singular. Here is an example:

et gult hus (*a yellow house*)   det gule hus (*the yellow house*)

    a et vigtigt forretningsmøde   det —— forretningsmøde
    b en nem opskrift   den —— opskrift
    c et forsinket fly   det —— fly
    d en sulten mand   den —— mand
    e et blåt glas   det —— glas

4 Change the following adjectives and nouns from the plural to the singular as in this example:

billige priser   en billig pris

    a hyggelige kroer   **d** små badeværelser
    b danske hoteller   **e** lækre desserter
    c forsinkede tog

5 Look at the advertisements opposite and answer the questions. Today is Tuesday, 10 November.

    a Is it possible to get two tickets for the performance of *Ronja Røverdatter* on Thursday, the 12th of November?
    b How much do the cheapest tickets for *Barberen i Sevilla* cost?
    c Is it possible to get two tickets for the performance of *Hamlet* on Saturday, the 14th of November?
    d At what time does the performance of *Hamlet* begin on Saturdays?
    e Is it possible to buy tickets for *Othello* for Friday, the 27th of November?

(Abbreviations: **ekskl.** is **eksklusive** meaning *exclusive of*.
T.O.M. is **til og med** meaning *up to and including*.)

DET KONGELIGE TEATER

MENS FREDEN SÆNKER SIG
af Thomas Bernhard

Kirsten Rolffes Lillian Tillegreen
John Larsen

Rialto

SMALLEGADE 2 BILLETTER 38 88 01 88
ÅBEN HVERDAG 16-19, LØRDAGE 14-16
SPILLETIDER MAN - FRE KL. 20, LØR KL. 17

BETTY NANSEN
T E A T R E T

31 21 14 90 (man.-fre. 14-18, lør. 14-17)
Man.-fre. kl. **19.30**, lør. kl. **17.00**
Frederiksberg Allé 57
Forsalg ugedag til ugedag

HAMLET

UDSOLGT T.O.M. **16. NOVEMBER**

Det Danske Teater

Grøndal Center, Hvidkildevej 64
38 34 97 84 tir-fre 14-18 lor-son 13-15

Ronja Røverdatter

11. okt - 20. dec
Spilletider:Tir - fre kl. 19 lor-søn kl. 15

tir	10/11 kl. 19	Få billetter
ons	11/11 kl. 19	Få billetter
tor	12/11 kl. 19	Få billetter
fre	13/11 kl. 19	Udsolgt
lør	14/11 kl. 15	Udsolgt
søn	15/11 kl. 15	Udsolgt
tir	17/11 kl. 19	Udsolgt

7 dages forsalg.

EFTERÅRETS OPERABEGIVENHED

Gæstespil af
KRAKOW STATSOPERA

med Gioacchino Rossini's
kendte opera

BARBEREN I SEVILLA

der synges på italiensk

SAS
Falconer Center

**TORSDAG, DEN 12. NOVEMBER
KL. 20.00**

Billetpriser:
kr. **285 - 265 - 235 - 90**
ekskl. gebyr

Billetsalg i SAS Falconer Center,
Falkoner Allé 9 · Tlf. 31 86 85 01
åbent mandag-fredag
kl. 12.00-18.00

Gladsaxe TEATER

TLF. 31 67 60 10, man. - fre. 12-18, lør. 12-16.
Man. - fre. kl. 19.30, lør. kl. 17.00

OTHELLO

★ ★ ★ ★ Eks. bl.
"Gladsaxe Teater demonstrerer
sin berømte, storslåede
opfindsomhed...det er meget
smukt og meget uhyggeligt"
B. Grue, B.T.

**14 DAGES FORSALG
OGSÅ MAN.-FRE. SPILLETID 19.30**

GHITA NØRBY har til OTHELLO
kreeret en HELT SPECIEL MENU
som serveres inden forestillingen.
Bordreservation: 31 67 16 40

6 Answer these questions, using whole sentences.

   a Hvorfor vil George ikke bo på det samme hotel, når han kommer til Danmark i august?

   b Hvad koster det at leje en bil?

   c Hvad har Alison lyst til at lave om aftenen?

   d Hvad hedder filmen?

   e Kan de få billetter til filmen klokken 21?

Comprehension

A telephone conversation

◈ CD1, TR 60

A Landsbyscenen.

B Goddag. Kunne De oplyse mig om, hvad der går på teatret i efterårsferien?

A Ja, i ugens første halvdel, d.v.s. mandag, tirsdag og onsdag, spiller vi Holbergs 'Erasmus Montanus', og torsdag, fredag og lørdag har vi en ballet: Tjajkovskis 'Svanesøen'.

B Jeg vil gerne have tre billetter til tirsdag aften.

A 3 voksenbilletter?

B 2 voksenbilletter og en børnebillet.

A Hvad er navnet?

B Lene Brun. Hvornår begynder forestillingen?

A Den begynder klokken halv 8 og varer to og en halv time. Billetterne skal afhentes inden klokken 7.

B Tak skal De have. Farvel.

QUICK VOCAB

Landsbyscenen the Village Stage
landsby (-en, -er) village
scene (-n, -r) stage, scene
oplyse (-te, -t) (om) inform (about)
teater (teatret, teatre) theatre
efterårsferie (-n, -r) autumn half-term holiday
efterår (-et, -) autumn
halvdel (-en, -e) half

onsdag (-en, -e) *Wednesday*
spille (-ede, -et) *perform*
Erasmus Montanus a comedy by Ludvig Holberg (1684–1754)
torsdag (-en, -e) *Thursday*
lørdag (-en, -e) *Saturday*
ballet (-ten, -ter) *ballet*
Svanesøen *Swan Lake*
svane (-n, -r) *swan*
sø (-en, -er) *lake*
voksenbillet (-ten, -ter) *adult/full ticket*
voksen *adult, grown up* (adjective)
børnebillet/barnebillet *half ticket*
barn (-et, børn) *child*
afhente (-ede, -et) *collect, fetch*
afhentes (passive) *be collected*

True or false?

a Lene Brun wants three tickets for Thursday evening.
b The performance begins at half past seven.

Late Tuesday evening

◀ CD1, TR 61

George	Er du sur?
Alison	Nej, hvorfor tror du det?
George	Du er så stille. Du siger ikke noget.
Alison	Det er ikke, fordi jeg er sur.
George	Er der noget du er ked af?
Alison	Nej.
George	Hvad er der så i vejen?
Alison	Jeg tror helst ikke, jeg vil snakke om det.
George	Det bliver du nødt til nu. Du kan ikke sige, der er noget i vejen og så nægte at fortælle mig, hvad det er.
Alison	O.K. Men det er slet ikke så nemt at tale om. Det er bare, at du er så anderledes, når vi er i Danmark. Det har nok noget at gøre med, at vi snakker dansk her, og du er så meget bedre til det end mig.

(Contd)

George Jeg ved godt, hvad det er, du prøver at sige: At jeg er en lidt anden person i England, når jeg taler engelsk, end når jeg er her og taler dansk. Det føler jeg selv. Det er som om jeg er to lidt forskellige personer, og det er ikke kun på grund af sproget. Sproget udtrykker egentlig bare forskellighederne. Et menneskes personlighed er ikke noget færdigt, som vi fødes med. Vi kan alle blive så meget forskelligt, det afhænger af den kultur, vi vokser op i, andre menneskers forventninger og fordomme. Når jeg taler dansk, føler jeg mig som dansker, og når jeg taler engelsk, ja så er jeg englænder.

QUICK VOCAB

sur *in a bad mood, cross*
stille *quiet*
være ked af *be sad about*
være i vejen *be wrong*
helst *preferably*
Jeg tror helst ikke, jeg vil snakke om det. *I think I'd rather not talk about it.*
nægte (-ede, -et) *refuse*
anderledes *different*
prøve (-ede, -et) *try*
person (-en, -er) *person*
føle (-te, -t) *feel*
som om *as if*
forskellig *different*
på grund af *because of, on account of*
udtrykke (-te, -t) *express*
forskellighed (-en, -er) *difference, dissimilarity*
personlighed (-en, -er) *personality*
færdigt *fully developed*
fødes *are born* (passive)
føde (-te, -t) *bear, give birth to*
kultur (-en, -er) *culture*
vokse (-ede, -et) *grow*
forventning (-en, -er) *expectation*
fordom (-men, -me) *prejudice*

som *as*
Jeg føler mig som dansker. *I feel like a Dane.*
ja *well*

True or false?

   a It worries Alison that George seems a different person when
   he is in Denmark.
   b George says that it is not true that he behaves differently in
   Denmark from the way he behaves in England.

Test yourself

Translate into Danish:

1 You are so quiet. What is wrong?
2 He bought the cheapest tickets.
3 My daughter ate more ice cream than my wife.
4 There are more castles here than in the capital of Denmark.
5 Some people think it is easier to walk than to drive to the
   centre of the capital.
6 Have you got a vacant single room next week?
7 I'll probably come tomorrow. Then we can talk about it.
8 When we are in England, you are so different.
9 The excellent chocolate that I tasted yesterday is very
   expensive.
10 If there are any apples left, can you bring me some?

I sommerhus på Mols
At a cottage in Mols

In this unit you will learn
* *how to talk about houses, flats, buildings and gardens*

Mols
A few days later George and Alison leave Århus and drive out
to Mols.

Mols er et område på Djursland - halvøen på Jyllands østkyst
mellem Århus og Randers. Den fulde betegnelse er Mols Bjerge, der
giver et godt indtryk af landskabet. Det er et kuperet terræn i den
sydlige del af Djursland mellem Kalø Vig og Ebeltoft Vig, hvor tæt
skov veksler med åbne hedebakker. De mange levn fra fortiden,
f.eks. gravhøje, vidner om, at mennesker har boet her i årtusinder.
Den højeste bakke er Agri Bavnehøj (137m.).

QUICK VOCAB

område (-t, -r) *area, region*
halvø (-en, -er) *peninsula*
østkyst (-en, -er) *east coast*
fuld *full, complete*
betegnelse (-n, -r) *name*
bjerg (-et, -e) *mountain*
indtryk (-ket, -) *impression*
landskab (-et, -er) *landscape*
kuperet *hilly, undulating*

terræn (-et, -er) *terrain*
sydlig *southern*
del (-en, -e) *part*
vig (-en, -e) *inlet, bay*
tæt *dense*
veksle (-ede, -et) *alternate*
åben *open*
hedebakker *moorland*
hede (-n, -r) *moor*
bakke (-n, -r) *hill*
levn (-et, -) *relic*
fortid (-en) *past*
f.eks., for eksempel *for instance*
gravhøj (-en, -e) *burial mound*
vidne om (-ede, -et) *be a sign of, be evidence of, show*
årtusinde (-t, -r) *millennium*
høj *tall, high*
m., meter (-en, -) *metre*

1 Welcome!

George and Alison arrive at Peter and Jette's cottage at 2 o'clock.

CD2, TR 1

Peter	Goddag og velkommen!
George	Tak skal I have. Vi har glædet os meget til, vi skulle herud.
Jette	Ja, velkommen! Vi er også så glade for, at det kunne lade sig gøre. Vi har lige været i vandet. Vil I i vandet inden frokost?
Alison	Goddag! Nej tak, det er vist for koldt. Måske senere på dagen.
George	Jeg kan også godt vente. Ih, hvor er her dejligt!
Jette	Ja, vi nyder at bo herude. Nå, men hvis I ikke vil i vandet, så skal vi spise frokost nu. Peter, kan du lige vise George og Alison deres værelse, og hvor badeværelset er. I mellemtiden stiller jeg maden på bordet.

være glad for, at ... *be pleased that ...*
det lader sig (gøre) *it can be (done)*
det kunne lade sig gøre *it was possible*
lade (lod, ladet/ladt) *let, allow*
gå i vandet *go for a swim*
vand (-et) *water*
senere *later*
ih! *oh!*
nyde (nød, nydt) *enjoy*
vise (-te, -t) *show*
stille (-ede, -et) *put, place*

2 During lunch

Peter	Vi købte sommerhuset for 5 år siden, og siden da har vi malet det både indvendig og udvendig. Der var ikke noget badeværelse dengang. Det fik vi bygget til for 2 år siden. Vi lejer af og til huset ud til en tysk familie, og bagefter bruger vi pengene til at istandsætte huset. Køkkenet er også nyt.
Alison	Har I også et hus inde i Århus?
Jette	Nej, vi har en lejlighed inde midt i byen. Den er ikke særlig stor. Vi har kun en stue, et soveværelse, Jørgens værelse, et køkken og et badeværelse. Det kniber lidt med pladsen, når Marianne er hjemme. Så sover hun i stuen.

for (5 år) siden *(five years) ago*
siden da *since then*
male (-ede, -et) *paint*
indvendig *inside, internally*
udvendig *outside, externally*
dengang *then, at that time*
bygge (-ede, -et) *build*
bygge (noget) til (-ede, -et) *add (on) (something)*
leje ud (-ede, -et) *let*
af og til *now and then*
tysk *German*

bagefter *afterwards*
bruge (-te, -t) *use; spend (money)* **(til** *on)*
istandsætte (-satte, -sat) *repair, restore, recondition*
(i-stand-sætte) (put into good condition)
køkken (-et, -er) *kitchen*
stue (-n, -r) *living room*
soveværelse (-t, -r) *bedroom*
det kniber med pladsen *there is not really enough room*
det kniber med (kneb, knebet) *there is a shortage of*
hjemme *at home*

Insight

The verb 'spend'
Vi bruger pengene til at ... *(We spend the money on ...)*.
If what you spend is time, a different verb is used in Danish:
tilbringe, e.g. **Jeg tilbragte et år i Danmark** (*I spent a year in Denmark*). **Bruge,** as well as *spend (money)*, means *use*.

Det kniber med pladsen
The verb **knibe** means *pinch*. It is used in an impersonal construction (after **det**). **Når det kniber:** (Lit. when it pinches) *at a pinch*. **Det kniber for ham:** *he is in difficulties or he is hard up.* **Det kniber med ...:** *there is very little ..., there is a shortage of ...*

3 George and Alison talk about their house

⚡ CD2, TR 3

Jette	Bor I i en by eller ude på landet?
Alison	Vi boede i et rækkehus inde i byen indtil for 2 år siden, da vi købte en gammel gård. Kun bygningerne, ikke jorden. Men den ligger ikke ret langt fra byen.
George	For 2 år siden havde jeg nogle problemer på skolen, hvor jeg underviste, og derfor bestemte jeg at holde op. Vi solgte huset i byen og købte en noget forsømt gård.

(Contd)

Jeg skulle jo lave noget andet, og vi besluttede at starte en chokoladefabrik. Vi fremstiller chokoladen i den bygning, der før i tiden var svinesti. Der er en stor have, hvor Alison dyrker en masse grønsager, bær og frugt. Vi er endnu ikke færdige med at istandsætte stuehuset. Der er mange værelser, og vi har overvejet, om vi skulle bruge nogle af dem til udlejning til turister, eventuelt med morgenmad.

QUICK VOCAB

på landet in *the country*
rækkehus (-et, -e) *terraced house*
indtil *until*
gård (-en, -e) *farm*
bygning (-en, -er) *building*
jord (-en) *earth* (here: *land*)
undervise (-te, -t) *teach*
derfor *so*
bestemme (-te, -t) *decide*
holde op (holdt op, er holdt op) *stop*
forsømme (-te, -t) *neglect*
noget (forsømt) *somewhat (neglected, dilapidated)*
beslutte (-ede, -et) *decide*
starte (-ede, -et) *start, set up*
fabrik (-ken, ker) *factory*
fremstille (-ede, -et) *produce*
før i tiden *formerly, previously*
svinesti (-en, -er) *pig-sty*
have (-n, -r) *garden*
dyrke (-ede, -et) *grow, cultivate*
grøn(t)sager (pl.) *vegetables*
bær (-ret, -) *berry*
frugt (-en, -er) *fruit*
endnu *still*
stuehus (-et, -e) *farmhouse*
overveje (-ede, -et) *consider*
udlejning (-en) *letting*

Insight: Jeg bestemte at holde op

Holde op means *stop*. If *stop* is followed by a verb ending in *-ing*, the Danish phrase is: **holde op med at** + infinitive.
George stopped teaching: **George holdt op med at undervise.**

4 Talking about gardens

Jette	Hvad dyrker du i jeres have?
Alison	Jordbær, hindbær og solbær. Vi har også en masse æbletræer og pæretræer. Og så dyrker jeg selvfølgelig grønsager: kartofler, ærter, gulerødder, spinat og salat.
Jette	Jorden er ikke særlig god herude. Vi har bare en græsplæne. Men vi har et drivhus, hvor der vokser tomater og agurker.

QUICK VOCAB

jordbær(-ret, -) *strawberry*
hindbær (-ret, -) *raspberry*
solbær (-ret, -) *blackcurrant*
æbletræ (-et, -er) *apple tree*
æble (-t, -r) *apple*
træ (-et, -er) *tree*
pæretræ (-et, -er) *pear tree*
pære (-n, -r) *pear*
kartoffel (-en, kartofler) *potato*

ært (-en, -er) *pea*
gulerod (-en, gulerødder) *carrot*
spinat (-en) *spinach*
salat (-en, -er) *lettuce, salad*
græsplæne (-n, -r) *lawn*
drivhus (-et, -e) *greenhouse*
tomat (-en, -er) *tomato*
agurk (-en, -er) *cucumber*

True or false?
  a George has a swim before lunch.
  b Peter and Jette have a house in Århus.
  c Peter and Jette have built an extension onto their cottage.
  d Alison grows a lot of vegetables.

Molbohistorier *(Stories about the 'Molbos')*

Mols used to be an isolated part of Denmark. Two hundred years ago the only connection with Århus was by boat, and when the peasants occasionally turned up in Århus, speaking their strange dialect, they became an object of ridicule. The townspeople invented stories about their supposed stupidity. These stories about the 'Molbos' (**molbohistorier**) were later recorded.

How to translate 'grow'

In Danish you distinguish between the two meanings of *grow*. *Grow* means either *cultivate* or *become bigger*. *Grow/cultivate* is **dyrke** in Danish, while *grow/become bigger* is **vokse** in Danish.

Alison *dyrker* en masse frugt.   *Alison grows a lot of fruit.*
Grønsagerne *vokser* hurtigt   *The vegetables grow fast in the*
  i det gode vejr.   *fine weather.*

The perfect tense of **vokse** is **er vokset**.

How to translate 'very' before an adjective
Han er *meget* sulten.   *He is very hungry.*

You cannot use **meget** in a negative statement. Instead **ikke** is followed by **særlig** or **ret**:

Han er *ikke særlig* sulten.   *He is not very hungry.*
Han er *ikke ret* sulten.

How to translate 'if'
When *if* introduces a conditional clause, it is **hvis** in Danish:

***Hvis* solen skinner i eftermiddag,** *If the sun shines this afternoon we*
  kan vi gå en tur.   *can go for a walk.*

If is also used to introduce an indirect question. In this type of sentence *if* could be replaced by *whether*. When that is the case, you use **om** in Danish:

Jeg ved ikke, *om* de kan tale   *I don't know if they can speak*
  engelsk.   *English.*

Hvis is also an interrogative pronoun, meaning *whose*:

***Hvis* datter rejste til London?**   *Whose daughter travelled to London?*

(See Unit 4, note 2.)

North, south, east, west

nord	*north*
nordfra (= fra nord)	*from the north*
nordpå (= mod nord)	*northwards*
nord for	*(to the) north of*
syd	*south*
sydfra (= fra syd)	*from the south*
sydpå (= mod syd)	*southwards*
syd for	*(to the) south of*
øst	*east*
østfra (= fra øst)	*from the east*
østpå (= mod øst)	*eastwards*
øst for	*(to the) east of*
vest	*west*
vestfra (= fra vest)	*from the west*
vestpå (= mod vest)	*westwards*
vest for	*(to the) west of*

Frugt og grønsager *(Fruit and vegetables)*

en agurk (-er)

en tomat (-er)

en kartoffel (kartofler)

en porre (-r)

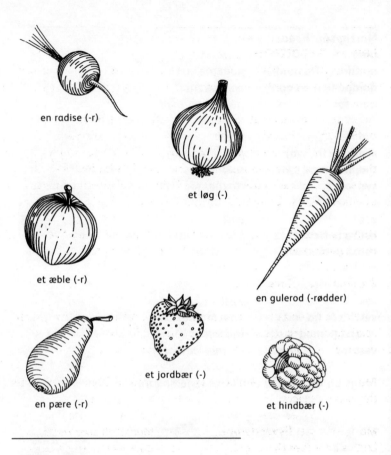

en radise (-r)

et løg (-)

et æble (-r)

en gulerod (-rødder)

en pære (-r)

et jordbær (-)

et hindbær (-)

What to say

How to:

- ask if someone lives in the town or in the country
- say that a bathroom was added to the house
- say that you spend the money on restoring the house
- say that you go for a swim every day before breakfast.

Bor du inde i byen eller ude på landet?

Vi fik et badeværelse bygget til.

Vi bruger pengene til at istandsætte huset.

Vi går i vandet hver dag, før vi spiser morgenmad.

Language patterns

1 Adverbs

Adverbs are words that qualify or modify verbs (she sings *beautifully*), adjectives (it is *immensely* kind of you) or other adverbs (she drives *annoyingly* slowly). In the three examples the adverbs are formed from adjectives by the addition of *-ly*. In Danish, too, an adjective can be turned into an adverb by means of an ending. Here **-t** is added.

Hun er smuk.	*She is beautiful.* (adjective)
Hun synger smukt.	*She sings beautifully.* (adverb)

2 Adverbs of place

There are many adverbs that are not formed from adjectives, such as **aldrig** (*never*), **desværre** (*unfortunately*), **jo** (*as you know*), **derovre** (*over there*).

Many of the adverbs of place have two forms in Danish. Compare the two sentences:

Mange turister flyver *derover*.	*Many tourists fly over there.*
Lad os køre over til det gule hus *derovre* ved den lille skov.	*Let us drive over to the yellow house over by the small wood.*

The adverb **derover** implies movement in a specific direction, while the form that ends in **-e, derovre,** is used to describe a location. Several of the adverbs of place that have two forms have appeared in the dialogues and texts:

ind – inde	over – ovre
ud – ude	hen – henne
op – oppe	hjem – hjemme
ned – nede	

The prefix **der-** or **her-** can be added to all of them to indicate where the speaker is in relation to the place.

3 Simplification of double consonant in verbs

If a double consonant precedes the infinitive -e ending of a regular verb that adds -te in the past tense, the consonant is simplified before this ending.

gle**mme**	*past tense:* gle**m**te
beste**mme**	beste**m**te

4 The passive voice

Some verbs describe actions that do not involve an object, such as the river *flows*, they *arrive*, the trees *grow* fast. These verbs are called intransitive verbs. Transitive verbs have a grammatical object: she *washes* the dishes, he *collects* the tickets, we *buy* a paper every day.

Transitive verbs can be used in the active voice or the passive voice. In the above examples the verbs are in the active voice. When you change a sentence with a verb in the active voice into a passive construction, you make the grammatical object of the original clause the subject of the new one:

He (subject) *collects the tickets* (object).
The tickets (subject) *are collected by him.*

are collected is a passive form of the verb 'to collect'.

In Unit 8 two passive forms were used:

Billetterne skal *afhentes* senest klokken 7.	*The tickets must be collected at 7 o'clock at the latest.*
Et menneskes personlighed er ikke noget færdigt, som vi *fødes* med.	*A human being's personality is not something fully developed (Lit. finished) that we are born with.*

In the first sentence the passive verb is in the infinitive, in the second in the present tense. Both forms end in -s. In English, the passive forms consist of an auxiliary verb followed by the past participle. In Danish the passive forms can be constructed in a similar way. Unit 15 contains more information about the passive voice.

Insight: The grammatical term 'voice'

Voice is a form of the verb showing the relationship of the subject to the action. When the subject is acting, the verb is in the active voice: *Jane eats the strawberries*. In the passive voice the subject 'suffers' or is being subjected to the action: *The strawberries are eaten by Jane.*

Exercises

1 Fill in the gaps in the following sentences by inserting the adverb in the correct form.
  a (ind/inde) De bor ____ i byen.
  b (ned/nede) Jeg går ____ til stranden.
  c (hen/henne) Jeg kan gå ____ til bageren.
  d (derover/derovre) Lad os køre over til den gamle gård ____.
  e (hjem/hjemme) Er der nogen ____?
  f (ud/ude) Vi skal ____ og bo i vores sommerhus.
  g (ud/ude) De gik en lang tur ____ i skoven.

2 Place the subordinate clause before the main clause as in the following example:

Han kommer ikke, hvis det regner: Hvis det regner, **kommer han** ikke.

  a Han føler sig som dansker, når han taler dansk.
  b Hun købte tulipanerne, fordi roserne var så dyre.
  c Vi rejser som regel med toget, når vi skal til København.
  d De var meget trætte, da toget ankom til Århus.
  e Vi kan køre ud til stranden i eftermiddag, hvis det holder op med at regne.

3 Now you are going shopping to buy the following items.
(The quantity is indicated in brackets.) What would you say
to the shop assistant?

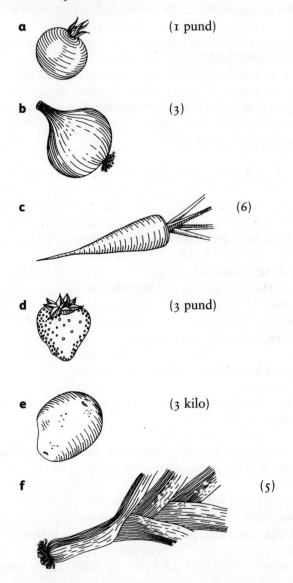

a (1 pund)

b (3)

c (6)

d (3 pund)

e (3 kilo)

f (5)

g (2)

4 Fill in the gaps in the following sentences by adding the correct form of either **dyrke** or **vokse**.

a I køkkenhaven —— der mange slags grønsager.

b Vi —— roser.

c Der —— ikke nogen blomster her, fordi jorden ikke er særlig god.

d Børnene er —— meget.

5 Change the following sentences by adding a modal verb. If the instruction requires 'ability' use **kan,** if it is 'necessity' use **må,** if 'prohibition' use **må ikke,** for 'plan' use **skal,** for 'order' use **skal,** for 'intention' use **vil** and for 'wish' use **vil gerne.** The first one has been done for you to start you off.

Han rejser til London på fredag.
intention: **Han vil rejse til London på fredag.**

a order:

b wish:

c ability:

De køber et hus i Århus.

d prohibition:

e wish:

f ability:

g intention:

Vi besøger dem i deres sommerhus i Gilleleje.

h plan:

i necessity:

j intention:

k prohibition:

6 Fill in the gaps in the following sentences by inserting **nogen, noget** or **nogle**.

   a Du kan godt spise ____ mere, ikke George?
   b Vi har ikke ____ frugttræer i haven.
   c Jeg så ____ lækre jordbær i butikken henne på hjørnet.
   d Der var ikke ____ badeværelse dengang.
   e Vi skal holde ____ forretningsmøder i Jylland.
   f Der var ikke ____ hjemme i søndags.

7 Translate the English sentences into Danish in the following dialogue.

◀ **CD2, TR 4**

   – Bor du ude på landet?
   a *No, I live in a town. I have a flat in the middle of the town.*
   – Har du altid boet inde i byen?
   b *No, I lived in the country for many years. My parents had a farm. But two years ago they sold the farm.*
   – Kan du lide at bo i en by?
   c *Yes, I like living there. My flat is small, but new. My parents' farm was very old.*

Comprehension

En molbohistorie *(A story about the 'Molbos')*

En af molbohistorierne fortæller om nogle molboer, der i krigstid var bange for, at fjenden skulle stjæle deres kirkeklokke. De besluttede derfor at tage den ned fra tårnet og gemme den. De sejlede ud på havet med den for at skjule den på havets bund. En af dem sagde da: 'Hvordan finder vi den igen, når krigen er forbi?' 'Det er da ikke noget problem,' svarede en af de andre. 'Vi skærer bare et mærke i siden af båden der, hvor vi kaster den ud.'

i krigstid *in time of war*
krig (-en, -e) *war*
tid (-en, -er) *time*
være bange for *be afraid of*
fjende (-n, -r) *enemy*
stjæle (stjal, stjålet) *steal*
kirkeklokke (-n, -r) *church bell*
kirke (-n, -r) *church*
klokke (-n, -r) *bell*
tårn (-et, -e) *tower*

gemme (-te, -t) *hide*
sejle (-ede, -et) *sail*
skjule (-te, -t) *hide*
bund (-en, -e) *bottom*
forbi *past (here: over)*
svare (-ede, -et) *answer*
skære (skar, skåret) *cut*
mærke (-t, -r) *mark*
side (-n, -r) *side*
kaste (-ede, -et) *throw*

True or false?

a The 'Molbos' decide to hide their church bell at the bottom of the sea.

b It will not be difficult for them to find the bell after the end of the war.

Talking about the past

Alison	Hvorfor så I ikke noget til hinanden efter højskoleopholdet?
George	Jeg rejste jo hjem til England og begyndte at læse ved universitetet.
Jette	Ja, hele holdet spredtes for alle vinde. Mange rejste til udlandet bagefter.
George	Så vidt jeg husker, skulle du til Amerika i et år, til Californien, hvor du havde noget familie.
Jette	Det har jeg stadigvæk. Jeg har en onkel og tante i San Francisco. De må efterhånden være temmelig gamle. Men turen derover blev nu ikke til noget.

Hvorfor så I ikke noget til hinanden? *Why did you not see anything of each other? Why did you not meet?*
se noget til (så, set) *meet*
(højskole)ophold (-et, -) *stay (at a folk high school)*

hold (-et, -) *class, team, group*
spredtes for alle vinde *was scattered to the four winds*
sprede (-te, -t) *spread, scatter*
vind (-en, -e) *wind*
(rejse) til udlandet *(travel) abroad*
(bo) i udlandet *(live) abroad*
så vidt jeg husker *as far as I remember*
stadigvæk *still*
tante (-n, -r) *aunt*
efterhånden *gradually; by now*
temmelig *rather*
blive til noget (blev, blevet) *come off, materialize*

True or false?
  a Many of the students went abroad at the end of the course.
  b Jette went to America.

Test yourself

Translate into Danish:

1 When George decided to stop teaching, he and Alison bought the neglected farm.
2 Alison grows vegetables, berries and fruit.
3 Because the soil isn't very good out here, the vegetables grow slowly.
4 We drove out to the peninsula, where we saw many relics from the past.
5 I don't know if he has seen the burial mounds.
6 If you don't want to go for a swim we can have lunch now.
7 The flat in Århus isn't very big: a living room, two bedrooms, a kitchen and a bathroom.
8 There isn't really enough room.
9 The 'Molbos' decided to hide their church bell, because they were afraid that the enemy would steal it.
10 If it stops raining we can sit in the garden.

10

Om bord på færgen
On board the ferry

In this unit you will learn
- *how to describe people*
- *how to name parts of the body*
- *how to name items of clothing*
- *how to talk about the family*

Denmark

Danmark består af en halvø, Jylland, der er landfast med Tyskland, og ca. 500 øer, hvoraf 100 er beboede. Danmarks hovedstad, København, ligger på den største ø, Sjælland, ved Øresund, der danner grænse mellem Danmark og Sverige. Landets næststørste by er Århus, der ligger på Jyllands østkyst.

Danmark er et lille land med 5 millioner indbyggere, hvoraf ca. en fjerdedel bor i eller omkring København. Hvor man end befinder sig i Danmark, er der aldrig langt til havet. Mange færger sejler mellem forskellige havne på øerne og i Jylland. George og Alison rejste til Jylland med toget, men de har besluttet at sejle tilbage til Sjælland med færgen fra Ebeltoft til Sjællands Odde.

bestå af (bestod, bestået) *consist of*
landfast *connected (by land)*
Tyskland *Germany*

ø (-en, -er) *island*
hvoraf *of which, of whom*
beboet *inhabited*
danne (-ede, -et) *form, constitute*
grænse (-n, -r) *border, frontier*
Sverige *Sweden*
næststørst *second largest*
million (-en, -er) *million*
indbygger (-en, -e) *inhabitant*
fjerdedel (-en, -e) *quarter*
hvor (man) end (er) *wherever (you are)*
befinde sig (-fandt, -fundet) *be, find oneself*
færge (-n, -r) *ferry*
havn (-en, -e) *harbour, port*

1 Jette lends Alison some clothes

After a hot spell the weather breaks. On the day of their departure it is raining heavily and it has become quite cold.

● CD2, TR 6

Jette	*(addressing Alison)* Du sidder og fryser.
Alison	Ja, der var så varmt i København for en uge siden, at jeg besluttede bare at tage nogle bluser og nederdele med herover. Jeg tog ikke engang min regnfrakke med.
Jette	Du kan låne noget tøj af mig. Jeg tror, vi bruger samme størrelse. Jeg henter lige et par lange bukser, en cardigan og en regnfrakke. Når vi kommer til København om 14 dage, kan jeg få det igen.
Alison	Jamen, kan du undvære det?
Jette	Ja, det kan jeg sagtens. Vi skal ind til Århus i dag, så jeg kan tage noget mere tøj med herud i aften.

fryse (frøs, frosset) *feel cold, freeze*
varm *warm*
bluse (-n, -r) *blouse*
nederdel (-en, -e) *skirt*
ikke engang *not even*

QUICK VOCAB

regnfrakke (-n, -r) *raincoat*
låne (-te, -t) *borrow*
tøj (-et) (only sing.) *clothes*
hente (-ede, -et) *fetch*
bukser (pl.) *trousers*
cardigan (-en, -er) *cardigan*
få igen (fik, fået) *get back*
undvære (-ede, -et) *do without, spare*
sagtens *easily*

Insight

Der var så varmt i København.
Notice the use of **der** as the subject in the impersonal
construction *It was so hot in Copenhagen*. The Danish for
It is hot is **Det er varmt.** However, if you add the place, **der** is
used instead of **det.**

Noget tøj
Tøj is singular. It corresponds to *clothes* (plural). Thus *some
clothes* is **noget tøj** and *more clothes* is **mere** (sing.) **tøj.**

2 On the ferry

Færgen er stuvende fuld, og fordi det regner, er der ingen, der har
lyst til at være ude på dækket. Det er svært at finde en siddeplads,
men det lykkes George og Alison at finde en ledig stol i cafeteriet.

George	Jeg synes, du skal tage den. Jeg har ikke noget imod at gå rundt på færgen. Jeg finder måske en siddeplads et andet sted. Skal jeg købe en øl til dig?
Alison	Nej tak, jeg vil hellere have en kop kaffe.

CD2, TR 7

stuvende fuld *packed, crammed*
stuve (-ede, -et) *stow, pack, cram*
ingen *nobody*

QV

dæk (-ket, -) *deck*
svær *difficult*
siddeplads (-en, -er) *seat*
lykkes (lykkedes, er lykkedes) *succeed, be successful*
det lykkes dem at finde *they succeed in finding*
stol (-en, -e) *chair*
cafeteria (cafeteriet, -er) *cafeteria*
jeg har ikke noget imod *I don't mind*
gå rundt *walk about*
et andet sted *somewhere else*
sted (-et, -er) *place*
øl (-len, -ler) *(a bottle of) beer*
øl (-let) *beer, ale*

3 A young woman addresses Alison

Over for Alison sidder der en ung kvinde med et lille barn. Efter et stykke tid henvender hun sig til Alison.

CD2, TR 8

Kvinden	Kunne du lige holde Mikael et par minutter, mens jeg går ud på toilettet?
Alison	Ja, det vil jeg gerne.
Kvinden	Her er hans bamse. Jeg kommer tilbage med det samme.

over for *opposite*
ung *young*
kvinde (-n, -r) *woman*
et stykke tid *some time*
henvende sig til (-te, -t) *address*
holde (holdt, holdt) *hold*
mens *while*
toilet (-tet, -ter) *toilet*
bamse (-n, -r) *teddy bear*
med det samme *straight away*

QUICK VOCAB

4 No sign of the young woman

Kort før færgens ankomst kommer George ind i cafeteriet.

◉ CD2, TR 9

George	Nå, du er blevet barnepige.
Alison	Jeg ved ikke rigtig, hvad jeg er blevet. For over en time siden bad Mikaels mor mig om at holde ham, mens hun gik på toilettet. Men hun er ikke kommet tilbage.
George	Jamen, nu skal vi jo i land. Vi må finde hende.
Alison	Det er vist lettere sagt end gjort med alle de mennesker om bord.

QUICK VOCAB

kort *short* (here adverb: *shortly*)
ankomst (-en, -er) *arrival*
barnepige (-n, -r) *nanny*
Jeg ved ikke rigtig. *I am not quite sure.*
bede (bad, bedt) *ask*
i land *ashore*
Det er lettere sagt end gjort. *That is more easily said than done.*
om bord *on board*

5 What does she look like?

◉ CD2, TR 10

George	Hvordan ser hun ud?
Alison	Hun er ikke ret gammel, 17 måske 19 år. Hun har langt, mørkt hår og brune øjne. Hendes ansigt er egentlig ganske kønt. Hun er lidt under middelhøjde og tynd.
George	Hvad har hun på?
Alison	En grøn kjole. Og da hun gik, tog hun en gul jakke med sig.
George	Hun må da komme tilbage. Er her ikke en kuffert eller en taske?
Alison	Nej, hun havde kun en håndtaske, og den tog hun med sig.
George	Så det eneste hun efterlod var en baby og en barnevogn.
Alison	Ja, barnevognen! Åh, der er heldigvis nogle bleer i barnevognen. Jeg tror lige, jeg skifter Mikaels ble, før vi kommer i havn.

QUICK VOCAB

Hvordan ser hun ud? *What does she look like?*
hår (-et, -) *hair*
brun *brown*
øje (-t, øjne) *eye*
ansigt (-et, -er) *face*
ganske *quite*
køn *pretty*
under *under, below*
middelhøjde (-n) *average* (or: *medium*) *height*
tynd *thin*
have på (har, havde, haft) *wear*
grøn *green*
jakke (-n, -r) *jacket*
kjole (-n, -r) *dress*
kuffert (-en, -er) *suitcase*
taske (-n, -r) *bag*
håndtaske (-n, -r) *handbag*
hånd (-en, hænder) *hand*
det eneste *the only thing*
efterlade (-lod, -ladt) *leave (behind)*
baby (-en, -er) *baby*
barnevogn (-en, -e) *pram*
heldigvis *fortunately*
ble (-en, -er) *nappy*
skifte (ble) (-ede, -et) *change*

True or false?
a About a quarter of Denmark's 5 million inhabitants live in and around Copenhagen.
b Alison borrows a pair of trousers and a cardigan.
c George and Alison manage to find two empty chairs in the cafeteria.
d The young woman has long, dark hair.
e The young woman is wearing a blue dress and a green jacket.

Familien (the family)

mother	mor*	moderen/moren	mødre	mødrene
father	far*	faderen/faren	fædre	fædrene
child	barn	barnet	børn	børnene
daughter	datter	datteren	døtre	døtrene
son	søn	sønnen	sønner	sønnerne
sister	søster	søsteren	søstre	søstrene
brother	bror*	broderen/broren	brødre	brødrene
parents			forældre	forældrene

*Old forms: moder, fader, broder

grandparents			bedstefor-ældre	bedstefor-ældrene
grandmother	bedstemor/ bedste			
(mother's mother)	mormor			
(father's mother)	farmor			
grandfather	bedstefar			
(mother's father)	morfar			
(father's father)	farfar			
grandchild	barnebarn	barnebarnet	børnebørn	børne-børnene

aunt	tante	tanten	tanter	tanterne
(mother's sister)	moster	mosteren	mostre	mostrene
(father's sister)	faster	fasteren	fastre	fastrene
uncle	onkel	onkelen	onkler	onklerne
(mother's brother)	morbror			
(father's brother)	farbror			
cousin (female)	kusine	kusinen	kusiner	kusinerne
cousin (male)	fætter	fætteren	fætre	fætrene
nephew	nevø	nevøen	nevøer	nevøerne
niece	niece	niecen	niecer	niecerne

mother-in-law	svigermor		
father-in-law	svigerfar		
daughter-in-law	svigerdatter		
son-in-law	svigersøn		
sister-in-law	svigerinde	svigerinden	svigerinder	svigerinderne
brother-in-law	svoger	svogeren	svogre	svogrene
parents-in-law			svigerforældre	svigerfor-ældrene

The alternatives are all used. A child might call his/her mother's mother **mormor** or **bedste(mor)**, and call his/her father's sister Lise **tante Lise** or **faster Lise**.

Farver *(colours)*

	common gender	neuter gender	plural
white	en **hvid** kirke	et **hvidt** hus	**hvide** kirker
yellow	en **gul** blomst	et **gult** hus	**gule** blomster
red	en **rød** kjole	et **rødt** hus	**røde** kjoler
blue	en **blå** blomst	et **blåt** køkken	**blå** blomster
green	en **grøn** cardigan	et **grønt** bær	**grønne** bukser
brown	en **brun** taske	et **brunt** tog	**brune** tasker
grey	en **grå** himmel	et **gråt** hus	**grå** tasker
black	en **sort** kjole	et **sort** tog	**sorte** jakker

Pale or *light* (blue/green/brown, etc.) is **lyse-**, as in **lyseblå, lysegrøn, lysebrun. Lyserød** means pink.

Dark (blue/green/brown, etc.) is **mørke-**, as in **mørkeblå, mørke-grøn, mørkebrun.**

Lykkes *(succeed, be successful)*
Lykkes is a passive form. There is no active form of this verb. The person who is successful is not the subject of the Danish verb. The subject is **det: det lykkes (for) mig/dig/ham.**

Det lykkedes os *at finde* to stole. *We succeeded in finding two chairs.*

The perfect tense *we have succeeded* is **det er lykkedes os.**

What to say

How to:

- ▶ say that you don't mind ...ing   **Jeg har ikke noget imod at ...**
- ▶ say that you prefer something other than what has been offered   **Jeg vil hellere have en kop kaffe.**
   Jeg vil hellere flyve.
- ▶ ask what somebody looks like   **Hvordan ser hun ud?**
- ▶ say that somebody looks (happy)   **Han ser (glad) ud.**
- ▶ ask what somebody is wearing   **Hvad har hun på?**
- ▶ say that you are cold   **Jeg fryser.**

Language patterns

1 Translating 'one'

The word **man**, which means *one*, is used much more frequently in Danish than *one* in English, where it tends to be replaced by *you* or occasionally *they*:

man siger, at ...   *they say that ...*

An active construction with **man** as the subject is often used in Danish where a passive construction is preferred in English:

man ved, at han er ...   *he is known to be ...*

The object form is **en:**

Man kan ikke vente, at de	*You/One cannot expect them*
tilbyder at hjælpe *en*.	*to offer to help you/one.*

The possessive form is **ens:**

... når *ens* børn kommer sent	*... when one's children come*
hjem.	*home late.*

If *one* is the subject of the sentence, *one's* is **sin, sit** or **sine** in Danish:

Man vil selvfølgelig hjælpe *sine*	*One naturally wants to help one's*
børn.	*children.*

2 'The' with clothing and parts of the body

In sentences involving items of clothing or parts of the body, Danish uses the definite form (*the*) where in English a possessive pronoun (*his*, *her*, etc.) precedes the noun:

Han lagde jakken.	*He took off his jacket.*
Han rystede på hovedet.	*He shook his head.*

3 'Other', 'another'

Anden, andet, andre mean *other*, as in **en anden bil** (*another car*), **et andet værelse** (*another room*), **andre mennesker** (*other people*), **de andre kommer senere** (*the others will arrive later*). In the first three examples *other* is an adjective; in the last one it is a pronoun. The definite form singular does not end in **-e**; for example, **den anden bil, det andet værelse. Anden/andet** is also the numeral *second*. **Den anden by** means either *the second town* or *the other town*, and **det andet barn** *the second child* or *the other child*.

4 Compound nouns

You have come across several compound nouns in the dialogues and texts. Unlike in English, compound nouns are written as one word in Danish: **kirkeklokke** (*church bell*), **chokoladefabrik** (*chocolate factory*). The last component determines the gender and the plural ending of the word:

en kirkeklokke   **kirkeklokker**
en chokoladefabrik   **chokoladefabrikker**

The first component is unchanged. The word **barnebarn** is an exception: **et barnebarn** (*grandchild*), **børnebørn** (*grandchildren*).

5 The perfect tense with *er*

In Unit 6 (note 2) you learned that the auxiliary verb is not always **har** in the perfect tense. The verb **er** is used with verbs of movement and verbs that imply 'change'. Below is a list of verbs that form the perfect tense with **er**.

afgå (*depart*)	**er afgået** (*have departed*)
ankomme (*arrive*)	**er ankommet** (*have arrived*)
begynde (*begin*)	**er begyndt** (*have begun*)
blive (*become, stay*)	**er blevet** (*have become, stayed*)
dreje (*turn*) (intrans.)	**er drejet** (*have turned*)
falde i søvn (*fall asleep*)	**er faldet i søvn** (*have fallen asleep*)
gå (*go*)	**er gået** (*have gone*)
holde op (*stop*)	**er holdt op** (*have stopped*)
komme (*come*)	**er kommet** (*have come*)
køre (*go, drive*)	**er kørt** (*have gone, driven*)
lande (*land*)	**er landet** (*have landed*)
lykkes (*succeed*)	**er lykkedes** (*have succeeded*)
rejse (*go, travel*)	**er rejst** (*have gone, travelled*)
tage (*go*)	**er taget** (*have gone*)
vokse (*grow*)	**er vokset** (*have grown*)

If a verb of movement implies prolonged action the auxiliary is **har**. Compare:

Han har rejst meget i de   *He has travelled a lot in recent*
  senere år.   *years.*
Han er rejst til Sverige.   *He has gone to Sweden.*

Exercises

1 Change the verbs in the following sentences from the past tense to the perfect tense.

   a Hun **glemte** nøglen.
   b De **kørte** til Århus.
   c Vi **bestilte** billetterne.
   d George **lejede** en bil.
   e De **besluttede** at rejse med toget.
   f Flyet **landede** i Heathrow.
   g Det **lykkedes** dem at få 2 billetter til forestillingen.
   h Han **fortalte** mig om turen.
   i Alison **dyrkede** mange grønsager.
   j Vi **begyndte** at lære tysk.

2 Translate the English sentences into Danish in this dialogue.

◄) CD2, TR 11

   – Hvordan ser han ud?
   a *He is very tall, about 1.90m. He has short, dark hair and blue eyes.*
   – Hvad havde han på?
   b *Black trousers and a green jacket.*
   – Så han glad ud?
   c *No, he did not look happy at all. And he looked very tired.*
   – Hvor er han nu?
   d *I don't know.*

3 Combine the two sentences by introducing the first with **hvis**, as in the following example:

De kommer kun til England om sommeren. De kender ikke den engelske vinter: **Hvis** de kun kommer til England om sommeren, kender de ikke den engelske vinter.

   a Han kan ikke komme i morgen. Vi vil køre op til Helsingør.
   b Du tager ikke en cardigan med. Du kommer til at fryse.

c I har aldrig været i København. I må rejse derover i år.
d Du har kun købt en liter mælk. Vi må købe noget mere.
e Du kan ikke leje en bil. Vi skal nok hente dig.

4 Translate the following sentences into Danish.
  a He lives north of Copenhagen.
  b We travelled south.
  c They came from the east.
  d John is an Englishman.
  e Viggo is a Dane.
  f Erik Møller is a baker.
  g I haven't any money, so I cannot go to the cinema.
  h I don't know if his mother has seen her grandchild.
  i If the plane is delayed we can visit my aunt on the way to the airport.

5 Look at the family tree and then answer the following questions in Danish. You have two examples to start you off.

How is Mette related to Malene?: **Mette er Malenes kusine.**
How is Morten related to Mette?: **Morten er Mettes farfar.**

  a How is Lise related to Mette?
  b How is Malene related to Åse?
  c How is Mette related to Else?
  d How is Birte related to Jørgen?
  e How is Christian related to Mikael?
  f How is Malene related to Jørgen?

6 Answer the following questions, using whole sentences.

   a Hvor ligger København?
   b Hvad låner Alison af Jette?
   c Hvad har Alison lyst til at drikke?
   d Hvordan ser Mikaels mor ud?
   e Hvorfor kan de ikke finde Mikaels mor?
   f Hvorfor kommer Mikaels mor ikke tilbage?

Comprehension

What does she look like?

CD2, TR 12

Lise	Hvordan ser hun ud?
Jens	Hun er en flot pige med lange, slanke arme og ben. Hun har langt, lyst hår, blå øjne, røde kinder og en rød mund.
Lise	Er hun sød?
Jens	Ja, det synes jeg. Og hun er et ordensmenneske. Hun har fået ryddet op i Sørens lejlighed.
Lise	Det trængte den til. Hvornår gifter de sig?
Jens	Snart. Jeg tror, de vil holde bryllup til pinse.

QUICK VOCAB

flot *smart*
pige (-n, -r) *girl*
slank *slender*
arm (-en, -e) *arm*
ben (-et, -) *leg*
lys *fair*
kind (-en, -er) *cheek*
mund (-en, -e) *mouth*
ordensmenneske (-t, -r) *tidy person*
rydde op (-ede, -et) *tidy up*
gifte sig (-ede, et) *marry, get married*
bryllup (pet, -per) *wedding*
(til) pinse *(at) Whitsun*

Insight: Til pinse

The preposition **til** is here used in the sense of *next, this coming*. Similarly, **til jul** means *next Christmas*; **til næste år**: *next year*; and **til sommer**: *next summer*.

True or false?

a The young woman has long, fair hair and blue eyes.
b She is an untidy person.

What does he look like?

CD2, TR 13

Poul	Hvordan ser han ud?
Egon	Han er blevet meget tyk. Som barn var han en tynd lille fyr. Men han spiser for meget og bevæger sig for lidt. Han har en tyk mave og dobbelthage.
Poul	Hvor gammel er han?
Egon	59.
Poul	Du må beskrive ham lidt nærmere, hvis jeg skal hente ham i lufthavnen.
Egon	O.K. Han er gråhåret og går med briller. Han har en stor næse og som sagt dobbelthage.

QUICK VOCAB

tyk *fat, thick*
som barn *as a child*
fyr (-en, -e) *fellow*
bevæge sig (-ede, -et) *move*
mave (-n, -r) *stomach*
dobbelthage (-n, -r) *double chin*
hage (-n, -r) *chin*
beskrive (beskrev, beskrevet) *describe*
nærmere *more closely, more precisely, in detail* (Lit. *nearer*)
gråhåret *grey-haired*
gå med briller *wear glasses*
gå med (gik, gået) *wear* (e.g. clothes)
briller (pl.) *glasses*
næse (-n, -r) *nose*
som sagt *as mentioned* (before)

True or false?

a The man has always been overweight.

b The man has a big nose and wears glasses.

Test yourself

Translate into Danish:

1 What does she look like?
2 They look old.
3 They succeeded in buying a new house.
4 I need more clothes. I have only got two white blouses and a pair of dark grey trousers.
5 A quarter of the inhabitants live in the capital.
6 She shook her head when her brother-in-law asked if he could borrow their car.
7 We don't know why they cannot find Mikael's mother.
8 The other boxes are in the other room.
9 One would like to help one's friends.
10 I don't mind going for a walk in the rain.

Hjemme hos Hans og Lone igen
Back at Hans and Lone's house

In this unit you will learn
* **how to say the days of the week, the months and the seasons**

1 The ferry arrives

Hans and Lone have driven up to Sjællands Odde and are waiting on the quay when the ferry arrives. Shortly after its arrival they see George and Alison leaving the ferry, pushing a pram.

◀ CD2, TR 14

Hans	Det må jeg nok sige! Det var sandelig en overraskelse!
George	Ja, her kommer de stolte forældre. Nå, spøg til side, det er en noget mærkelig historie, og vi ved egentlig ikke rigtig, hvad vi skal gøre. Den lille fyr, der ligger og sover i barnevognen, hedder Mikael og er omkring 5 måneder gammel. Alison lovede hans mor at passe ham, mens hun gik på toilettet. Hun sagde, at hun ville komme tilbage med det samme, men hun er endnu ikke dukket op.
Lone	Stakkels barn! Hvor er han dog sød! Vi kunne tage ham med hjem og passe ham, indtil hans mor bliver fundet.
Hans	Lad os nu først tage hen på politistationen og melde sagen til politiet.

Det må jeg nok sige! *Well, I never!*
sandelig *indeed*

QV

overraskelse (-n, -r) *surprise*
stolt *proud*
spøg til side *joking apart*
spøg (-en) (only sing.) *joke*
mærkelig *strange*
historie (-n, -r) *history, story, affair*
love (-ede, -et) *promise*
passe (-ede, -et) *look after, mind*
dukke op (-ede, -et) *turn up*
stakkels *poor, pitiable*
politistation (-en, -er) *police station*
melde (-te, -t) *report*
sag (-en, -er) *matter, case*
politi (-et) *police*

2 At the police station

Politibetjenten	Så den lille fyr hedder Mikael og er 5 måneder gammel. Hvad er hans efternavn?
George	Det ved vi ikke.
	(The telephone rings)
Politibetjenten	Undskyld, jeg bliver lige nødt til at tage den. Politistationen.
	Ja, vi har Mikael her. Kunne du komme herhen med det samme?
	Nej, han er blevet godt passet.
	Om fem minutter. Det er fint. Farvel så længe.
	(Addressing George, Alison, Lone and Hans)
	Det var Mikaels mor. Hun kommer herhen nu.

politibetjent (-en, -e) *policeman*
efternavn (-et, -e) *surname*
tage telefonen (tog, taget) *answer the telephone*
telefon (-en, -er) *telephone*
farvel så længe *see you soon* (Lit. goodbye, so long)

3 Mikael's mother explains everything

CD2, TR 15

Mikaels mor Da jeg var på vej tilbage til cafeteriet, følte jeg mig pludselig rigtig dårligt tilpas. Jeg var svimmel og havde kvalme og var nødt til at sætte mig ned. Der var en ledig stol i et hjørne, og jeg satte mig der. Jeg tror, jeg må være besvimet, for da jeg vågnede, lå færgen ved kajen, og der var ikke mange passagerer tilbage på skibet. Jeg skyndte mig ind i cafeteriet, men Mikael var forsvundet.

Alison Du må meget undskylde, at jeg ikke blev siddende, indtil du kom tilbage. Jeg kunne jo ikke forstå, hvor du blev af. Men jeg har passet godt på Mikael.

Hans Hvordan har du det nu? Vi må vist hellere se og få dig undersøgt af en læge.

på vej on the way
vej (-en, -e) road, way
føle sig dårligt tilpas (-te, -t) feel ill
pludselig suddenly
dårlig ill, unwell; bad, poor
svimmel dizzy, giddy
have kvalme feel sick
kvalme (-n) nausea
besvime (-ede, -et) faint
vågne (-ede, -et) (intrans.) wake up
kaj (-en, -er) quay
skib (-et, -e) ship, boat
forsvinde (forsvandt, forsvundet) disappear
blive siddende stay (Lit. remain sitting)
forstå (forstod, forstået) understand
Hvordan har du det? How do you feel?
Vi må hellere se at få dig undersøgt. We had better do something about getting you examined.
undersøge (-te, -t) examine
læge (-n, -r) doctor

QUICK VOCAB

> ## Insight: Må hellere
> **Hellere** is the comparative form of the adverb **gerne** (*gladly*, *with pleasure*). It means *rather*, so the phrase **vi må hellere** + infinitive (*we had better…*) translates literally as *we must rather …*.

4 Hans hears about the trip

The medical examination establishes that there is nothing seriously wrong with Mikael's mother. She was suffering from a combination of seasickness and fatigue. She lives in Copenhagen and Hans gives her and Mikael a lift home, somehow managing to make room for the pram in the boot of the car. Afterwards they drive up to Holte.

Hans	Har I haft en god tur?
George	Ja, forretningsmødet gik over al forventning. Der var stor interesse for vores chokolade, og vi fik en masse ordrer.
Hans	Hvor mange dage var I i Århus?
George	Vi holdt mødet dagen efter vi ankom og blev boende i Århus indtil den 29. juni. Det var i fredags. De sidste tre dage har vi boet i sommerhus på Mols.
Alison	Ja, på turen over til Jylland mødte vi en dame, som George kender, eller rettere kendte. De var på højskole sammen for 25 år siden. Hun og hendes mand inviterede os ud i deres sommerhus. De var utrolig gæstfri.

over al forventning (-en, -er) *beyond all expectation*
interesse (-n, -r) (for) *interest (in)*
dag (-en, -e) *day*
ordre (-n, -r) *order*
blive boende *stay* (Lit. remain staying)
(den) 29. (pron. **niogtyvende**) **(juni)** *(the) 29th (of June)*
i fredags *last Friday*
dame (-n, -r) *lady*
eller rettere *or rather*
utrolig *incredibly*
gæstfri *hospitable*

5 Later in the day

Lone	Det er den 2. juli i dag. Tiden flyver af sted. Vi må hellere lægge nogle planer for resten af jeres besøg.
Alison	Jeg har bestemt at gå på sprogkursus i en uge, hvis I andre ikke har noget imod det. Jeg har nu været her i Danmark i 10 dage, og det falder mig endnu ikke naturligt at snakke dansk. Tror du, der findes en sprogskole inde i København, hvor jeg kunne få et par timers undervisning hver dag i en uge?
Lone	Det gør der uden tvivl. Du kunne begynde på næste mandag. Men inden da skal vi fejre din fødselsdag på fredag.
Alison	Hvem har fortalt dig, at jeg har fødselsdag på fredag?
Lone	George sagde engang, at det var din fødselsdag nøjagtig 6 måneder efter hans, og jeg ved jo, at det er hans fødselsdag den 6. februar.

juli *July*
lægge planer *make plans*
lægge (lagde, lagt) *put, place, lay*
plan (-en, -er) *plan*
rest (-en, -er) *rest, remainder*
besøg (-et, -) *visit*
sprogkursus (-et, -kurser) *language course*
Det falder mig ikke naturligt. *It does not come naturally to me.*
falde (faldt, faldet) *fall*
findes *be found* (here: *is*)
sprogskole (-n, -r) *language school*
undervisning (-en) *tuition, lessons*
uden tvivl *without doubt, undoubtedly*
inden da *before then*
fejre (-ede, -et) *celebrate*
fødselsdag (-en, -e) *birthday*
engang *once*
nøjagtig *exactly*
(den) 6. (sjette) *6th*
februar *February*

True or false?

a Mikael's mother did not return to the café because she felt ill.
b Mikael's mother needed to sit down, but she could not find a vacant chair.
c After ten days in Denmark Alison finds it easy to speak Danish.
d Lone is planning a birthday party for George.

'Sit/sit down', 'lie/lie down'
Sidde, sad, har siddet (*sit*):

Over for Alison *sidder* der en ung kvinde med et lille barn.	*Opposite Alison a young woman with a small child is sitting.*

Sætte sig, satte sig, har sat sig (*sit down*). Sætte means *place*, *put* and sætte sig means *place oneself*:

Der var en ledig stol i hjørnet, og jeg *satte mig* der.	*There was a vacant chair in the corner, and I sat down there.*

Ligge, lå, har ligget (*lie*):

Den lille fyr, der *ligger* og sover i barnevognen hedder Mikael.	*The little fellow who is lying asleep in his pram is called Mikael.*

Lægge sig, lagde sig, har lagt sig (*lie down*). Lægge, like sætte, means *place*, *put*. The difference is that sætte means *place upright*, while lægge means *place horizontally*. Lægge sig means *place oneself horizontally/lie down*:

Han *lagde sig* på græsplænen.	*He lay down on the lawn.*

How to translate 'wake up'
The verb *wake up* is both transitive and intransitive in English. The verb can have an object, as in *he woke me up* (transitive). Its meaning is different in the clause, *I woke up at 7 o'clock*, where there isn't an object (intransitive).

In Danish there are two different verbs. The verb **vække** is transitive:

Vækkeuret ringer klokken 7 og   *The alarm clock goes off at 7 o'clock*
vækker Alison og George.   *and wakes up Alison and George.*

Et vækkeur is a clock that wakes you up.

The intransitive verb is **vågne**:

Da jeg vågnede, lå færgen ved   *When I woke up the ferry was*
kajen.   *alongside the quay.*

Ugedagene *(the days of the week)*

◀) **CD2, TR 18**

mandag	fredag
tirsdag	lørdag
onsdag	søndag
torsdag	

on Mondays, on Fridays: **om mandagen, om fredagen**

every Monday, every Sunday: **hver mandag, hver søndag**

on Monday, on Saturday (future): **på mandag, på lørdag**

on Monday (last Monday), *on Tuesday* (last Tuesday): **i mandags, i tirsdags**

Månederne *(the months)*
◀) **CD2, TR 18, 00:13**

januar	juli
februar	august
marts	september
april	oktober
maj	november
juni	december

The days of the week and the months do not begin with a capital letter in Danish.

In the grammar section below you will find a list of the ordinal numbers that you need when you give a date.

Han kom den 29. juni.   *He came on the 29th of June.*

In Danish you don't have a preposition before the date.

While in English you add letters to a figure to indicate that it is an ordinal number, as in *2nd*, in Danish you put a full stop after the figure. The article, **den**, is often abbreviated: **d. 2. juli.**

Årstiderne *(the seasons)*

spring	forår (-et, -)	*autumn*	efterår (-et, -)
summer	sommer (-en, somre)	*winter*	vinter (-en, vintre)

in the spring, in the summer (generally): **om foråret, om sommeren.**

this coming spring, this coming summer, this coming autumn, this coming winter (*we are going to…*): **til foråret, til sommer, til efteråret, til vinter (skal vi…).**

i år	*this year*
sidste år, i fjor	*last year*
næste år	*next year*

What to say

How to:

- ▶ say that you have to answer the telephone
  Jeg bliver nødt til at tage telefonen.
- ▶ say that you feel unwell
  Jeg føler mig dårligt tilpas.

▶ ask someone how he feels   **Hvordan har du det?**
▶ say that it does not come   **Det falder mig ikke**
naturally to you to …   **naturligt at …**

Language patterns

1 Ordinal numbers (from 1st to 39th)

første	elvte
anden	tolvte
tredje	trettende
fjerde	fjortende
femte	femtende
sjette	sekstende
syvende	syttende
ottende	attende
niende	nittende
tiende	tyvende

21*st* = **enogtyvende**
29*th* = **niogtyvende**
30*th* = **tredivte** (or **tredvte**)
39*th* = **niogtredivte** (or **niogtredvte**)

The ordinal numbers do not change, except **anden**:

den *anden* sag   *the second matter*
det *andet* tog   *the second train*

-**ek**- in 'sekstende' is pronounced like English *I*.

2 The cardinal numbers above 99

The nouns **hundrede** and **tusind**(**e**) are neuter. The plural ending
is -**r** and is used in expressions such as **hundreder af børn**

(*hundreds of children*) and **tusinder af ordrer** (*thousands of orders*).
After a numeral they do not have a plural ending.

300 = **tre hundrede**, 6000 = **seks tusind**.

The nouns **million** and **milliard** are common gender. The plural
ending is **-er** and is used after numerals. 2.000.000 = **to millioner**.

589 = **fem hundrede (og) niogfirs**
6.845 = **seks tusind otte hundrede (og) femogfyrre**
3.774.591 = **tre millioner syv hundrede (og)
fireoghalvfjerds tusind fem hundrede (og)
enoghalvfems**

The year *1975* is **nitten hundrede (og) femoghalvfjerds**.
3 March 2011 is **den tredje marts, to tusind (og) elleve**.
2 October 1399 is **den anden oktober, tretten hundrede (og)
nioghalvfems**.

Where a comma is used in English a full stop is used in Danish
and vice versa:

37.5 (English) **37,5** (Danish)
3,998 (English) **3.998** (Danish)

i halvtredserne *in the fifties*
Han er sidst i tresserne. *He is in his late sixties.*
i begyndelsen af halvfjerdserne *in the early seventies*

3 More about adjectives

Adjectives that end in **-s** do not change, e.g. **stakkels, anderledes,
de stakkels forældre**.

Gæstfri adds **-t** in the indefinite form neuter. In the plural it may
end in **-e**, e.g. **de var utrolig gæstfri(e)**. (See Unit 5, note 1.)

Exercises

1 Write in full the Danish for the following dates:
  a the 7th of October, 1641   **d** the 5th of June, 1913
  b the 31st of December, 1853   **e** the 26th of May, 1716
  c the 1st of February, 1969   **f** the 11th of March, 1578

2 Change the verbs in the following sentences from the present tense to the past tense:
  a Susanne **føler** sig dårligt tilpas og **besvimer**.
  b Færgen **ankommer** til havnen.
  c Alison og George **går** i land.
  d Mikael **ligger** og **sover** i sin barnevogn.
  e Susanne **vågner** og **skynder** sig ind i cafeteriet.
  f Telefonen **ringer**.
  g Mikaels mor **ved** ikke, hvor hendes søn **er**.
  h Politibetjenten **siger**, at Mikael **har** det godt.

3 Give the opposite of the following words:
  a gammel   **f** sur
  b tynd   **g** lang
  c dyr   **h** sidst
  d mindre   **i** stor
  e indvendig

4 Change the adjectives and the nouns from the singular to the plural in **a** to **j** below, as in this example:
        en køn pige   kønne piger

  a et forsinket tog
  b en nem rejse
  c en beboet ø
  d en grøn skov
  e en fornuftig fætter
  f en gæstfri dame
  g et stakkels barn
  h en gammel mand
  i en sulten datter
  j en udmærket forestilling

5 Translate the English sentences into Danish in the following dialogue.

◄) CD2, TR 19

- Hvornår er det din fødselsdag?
a *It is my birthday on the 15th of April.*
- Jamen, det er jo i dag!
b *Yes, it is my birthday today.*
- Det vidste jeg slet ikke. Hvorfor har du ikke fortalt os det?
c *If you tell people that it is your birthday, it sounds as if you are asking for a present.*
- Du skal selvfølgelig have en gave. Og vi skal fejre dagen. Hvem har du lyst til at invitere?
d *I don't want to celebrate my birthday. I don't like birthdays. They remind me (of the fact) that time flies past. I am afraid of becoming old.*

_____

Comprehension

Hans and George chat about the past

At 10 o'clock in the evening George, Alison, Lone and Hans are sitting round the dining table, finishing the evening meal.

◄) CD2, TR 20

Hans	*(addressing George)* Jeg vidste ikke, at du har været på højskole. Det var jeg også engang. Efter studentereksamen begyndte jeg at læse medicin, men jeg kørte fast i studiet. Jeg kunne ikke koncentrere mig om bøgerne. Så afbrød jeg studiet og tog på højskole i et halvt år. Det var lige, hvad jeg trængte til. Det fik mig også til at indse, at lægegerningen ikke var det rigtige for mig.
George	Ja, det var en dejlig oplevelse. Vores hold var ikke særlig stort, og vi kom allesammen godt ud af det med hinanden. Jeg kan huske, at det var det skønneste forår.

> Skoven sprang ud, og der var hvide blomster allevegne. Skolen lå ikke ret langt fra havet, og da det blev pinse, cyklede vi ned til stranden lørdag aften. Vi blev der hele natten og så solen danse pinsemorgen.

QUICK VOCAB

studentereksamen (-en, -er) (plural also: **-eksaminer**)
school-leaving exam corresponding to A levels
medicin *medicine*
køre fast (-te, -t) *get bogged down*
studium (studiet, -er) *study*
koncentrere sig (om) (-ede, -et) *concentrate (on)*
bog (-en, bøger) *book*
afbryde (afbrød, afbrudt) *break off, discontinue*
lige hvad *just what*
indse (indså, indset) *understand, realize*
lægegerning (-en) *medical profession*
det rigtige *the right thing*
oplevelse (-n, -r) *experience*
allesammen *all of us* (or: *you, them*)
Vi kom godt ud af det med hinanden. *We got on well.*
komme ud af det med *get on with (people)*
skøn *beautiful*
springe ud (sprang, sprunget) *burst/come into leaf*
allevegne *everywhere*
cykle (-ede, -et) *cycle*
danse (-ede, -et) *dance*
pinsemorgen *Whitsunday morning*

Insight: Komme ud af det med ...

Many Danish phrases can be translated literally without losing their meaning, but not so in this case. **De kommer godt ud af det med hinanden:** *They get on well (together).*

True or false?

a Hans studied medicine at university.
b George did not get on with everybody at the folk high school.

Test yourself

Translate into Danish:

1 It is his birthday on the 21st of June. (Please spell)
2 Please spell in Danish: The 6th of July 1857.
3 I had better report the matter to the police.
4 After five days in Århus, George and Alison drove out to Mols, where they stayed with their hospitable friends.
5 The poor child sat down on the floor two hours ago and is still sitting there.
6 She lay down on the bed because she felt dizzy.
7 This coming summer I have decided to attend a language course.
8 Yesterday he woke up before his alarm clock went off.
9 Hans could not concentrate on his books. Therefore he discontinued his studies.
10 I can remember that we all got on well.

12

På sprogkursus
On a language course

In this unit you will learn
- *how to ask questions about people's work*
- *how to talk about language learning in general*

1 Alison attends a language school

På sprogskolen er der mange forskellige hold. Der er et begynderhold for de elever, der ikke kan dansk. De lærer udtalen og grammatikken, og de lærer at stave ordene. I timerne skal de også tale dansk. Nogle af dem er så bange for at sige noget forkert, at munden går i baglås for dem, når de skal svare på et spørgsmål. Alison skal selvfølgelig ikke på et begynderhold. Hun ved, hvordan ordene skal udtales, og grammatikken volder hende ikke nogen problemer. På hendes hold har eleverne et godt kendskab til dansk. I timerne skal de diskutere danske noveller. De skal læse novellerne hjemme og skiftes til at give et resumé af en fortælling.

begynderhold (-et, -) *class/group for beginners*
elev (-en, -er) *pupil, student*
der ikke kan dansk *who don't know Danish*
kunne (kan, kunne, kunnet) here: *know (a language)*
udtale (-n, -r) *pronunciation*
grammatik (-ken, -ker) *grammar*
stave (-ede, -et) *spell*

QUICK VOCAB

time (-n, -r) here: *lesson, class*
munden går i baglås for dem *they get tongue-tied* (Lit. their mouths get jammed)
svare på et spørgsmål *answer a question*
spørgsmål (-et, -) *question*
udtale (-te, -t) *pronounce*
volde (-te, -t) *cause*
kendskab (-et) *knowledge*
diskutere (-ede, -et) *discuss*
novelle (-n, -r) *short story*
skiftes til (skiftedes til, har skiftedes til) *take it in turns*
resumé (-et, -er) *summary*
fortælling (-en, -er) *story*

Insight

Svare på
Notice that the verb *answer* in Danish needs a preposition: **svare på**. *He answers the question* is **Han svarer på spørgsmålet**. *An answer* is **et svar**. The Danish noun **et ansvar** means *responsibility*.

En novelle
En novelle is *a short story*. *A novel* is **en roman** in Danish.

2 The first day

◄) CD2, TR 21

Den første dag leger de en leg. Legen går ud på, at de alle er utilfredse med deres tilværelse. Utilfredsheden skyldes især deres beskæftigelse. For alles vedkommende findes der en ideel stilling, som en af de andre har. De skal stille spørgsmål til hinanden om deres respektive arbejde, og legen slutter, når alle har fundet frem til, hvem de skal bytte stilling med.

lege (-ede, -et) *play*
leg (-en, -e) *game*
legen går ud på *the idea of the game is*
utilfreds *discontented, dissatisfied*
tilværelse (-n, -r) *existence, life*
utilfredshed (-en) *dissatisfaction*
skyldes (skyldtes, har skyldtes) *be due to, be caused by*
især *especially*
beskæftigelse (-n, -r) *occupation, work, employment*
for alles vedkommende *as far as everybody is concerned*
for mit vedkommende *as far as I am concerned*
ideel *ideal, perfect*
stilling (-en, -er) *occupation, job*
stille spørgsmål (-ede, -et) *ask questions*
respektive *respective*
arbejde (-t, -r) *work, employment*
slutte (-ede, -et) *end*
finde frem til (fandt, fundet) *work out*
bytte (-ede, -et) *exchange, swap*

Insight: Findes

The passive form of the verb **finde, findes** *(be found)* is often used in the sense of *exist/be*. **Der findes en ideel stilling:** *There is an ideal position/job.*

---

3 Asking questions

Alison	Jules, arbejder du indendørs eller udendørs?
Jules	Jeg er desværre nødt til at sidde inden døre hele dagen.
Dieter	Maria, har dit job noget at gøre med radio og TV?
Maria	Nej, overhovedet ikke.
Alison	Maria, rejser du meget?
Maria	Ja, hele tiden. Det er en frygtelig tilværelse. Jeg vil også gerne spørge dig om noget, Alison. Ekspederer du i en butik?
Alison	Ja, det gør jeg.

(Contd)

Maria   Jeg tror gerne, jeg vil bytte job med dig. Jeg er træt af at rejse hele tiden.

Alison   Og jeg er træt af at ekspedere i en bagerbutik i en kedelig lille provinsby. Hvis dit arbejde består i at rejse frem og tilbage mellem Danmark og øerne i Middelhavet med ferierejsende, ja, så synes jeg, det er en ønskestilling.

indendørs *indoors*
udendørs *out of doors*
inden døre *indoors*
dør (-en, -e) *door*
job (-bet, -) *job*
radio (-en, -er) *radio*
overhovedet ikke *not at all*
frygtelig *terrible*
ekspedere (-ede, -et) *serve* (customers)
butik (-ken, -ker) *shop*
kedelig *boring*
provinsby (-en, -er) *provincial town*
bestå i (bestod, bestået) *consist in, be*
frem og tilbage *backwards and forwards*
Middelhavet *the Mediterranean*
ferierejsende *holiday-maker* (**de ferierejsende:** *the holiday-makers*)
ønskestilling (-en, -er) *ideal occupation*

4 Alison writes a story

🔊 **CD2, TR 23**

Alison har travlt hele tiden. Hun har 4 timer på skolen hver formiddag, og om eftermiddagen skriver hun stile og læser noveller. En eftermiddag skal hun skrive en historie. Læreren har givet dem 3 forskellige indledninger at vælge imellem. De 3 muligheder er:

a 'Han havde omsider fået sparet penge nok sammen.'
b 'Da hun åbnede døren, stod der en mand udenfor med en pistol.'
c 'Pludselig løb den lille dreng over gaden.'

Alison vælger den første sætning, og skriver en historie om en mand, der bor i en storby. Larmen og den stærke trafik går ham på nerverne, og han kan ikke tåle den frygtelige forurening. Han beslutter derfor at lægge penge til side, så han kan købe et hus ude på landet og leve af at sælge grønsager. Omsider får han sparet penge nok sammen og flytter ud på landet, hvor der er stille og hvor luften er ren. Hans fredelige tilværelse varer imidlertid ikke længe, for man bygger en motorvej for enden af hans have.

have travlt *be busy*
skrive (skrev, skrevet) *write*
stil (-en, -e) *essay*
lærer (-en, -e) *teacher*
indledning (-en, -er) *beginning, introduction*
vælge (valgte, valgt) *choose*
imellem *among, between*
mulighed (-en, -er) *possibility*
omsider *at long last, eventually*
spare sammen (-ede, -et) *save (up)*
(penge) nok *enough (money)*
åbne (-ede, -et) *open*
udenfor *outside*
pistol (-en, -er) *pistol*
pludselig *suddenly*
løbe (løb, løbet) *run*
dreng (-en, -e) *boy*
sætning (-en, -er) *sentence*
storby (-en, -er) *city*
larm (-en) *noise*
stærk here: *heavy*
trafik (-ken) *traffic*
går ham på nerverne *get(s) on his nerves*
nerve (-n, -r) *nerve*
tåle (-te, -t) *tolerate, endure, stand*
forurening (-en) *pollution*
lægge til side *put aside*
leve af (-ede, -et) *live by, make a living by*

QUICK VOCAB

flytte (-ede, -et) *move*
luft (-en) *air*
ren *clean, pure*
fredelig *peaceful*
imidlertid *however*
for *for, because*
motorvej (-en, -e) *motorway*
for enden af *at the end of*

True or false?

a Alison has problems with the pronunciation of Danish.
b In the role-playing game Alison works for a travel firm.
c Alison writes a pessimistic story about a man who tries to make a better life for himself.

The Danish word *bruge* (use)

This can mean *use, make use of,* as in *use force, use one's influence, use a spoon.* In Danish you say **bruge penge** (*spend money*). You also use **bruge** when talking about sizes, as in **bruge størrelse 40** (*take size 40*). In Unit 10, Jette says to Alison: 'Jeg tror, vi **bruger** samme størrelse' (*I think we take the same size*).

How to translate 'live'

If *live* means *reside, be located, stay,* the corresponding Danish word is **bo**. If it means *be alive* the Danish verb is **leve**.

Hun skal *bo* hos os i en uge.	*She is going to stay with us for a week.*
***Bor* I i en by eller ude på landet?**	*Do you live in a town or in the country?*
Hendes forældre *lever* endnu.	*Her parents are still alive.*

The expression **leve af** has two meanings – *live by* and *live on*:

Han *lever af* at sælge grøntsager.	*He lives by selling vegetables.*
Han *lever af* kartofler og brød.	*He lives on potatoes and bread.*

Countries, inhabitants and languages

Danmark	dansker (-en, -e)	dansk
England	englænder (-en, -e)	engelsk
Norge	nordmand (-en, -mænd)	norsk
Sverige	svensker (-en, -e)	svensk
Tyskland	tysker (-en, -e)	tysk
Frankrig	franskmand (-en, -mænd)	fransk
Italien	italiener (-en, -e)	italiensk
Holland	hollænder (-en, -e)	hollandsk
Belgien	belgier (-en, -e)	belgisk
Spanien	spanier (-en, -e)	spansk
Grækenland	græker (-en, -e)	græsk

What to say

How to:

▶ say that they take it in turns to … **De skiftes til at …**
▶ say that you are busy **Jeg har travlt.**
▶ say that he answers the question **Han svarer på spørgsmålet.**
▶ say that they ask each other **De stiller spørgsmål til**
   questions **hinanden.**

Language patterns

1 More about relative clauses

Unit 6, note 4, explains the use of **der** and **som** in relative clauses. It mentions that if the relative clause relates to the whole of the main clause **der** or **som** cannot be used.

'He received many orders, *which* made him happy.' In this sentence the relative clause does not define the word 'orders', but relates to the entire main clause. It was the fact that he received many orders that made him happy. The word *which* in this case is **hvad** in Danish. If *which* is the subject of the relative clause, **hvad** is followed by **der**; if it is the object, only **hvad** is used. In the above sentence *which* is the subject: 'Han fik mange ordrer, **hvad der** gjorde ham glad.'

You can also translate *which* by **hvilket,** but this sounds very formal and is only used in the written language. In fact, many speakers avoid this relative construction, preferring instead two main clauses linked by **og**. (Han fik mange ordrer, **og** det gjorde ham glad. ... *and that made him happy*.)

The relative pronoun *whose* is **hvis.**

Min nabo, *hvis* datter bor i Amerika, skal rejse derover og besøge hende til sommer.	*My neighbour, whose daughter lives in America, is going over there to visit her this summer.*

If an antecedent is defined by two relative clauses linked by *and*, as in 'I know the man who has helped my uncle several times in the past *and* who will help again in the future', *who* in the second relative clause is always **som** in Danish regardless of whether it is the subject or the object of the clause: '**... og som** vil hjælpe ham igen i fremtiden'.

2 More about the past and perfect tenses

The verbs have been presented as belonging to one of three groups:

a Verbs that add either **-ede** or **-te** in the past tense.
b Verbs that do not add an ending in the past tense, but which in most cases show tense by a change of vowel.
c Irregular verbs that have an ending in the past tense (either **-de** or **-te**) and in most cases a different vowel in the past tense and the past participle from the infinitive.

Below are listed a number of verbs belonging to groups **b** and **c**.

Group b

blive (*become, stay*)	blev	(er) blevet
skrive (*write*)	skrev	(har) skrevet
drikke (*drink*)	drak	(har) drukket
hjælpe (*help*)	hjalp	(har) hjulpet
synge (*sing*)	sang	(har) sunget
finde (*find*)	fandt	(har) fundet
forsvinde (*disappear*)	forsvandt	(er) forsvundet
byde (*bid*)	bød	(har) budt
lyde (*sound*)	lød	(har) lydt
nyde (*enjoy*)	nød	(har) nydt
hedde (*be called*)	hed	(har) heddet
komme (*come*)	kom	(er) kommet
sove (*sleep*)	sov	(har) sovet

Group c

fortælle (*tell*)		fortalte	(har) fortalt
gøre (*do, make*)		gjorde	(har) gjort
lægge (*put*)		lagde	(har) lagt
sige (*say*)		sagde	(har) sagt
spørge (*ask*)		spurgte	(har) spurgt
sælge (*sell*)		solgte	(har) solgt
sætte (*put*)		satte	(har) sat
tælle (*count*)		talte	(har) talt
vide (*know*)	(ved)	*vidste	(har) *vidst
vælge (*choose*)		valgte	(har) valgt

*vidste, *vidst are exceptional in having the letter -s-, cf. vide. The reason for this is that they are not original forms of the verb. The present tense (ved) is the old past tense and when that became the present tense, a new past tense was created which eventually became vids-te.

3 The present participle

This is the form of the verb that ends in -*ing* in English (e.g. travell*ing*, work*ing*). In Danish the ending is **-ende**, which is added to the stem:

Infinitive	Stem	Present participle
rejse	rejs	rejsende
komme	kom	kommende
gå	gå	gående

While the present participle is used frequently in English, its use in Danish is much more limited. It is not used to form continuous tenses, as in *They are enjoying their holiday*, *I was watching television*, or in constructions such as *Entering the room he saw ...*

Often the meaning of the English continuous tenses is expressed by the simple present or past tense:

De *nyder* deres ferie.   *They are enjoying their holiday.*

(See Unit 1, note 4.)

Sometimes it is rendered by means of two verbs joined by **og**:

Jeg *sad* og *så* fjernsyn.   *I was watching television.*
Jeg *lå* og *læste*.   *I was reading.*
De *stod* og *snakkede*.   *They were talking.*

In these examples the verb of action (*watch*, *read*, *talk*) is preceded by a verb indicating the position of the subject during the action.

'Entering the room he saw ...': you cannot use the present participle in this construction in Danish. Here a subordinate clause introduces the sentence instead of the participle.

Da han gik ind i værelset,   *When he entered the room*
 så han ...   *he saw ...*

The present participle is used mainly as an adjective in Danish:

en irriter*ende* larm   *an annoying noise*
en lov*ende* elev   *a promising pupil*

Adjectives that end in unstressed -e do not change:

ikke et *eneste* ord   *not a single word*
et *lille* barn   *a small child*

Similarly, when used as an adjective, the present participle never adds an ending:

et forsvind*ende* håb   *a vanishing hope*

It is used after the verb **blive**:

Bliv endelig *siddende*!   *Do stay!* (Lit. do remain sitting!)
Vi blev *boende* i Århus indtil *We stayed in Århus until 29th June.*
den 29. juni.   *(Lit. we remained staying …)*

The word **ferierejsende** is a compound consisting of **ferie** (*holiday*) and the present participle of the verb **at rejse**. It means *holiday-maker*, but although it functions as a noun, its form is that of an adjective in Danish. Its definite forms cannot be formed by the addition of endings, but by articles, as in **de ferierejsende** (*the holiday-makers*).

4 More about the comparison of adjectives

In Unit 8, note 1, you saw that in some adjectives the vowel undergoes a change, such as **stor, større, størst; lang, længere, længst**. This change also takes place in:

ung (*young*)	**y**ngre (*younger*)	**y**ngst (*youngest*)
f**å** (*few*)	f**æ**rre (*fewer*)	f**æ**rrest (*fewest*)

Exercises

1 Insert **der, som, hvad der, hvad** or **hvis** in the following sentences.

a Den unge kvinde, _____ sidder over for Alison, spørger hende, om hun kan passe den lille dreng.

b Den lille dreng, _____ mor er gået på toilettet, falder i søvn.

c Drengens mor kommer ikke tilbage, _____ får Alison til at tro, at hun ikke er interesseret i sit barn.

d George kommer ind i cafeteriet og ser barnet, _____ Alison passer.

e Den unge mor efterlod kun en baby og en barnevogn, _____ de synes er meget mærkeligt.

2 Read the following text, or listen to it if you have the recording, and then answer questions **a** to **f** below.

◄» CD2, TR 24

Jørgen og Gitte Juhl har fem børn, to drenge og tre piger. Det næstældste barn og det yngste barn er drenge. Den ældste pige læser medicin på universitetet i København. Den ældste dreng hedder Poul. Han er sytten år og går i gymnasiet. Han vil være lærer. Hans andre søstre hedder Lise og Mette, og de er ti og elleve år. Den yngste dreng er kun fem år gammel. Han hedder Viggo, og han vil være politibetjent, når han bliver stor.

a Hvor mange børn har Jørgen og Gitte Juhl?
b Hvor mange døtre har de?
c Hvad hedder den yngste pige?
d Hvad laver den ældste pige?
e Hvor gammel er Poul?
f Hvad vil Viggo være, når han bliver stor?

3 Complete the following sentences by adding the adjectives in the comparative.

  a Jordbærrene er billige. De er _____ end hindbærrene.
  b Hun er køn. Hun er _____ end sin mor.
  c De har en lille have. Den er _____ end vores.
  d Henrik er gammel. Han er _____ end Hans Peter.
  e Lise er meget ung. Hun er _____ end sin mand.
  f Deres spisebord er langt. Det er _____ end vores.
  g De har mange frugttræer. De har _____ frugttræer end mine forældre har.
  h Der var meget få mennesker i biografen i onsdags. Der var _____ mennesker i biografen i onsdags end i søndags.
  i Alison tog ikke ret meget tøj med til Jylland. Hun skulle have taget noget _____ med.

4 Insert the correct form of **vide**, **kende** or **kunne** in the following sentences.

  a George _____ ikke, hvornår Alison kommer hjem.
  b Han _____ ikke Alisons venner fra sprogskolen.
  c Lone _____ mange sprog.
  d De fik at _____, at flyet ville ankomme klokken 6.
  e Jeg _____ ikke, at de var flyttet ud på landet.
  f Jette vil gerne lære Alison nærmere at _____.
  g George har _____ Hans og Lone i mange år.

5 Now answer the following questions as fully as you can.

  a Hvad lærer eleverne på begynderholdet?
  b Hvad laver eleverne på Alisons hold i timerne?
  c Den første dag leger de en leg. Hvad går legen ud på?
  d Hvad handler Alisons historie om?

Comprehension

Alison phones George

Fredag eftermiddag ringer telefonen. George tager den.

George	Hallo!
Alison	Hej! Det er mig. Jeg ringer bare for at sige, at vi skal i Tivoli i aften. Det er noget, der lige er blevet arrangeret. Du må gerne komme med, hvis du har lyst. Vi skal spise derinde.
George	Det lyder dejligt, men jeg tror nu ikke, jeg vil med. Jeg kender jo ikke nogen fra dit hold. I kan hygge jer meget bedre, hvis I ikke behøver at være høflige over for en fremmed.
Alison	Har du noget imod, at jeg tager med? Eller synes du, jeg skal komme hjem?
George	Nej da, du skal da med. Du skal slet ikke tænke på os.

QUICK VOCAB

have lyst til *feel like*
lyst (-en, -er) *inclination, wish, desire*
hygge sig *have a good time, enjoy oneself*
behøve (-ede, -et) *need* (= **være nødt til**)
høflig *polite*
over for *towards, to*
fremmed *foreign, strange.* Here the adjective has the sense of a noun.
    (*the stranger:* **den fremmede**)
nej da *of course not*
da *of course, certainly, indeed*

Insight: En fremmed

The adjective **fremmed** is here used as a noun, but remains grammatically an adjective: **en fremmed, den fremmede, de fremmede** (*a stranger, the stranger, the strangers*). Danish adjectives are often used as nouns: **den gamle** (*the old one*), **det forkerte** (*the wrong thing*), **de små** (*the small ones*).

True or false?

a Alison is ringing to say that she will be going to the Tivoli Gardens with some friends from the language school.
b George decides to join them.

George phones Marianne

Samme eftermiddag ringer George til Marianne.

Marianne	Marianne Svendsen.
George	Hallo! Mit navn er George Wilson. Jeg besøgte dine forældre på Mols for nylig, og de foreslog, at jeg skulle ringe til dig, når jeg kom tilbage til København. Jeg har en chokoladefabrik i England og er for tiden i Danmark for at finde kunder, der vil forhandle vores chokolade. Din far sagde, at du har en ven, der ejer en chokoladeforretning. Jeg ringer for at spørge, om jeg kunne få hans navn og adresse.
Marianne	Mor ringede for et par dage siden og sagde, at du nok ville ringe mig op. Jeg tror, det er bedst, hvis jeg præsenterer jer for hinanden. Frederik kommer og spiser hos mig i aften. Hvis du og din kone ikke skal lave noget i aften, kunne I så ikke tænke jer at komme og spise sammen med os?
George	Det kan vi desværre ikke. Alison har lige ringet for at sige, at hun skal i Tivoli i aften sammen med nogle venner.
Marianne	Jamen, hvis du ikke skal noget, så synes jeg, du skulle komme herind og prøve at sælge nogle æsker chokolade.
George	Det vil jeg meget gerne. Mange tak for invitationen.

for nylig *recently*
foreslå (foreslog, foreslået) *suggest*
for tiden *at present*
forhandle (-ede, -et) *market, sell*
eje (-ede, -et) *own*
forretning (-en, -er) *shop*
ringe (mig) op (-ede, -et) *call (me)*
præsentere (-ede, -et) *introduce*
invitation (-en, -er) *invitation*

QUICK VOCAB

True or false?

a George rings Marianne to get the name and address of a friend of hers who might be interested in buying his chocolates.

b Marianne has never heard of George before.

Test yourself

Translate into Danish:

1 He could not answer the question that the Norwegian asked.
2 The boy had finished the novel, which made his mother happy.
3 When the man had saved up enough money he moved to the country.
4 Many of the pupils don't know Danish. I don't know how many.
5 The Swedes are going to stay with us for a week.
6 This woman lived many years ago.
7 I was watching television when I heard an annoying noise.
8 My neighbour is younger than his Italian wife.
9 We are busy painting our house.
10 Because I couldn't remember the words I said the wrong thing.

13

Turister i København
Tourists in Copenhagen

In this unit you will learn
* **how to express permission, duty and courage**

1 During breakfast the following Monday

CD2, TR 26

George	Nu er der ikke så lang tid tilbage. Vi har næsten fået flere ordrer, end vi kan klare, og når vi kommer hjem, får vi meget travlt. Derfor vil vi holde en uges ferie, inden vi rejser herfra. Jeg ved godt, at I skal på arbejde i denne uge, men Alison og jeg har besluttet, at vi vil være turister i København i nogle dage. Vi kender faktisk ikke København ret godt. Marianne, Peter og Jettes datter, har lovet at vise os de mest berømte seværdigheder i dag.
Lone	Det er vældig sødt af hende. Det er også på høje tid, I lærer København at kende. Vi vil meget gerne møde jeres venner fra Århus, når de kommer til København.
George	Jeg ringede dem op i går. De kommer herover på torsdag. Og så håber vi, I vil med ud og spise. Vi vil nemlig gerne invitere jer ud og spise på en restaurant sammen med Jette og Peter og Marianne.

berømt *well-known, famous*
seværdighed (-en, -er) *sight*
det er på høje tid *it is high time*

QV

2 The history of Copenhagen

København har en lang historie. I 1160 gav den danske konge,
Valdemar den Store, den lille vikingehavn ved Øresund til biskop
Absalon, der byggede en borg netop der, hvor Christiansborg
Slot ligger i dag. I løbet af de følgende århundreder voksede byen
i størrelse og betydning på grund af beliggenheden ved Øresund.
København betyder 'købmændenes havn'. Byen blev Danmarks
hovedstad i 1443, og i 1479 blev landets første universitet
grundlagt her.

Danmark har været et kongerige i mere end 1000 år, og mange
af kongerne har bygget slotte og andre fine bygninger i landets
hovedstad. Christian IV, der regerede fra 1588 til 1648, var meget
interesseret i byplanlægning. Rosenborg Slot, Børsen og Rundetårn
blev bygget i hans regeringstid.

København var omgivet af volde indtil 1870erne. Da disse blev
revet ned, blev Vesterbro, Nørrebro og Østerbro bygget uden
for den gamle bys grænser. Siden da er byen vokset med rivende
fart, og i dag bor der over en million mennesker i og omkring
København.

historie (-n) *history*
elleve hundrede tres *1160*
konge (-n, -r) *king*
vikingehavn (-en, -e) *viking harbour*
viking (-en, -er) *viking*
biskop (-pen, -per) *bishop*
borg (-en, -e) *castle*
netop *exactly, precisely*
følgende *following*
århundrede (-t, -r) *century*
betydning (-en) *importance*
beliggenhed (-en) *situation, position*
købmand (-en, købmænd) *merchant*
fjorten hundrede treogfyrre *1443*
fjorten hundrede nioghalvfjerds *1479*
grundlægge (-lagde, -lagt) *found*

kongerige (-t, -r) *kingdom*
fin *fine, grand*
(Christian) den fjerde *(Christian) IV*
regere (-ede, -et) *rule*
byplanlægning (-en) *town planning*
børs (-en, -er) *stock exchange*
rund *round*
regeringstid (-en) *reign*
omgive (omgav, omgivet) *surround*
vold (-en, -e) *rampart*
atten hundrede halvfjerdserne 1870erne *the 1870s*
rive ned (rev, revet) *demolish, pull down*
Vesterbro, Nørrebro, Østerbro *districts in Copenhagen*
bro (-en, -er) *bridge*
med rivende fart *at a tremendous speed*
rivende *tearing*
fart (-en) *speed*

Insight: Et århundrede

A century is **et århundrede**. *The 17th century* is **det 17. århundrede;** or it can be referred to as **1600-tallet**, e.g. **i det 19. århundrede; i 1800-tallet**.

A millennium is **et årtusinde**.

---

3 Sightseeing in Copenhagen

George and Alison take the train to *Østerport station*, where they have arranged to meet Marianne. From there they walk down to *Langelinie*, a promenade along the harbour side. On the way Marianne explains to them what she intends to show them.

| Marianne | Jeg håber, I har en masse energi, for vi skal ud på en lang spadseretur. Jeg synes, at man bør kende en by, inden man begynder på museumsbesøgene. Og den bedste måde at lære en by at kende på er at gå rundt i gaderne. På vejen kan jeg så udpege, hvilke bygninger *(Contd)* |

jeg synes er et besøg værd. Vores tur begynder på Langelinie, hvor vi skal se Den Lille Havfrue. Derfra går vi ind til Amalienborg Slot, hvor den kongelige familie bor. Så skal vi videre til Nyhavn, et livligt kvarter med barer og fortovscaféer, og Kongens Nytorv, hvor Det Kongelige Teater ligger. Strøget, som I uden tvivl har hørt om, går fra Kongens Nytorv til Rådhuspladsen. Her ligger der en masse fine forretninger. Vi vil gøre små afstikkere fra Strøget ned til Christiansborg Slot, hvor folketinget har til huse, og ind til Rundetårn.

Når vi kommer ind til Rådhuspladsen kan vi selvfølgelig fortsætte ned til Nationalmuseet, men jeg har på fornemmelsen, I har fået nok, når vi når dertil.

QUICK VOCAB

energi (-en) *energy*
spadseretur (-en, -e) *walk*
spadsere (-ede, -et) *walk*
bør (pres. tense of **burde**) *ought*
udpege (-ede, -et) *point out*
værd *worth* (a visit)
havfrue (-n, -r) *mermaid*
kongelig *royal*
videre *on, further*
livlig *lively*
kvarter (-et, -er) *quarter, district, part of town*
bar (-en, -er) *bar*
fortovscafé (-en, -er) *pavement café*
fortov (-et, -e) *pavement*
Strøget the main shopping street in the centre of Copenhagen
høre (-te, -t) *hear*
gå (gik, gået) here: *run*
Rådhuspladsen *the City Hall Square*
rådhus (-et, -e) *town/city hall*
plads (-en, -er) here: *square*
afstikker (-en, -e) *detour*
folketinget the Danish Parliament
have til huse *be housed*

fortsætte (-satte, -sat) *continue*
have på fornemmelsen *have a feeling, have a hunch*
fornemmelse (-n, -r) *feeling*
nå (-ede, -et) *reach, get to*

Insight

The preposition 'til'
Danish **til** was originally a noun meaning *aim/goal* (cf. German *Ziel*). This explains why in Old Danish **til** was followed by a noun in the genitive. Many phrases with **til** have nouns ending in **-s**: **sætte sig til bords** (*sit down to table*), **her til lands** (*in this country*).

Når vi når dertil
The verb **nå** has several meanings. **Når vi når dertil**: *When we get there*. **Han nåede bussen**: *He caught (was in time for) the bus*. **Hun nåede at købe ind**: *She managed to do the shopping*. **Jeg kan ikke nå lampen**: *I cannot reach the lamp*.

4 The end of the tour

When they get to *Christiansborg Slot* they decide to walk on to *Børsen*, the old Stock Exchange building, and across *Knippelsbro* to *Christianshavn* on the island of Amager. *Christianshavn* was originally a separate town, created by Christian IV as a residential and trading centre for merchants and shipbuilders. Having made this detour, Marianne abandons her original plan and shows them round the old bastions. From there they walk to *Vor Frelsers Kirke*, a late 17th-century baroque church with a 75m-high spiral tower. An outside spiral staircase leads up to the top where a figure of Christ stands holding a banner.

Marianne	Jeg synes, vi skal afslutte vores tur med et udsyn ud over København oppe fra toppen af kirketårnet.
George	Er der også en trappe inde i tårnet?
Marianne	Nej, man går op ad den udvendige trappe.
Alison	Nej, der får I mig ikke med op. Det tør jeg ikke.
George	Du kan sætte dig ind i kirken og vente, mens vi går derop.

afslutte (-ede, -et) *finish, conclude*
udsyn (-et, -) *view*
top (-pen, -pe) *top*
trappe (-n, -r) *staircase, stairs, steps*
tør (pres. tense of **turde**) *dare*

True or false?
a Christian IV was very interested in town planning.
b Copenhagen was surrounded by ramparts until this century.
c Alison suffers from a fear of heights.

The Danish word *købmand*
This means *grocer* as well as *merchant*. Grocers' shops have gradually disappeared as supermarkets have taken over the trade.

The Danish word *betydning*
In the text about Copenhagen **betydning** was used in the sense of *importance*: **byen voksede i størrelse og betydning**. It also means *meaning* or *sense*:

et ords betydning	*the meaning of the word*
i en anden betydning	*in another sense*
ordet kan ikke bruges med den betydning	*the word cannot be used in that sense* (or: *to mean that*)
uden betydning	*of no importance*

The Danish preposition *ad*
In the dialogue Marianne said: **Man går op ad den udvendige trappe.** In Danish **op/ned** is followed by the preposition **ad** (*by*) in *to go up the stairs, to go down the stairs*:

gå *op ad* trappen	*go up the stairs*
gå *ned ad* trappen	*go down the stairs*
gå *ned ad* gaden	*walk down the street*
gå *ind ad* døren (enter by the door)	*walk in through the door*

The word **ad** also means *at* (directed towards):

Hun ler altid *ad* mig.	*She always laughs at me.*

188

How to translate 'to play'

Børnene *leger* i haven.   *The children are playing in the garden.*

The verb **at lege** means *to play* (children's games).

Otherwise the verb **spille** (-ede, -et) is used:

***spille* kort**	*play cards*
***spille* klaver**	*play the piano*
***spille* fodbold**	*play football*

What to say

How to:

- say that you think you ought to (know a town before …)
- say that you do not dare (walk up the steps)
- say that you have an idea/ a feeling/a hunch that …

Jeg synes, man bør (kende en by, inden …)

Jeg tør ikke (gå op ad trappen).

Jeg har på fornemmelsen, at …

Language patterns

1 More about modal verbs

Unit 7, note 3, contains four of the modal verbs and explains some of their functions. There are six modal verbs in Danish: **kunne, skulle, ville, burde, turde, måtte.** They are given in the infinitive, which is identical to the past tense. You form the past participle by adding -t to the past tense: **kunnet, skullet, villet, burdet, turdet, måttet.** The present tense forms are: **kan, skal, vil, bør, tør, må.** They correspond to the English present tense forms: *can, shall, will, ought to, dare, must/may*. Apart from *dare*, the English verbs do not, of course, exist in all the forms of the Danish verbs.

a kan means *can* or *may*. It conveys ability or possibility:

Han *kan* køre os ned til færgen.   *He can drive us down to the ferry.*

Han *kan* komme når som helst.   *He may come at any time.*

b må means both *must* and *may*. In the sense of *may* it tends to be followed by **gerne** or **godt**:

I *må gerne* komme i morgen.   *You may come tomorrow.*

Du *må godt* gå i biografen i aften.   *You may go to the cinema tonight.*

In questions **gerne** or **godt** is often left out:

Må jeg komme ind?   *May I come in?*

The necessity implied when **må** is used often arises in circumstances such as when an accident has happened or someone has fallen ill.

Du *må* komme med det samme.   *You have to come immediately.*

You use **må ikke** when you are telling someone *not* to do something (a prohibition):

Du *må ikke* sige noget til din søster.   *You must not tell your sister.*

c skal can imply a different kind of necessity. Here the necessity may be due to an order issued by someone, office routine, timetables:

Jeg *skal* være på arbejde klokken 7.   *I have to be at work at 7 o'clock.*

Hun *skal* blive hjemme.   *She has to stay at home.*

Skal is also used when you issue an order:

Du *skal* skrive stilen.   *You must write the essay.*

Skal can also imply promise:

Jeg *skal* nok gøre det.   *I'll (certainly) do that.*

You will find in Unit 7 (note 3) other situations when **skal** is used: when you talk about plans or arrangements, in suggestions and sometimes simply to imply the future.

d **vil** implies wish or future:

De *vil* rejse med toget.	*They want to travel by train.*
Vi *vil* gerne hjælpe dig.	*We would like to help you.*
De *vil* komme på søndag.	*They will come on Sunday.*

e **bør** implies duty, propriety:

Du *bør* gøre, hvad dine	*You ought to do what your*
forældre siger.	*parents tell you.*
Han *burde* gøre det.	*He ought to do it.* (he is likely not to)

f **tør** implies courage:

Jeg *tør* godt gøre det.	*I am not afraid to do it.*
Gør det, hvis du *tør*.	*I dare you to do it.* (Lit. Do it if you dare.)

2 More about the present participle

In Unit 12 (note 3) you saw that the present participle is used in Danish after the verb **blive** in constructions such as: **vi blev boende indtil den 29. juni.** The present participle can also follow the verbs **finde, have, komme**:

Jeg fandt hende *siddende*	*I found her sitting behind a tree.*
bag et træ.	
Vi kan ikke have dem	*We cannot have them staying.*
boende.	
De kom *løbende* ind i stuen.	*They came running into the room.*

In English, verbs of perception (such as *see, feel, hear, notice*) are often followed by a verb in the present participle (the *-ing* form): *I heard him unlocking the door, I saw them walking round the corner*. In Danish, the present participle is not used in such constructions, but instead the infinitive is used:

Jeg så dem gå rundt om	*I saw them walking round the*
hjørnet.	*corner.*

3 Nouns ending in *-um*

When an ending is added to such nouns, they drop **-um**:

et muse**um**	museet	museer	museerne
et studi**um**	studiet	studier	studierne

4 Adjectives

In Unit 11 (note 3) you learned that adjectives ending in -s do not change. The adjective **(u)tilfreds** *(dis)satisfied* does not add **-t** in the indefinite form neuter singular (**et tilfreds menneske**), but it does end in **-e** in the definite form and in the plural: **de utilfredse naboer.**

Some of the adjectives that end in **-d** do not add **-t** in the indefinite form neuter singular: **et glad barn, et fremmed fly**. In the plural they end in **-e: glade børn, fremmede fly.**

Information about adjectives that do not comply with the norm has been given gradually as the words were used in the dialogues and texts. In Unit 14 all this information will be brought together.

Exercises

1 Insert either **hvis** or **om** in the following sentences. If you need help, you can look at Unit 9 (*How to translate 'if'*) and Unit 12, note 1.
  - **a** Jeg ved ikke, _____ mine forældre kan komme på søndag.
  - **b** _____ de kommer, kan du fortælle dem om din tur til London.
  - **c** Jeg spurgte hende, _____ hun ville låne en cardigan.
  - **d** _____ han ikke kan hjælpe mig, vil jeg spørge min fætter, _____ han kan låne mig pengene.
  - **e** _____ barn passer du?
  - **f** _____ du har lyst, kan vi gå i biografen i aften.
  - **g** En af mine venner, _____ forældre er på ferie, holder en fest på lørdag.

2 Insert **da, når** or **hvornår** in the following sentences. (See Unit 7, *How to translate 'when'.*)

a _____ de kom til Østerport Station, stod Marianne og ventede på dem.

b '_____ tog I hjemmefra?' spurgte hun.

c _____ Peter og Jette kommer til København på torsdag, skal de alle ud og spise på en restaurant.

d _____ vi besøgte dem, fik vi altid en kop kaffe klokken 11 om formiddagen.

e _____ George kom til Danmark, kunne han ikke tale dansk ret godt.

f _____ George taler dansk, føler han sig som dansker.

g _____ ankommer toget?

3 ◄) **CD2, TR 28**

Insert a modal verb in the sentences below. The word in brackets indicates in which way the verb in the infinitive should be qualified. Here is an example:

Han **vil gerne** fejre din fødselsdag. (*wish*)

a I _____ gå en tur i skoven. (*permission*)

b Du _____ køre din søster til færgen. (*order*)

c Jeg _____ hjælpe dem med at flytte. (*duty*)

d Han _____ godt gå hen på politistationen med pengene. (*courage*)

e De _____ godt komme på torsdag. (*ability*)

f Du _____ komme og hjælpe os. (*necessity*)

4 Add the correct form of the reflexive verb to the sentences below.

a De (gifte sig) til sommer.

b Du (bevæge sig) ikke nok. (*present tense*)

c Han (føle sig) dårligt tilpas. (*past tense*)

d Vi (hygge sig) altid, når de kommer på besøg. (*present tense*)

e Jeg (sætte sig) ud i køkkenet. (*past tense*)

f I kan (lægge sig) på græsplænen og nyde det gode vejr.

5 Answer the following questions in Danish.

    a Hvorfor vil George og Alison holde en uges ferie?

    b Hvornår kommer Jette og Peter til København?

    c Hvad er den første seværdighed, som Marianne vil vise George og Alison?

    d Hvem bor på Amalienborg Slot?

    e Hvor ligger Strøget?

    f Går de alle tre op ad den udvendige trappe til toppen af kirketårnet?

Comprehension

Marianne's childhood

Marianne and George are standing at the top of the church tower, from where they have a magnificent view of Copenhagen.

George	Er du glad for at bo i København?
Marianne	Ja, det må jeg indrømme. Da jeg flyttede herover, troede jeg, at jeg ville komme til at savne Århus og mine venner der, men det gør jeg overhovedet ikke. Det eneste jeg engang imellem savner er noget, der ligger længere tilbage i tiden. Da jeg var lille, boede vi ude på landet, og naturen spillede dengang en stor rolle i min tilværelse. Vi boede hos mine bedsteforældre, der havde en gård. I nærheden af gården lå der en skov, og min bedstemor og jeg gik tit en tur ned i skoven. På disse ture snakkede vi om blomsterne, der voksede på grøftekanten, og om skovens træer og buske. Jeg lærte også meget om egnens dyreliv og om fuglene, der byggede rede i tagrenderne og trækronerne.

indrømme (-ede, -et) *admit*
savne (-ede, -et) *miss*
engang imellem *now and then, occasionally*

spille en rolle (-ede, -et) *play a part*
rolle (-n, -r) *part, role*
i nærheden af *near, close to*
nærhed (-en) *proximity, vicinity*
på grøftekanten *at the side of the road/path*
grøftekant (-en, -er) (Lit. edge of ditch)
busk (-en, -e) *bush*
egn (-en, -e) *part of the country, area, district*
dyreliv (-et) *fauna*
fugl (-en, -e) *bird*
rede (-n, -r) *nest*
tagrende (-n, -r) *gutter*
tag (-et, -e) *roof*
trækrone (-n, -r) *crown/top of tree*

True or false?

a When Marianne was a small child she lived in the country.
b Marianne does not enjoy living in Copenhagen.

A cold experience

George	Lever dine bedsteforældre endnu?
Marianne	Min bedstefar døde i februar i år. Det var frygtelig koldt på det tidspunkt. Det frøs 10 grader, da jeg rejste over til begravelsen, og den dag han blev begravet, havde vi snestorm. Sneen føg over gravstenene, og min stakkels bedstemor stod og frøs, da kisten blev sænket ned i graven, selv om hun var klædt varmt på. Bagefter blev hun syg og lå i sengen med influenza i flere uger, men hun kom sig, og nu har hun det godt igen.

dø (døde) *die* **(han er død = he has died)**
i år *this year*
på det tidspunkt *then, at that time*
tidspunkt (-et, -er) *time, moment*
grad (-en, -er) *degree*

QUICK VOCAB

begravelse (-n, -r) *funeral, burial*
begrave (-ede, -et) *bury*
snestorm (-en, -e) *blizzard*
sne (-en) *snow*
storm (-en, -e) *gale*
fyge (-ede, -et or føg, føget) *drift*
gravsten (-en, -) *tombstone*
grav (-en, -e) *grave*
kiste (-n, -r) *coffin*
sænke (-ede, -et) *lower*
selv om *even though*
syg *ill*
seng (-en, -e) *bed*
influenza (-en) *flu*
flere *several*
komme sig (kom, kommet) *recover*

Insight: Min bedstefar døde ...

The verb **dø** (*die*) does not have a past participle form. The past tense is irregular: **Min bedstefar døde ...** *(My grandfather died ...)* He has died: **Han er død** (adjective).

True or false?

a In winter the weather can be very cold in Denmark.
b Marianne's grandmother was cold at the funeral because she had not dressed sensibly.

Test yourself

Translate into Danish:

1 They walked up the steps to the top of the church tower.
2 She saw him running into the garden.
3 I have a feeling that there is something wrong.
4 The grocer found his children playing on the beach.

5 The town grew in size and importance.
6 Denmark has been a kingdom for more than one thousand years.
7 In the 17th century Christian IV built many castles.
8 May I have a glass of milk?
9 They dare not walk through the dark wood.
10 My uncle has died. He died three months ago.

14

På restaurant
At a restaurant

In this unit you will learn
* *how to state likes and dislikes about food*
* *how to express preference*
* *how to order a meal at a restaurant*

1 Getting ready

It is Thursday, and George and Alison are getting ready to go to the restaurant. They have invited Hans and Lone as well as Peter and Jette and their daughter, Marianne, out for a meal. The table is booked for 7 o'clock.

CD2, TR 29

Alison	Det har været en dejlig måned, men jeg glæder mig nu meget til at komme hjem igen. Jeg kan egentlig ikke lide at være væk hjemmefra så længe om sommeren. Jeg savner min have.
George	Den trænger sikkert også til at luges. Jeg glæder mig til at komme tilbage til arbejdet på fabrikken og istandsættelsen af stuehuset, men jeg må nu indrømme, at jeg er helt trist ved tanken om, at vores ophold her er ved at være forbi.
Alison	Vores danske venner er meget gæstfri. Jeg håber, de kommer og besøger os i England. Vi kunne give dem en god ferie, når vi bliver færdige med stuehuset.

| George | Det håber jeg sandelig også. Nå, men nu er jeg færdig. |
| Alison | Nej, det er du da ikke. Du har glemt at skifte skjorte og tage slips på. |

QUICK VOCAB

væk *away*
kunne lide *like*
sikkert *very likely, no doubt*
luge (-ede, -et) *weed*
istandsættelse (-n, -r) *repair, restoration*
trist *sad*
tanke (-n, -r) *thought*
ved tanken om, at ... *at the thought that ...*
være ved at *be on the point of, be about to*
skjorte (-n, -r) *shirt*
tage (tog, taget) på *put on (clothes)*
slips (-et, -) *tie*

2 Choosing from the menu

They meet in the bar at half past six and have a drink before going to eat at 7 o'clock. For a few minutes they study the menu in silence.

CD2, TR 30

George	Hvad med en halv hummer til at begynde med?
Lone	Det vil jeg meget gerne have. Jeg elsker skaldyr.
George	Du kan også få østers.
Lone	Nej, jeg vil helst have en halv hummer.
George	Skal jeg bestille en halv hummer til alle?
Marianne	Jeg er vegetar og spiser hverken kød eller fisk.
George	Du kan få champignonsuppe eller en skive melon.
Marianne	Så vil jeg gerne have champignonsuppe.
Jette	Det vil jeg også hellere have.
Hans	Der er jo også gravad laks på spisekortet. Det er min livret.
Peter	Jeg holder meget af ål i gelé.
George	Alison, du vil godt have en halv hummer, ikke?
Alison	Jeg bryder mig faktisk ikke ret meget om hummer. Jeg vil hellere have gravad laks.

hvad med … *what about …*
hummer (-en, -e) *lobster*
skaldyr (-et, -) *shellfish*
østers (-en, -) *oyster*
vegetar (-en, -er) *vegetarian*
hverken … eller *neither … nor*
kød (-et) *meat*
fisk (-en, -) *fish*
champignonsuppe (-n) *mushroom soup*
champignon (-en, -er) *mushroom*
suppe (-n, -r) *soup*
skive (-n, -r) *slice*
melon (-en, -er) *melon*
gravad *marinated* (in salt, sugar and spices)
laks (-en, -) *salmon*
spisekort (-et, -) *menu*
livret (-ten, -ter) *favourite dish*
ret (-ten, -ter) *dish, course*
ål (-en, -) *eel*
ål i gelé *jellied eels*
…, ikke? *…, won't you?*
bryde sig om (brød, brudt) *care for, like*

3 George is ready to order

George	Jeg vil gerne bestille 2 halve hummere, 2 gange gravad laks, 2 gange champignonsuppe og en gang ål i gelé. Derefter skal vi alle have en halv kylling med nye kartofler og agurkesalat undtagen den unge dame, der skal have en omelet med grønsager, og til dessert skal vi have hjemmelavet is med friskplukkede hindbær.

gang (-en, -e) *portion, helping*
kylling (-en, -er) *chicken*
agurkesalat (-en) *sliced cucumber in a dressing consisting of vinegar, sugar and a little salt*
undtagen *except*

omelet (-ten, -ter) *omelette*
hjemmelavet *home-made*
friskplukket *freshly picked*

4 During the meal

They drink white wine with the first course and red wine with the main course. The wine loosens their tongues and the conversation is lively. George is sitting next to Jette, and to start with they talk about life in Denmark today and about the changes in the last 25 years. Then they talk about themselves.

De drikker hvidvin til forretten og rødvin til hovedretten. Vinen løser tungebåndene, og der snakkes livligt. George har Jette til bords, og de taler først om livet i Danmark i dag, om de forandringer, der har fundet sted i løbet af de sidste 25 år. Derefter snakker de om sig selv.

George	Er man den samme, som man var for 25 år siden?
Jette	Nej, det er man bestemt ikke.
George	Man kender selvfølgelig sig selv noget bedre end dengang og har fået den selvtillid, man manglede. Men inderst inde er man vel den samme. Jeg er lige så forvirret med hensyn til min nationale identitet, som jeg altid har været. Men det betragter jeg ikke som noget problem. Tværtimod kan jeg godt lide den rolle, som min tosprogethed har skabt. Jeg indtager lidt af en særstilling i begge lande.
Jette	Det er nok derfor, du ikke har forandret dig så meget. Jeg er i hvert fald ikke den samme, som jeg var for 25 år siden. Der er sket meget siden da, og man bliver klogere med årene.

Hans afbryder deres samtale. Han og hans borddame, Marianne, vil gerne skåle med George og Jette.

hvidvin (-en, -e) *white wine*
forret (-ten, -ter) *first course*

hovedret (-ten, -ter) *main course*
løse (-te, -t) *loosen, release, solve*
løse tungebåndene *loosen the tongues*
der snakkes livligt *the conversation is lively*
have til bords *take in to dinner, sit next to*
liv (-et) *life*
forandring (-en, -er) *change*
finde sted (fandt, fundet) *happen, take place*
selvtillid (-en) *(self-)confidence*
mangle (-ede, -et) *lack*
inderst inde *deep down*
vel *I suppose*
forvirret *confused*
med hensyn til *as regards*
hensyn (-et, -) *consideration*
national *national*
identitet (-en) *identity*
betragte (-ede, -et) *consider*
tosprogethed (-en) *bilingualism*
skabe (-te, -t) *create*
indtage (indtog, indtaget) *take up, assume, fill, occupy*
særstilling (-en, -er) *exceptional position*
forandre sig (-ede, -et) *change (intrans.)*
i hvert fald *here: definitely, absolutely*
klog *wise*
borddame (-n, -r) *partner at dinner*
skåle med (-ede, -et) *toast*

Insight

Der snakkes livligt

Passive constructions consisting of **der** followed by a verb in
the passive are common in Danish. English has no equivalent
construction. **Der danses i køkkenet:** *They are dancing in the
kitchen.* **Der snakkes livligt.** *The conversation is lively.*

True or false?

a George is looking forward to returning to England.
b George forgets to put on a tie.
c They all have chicken as their main course.
d George orders raspberries with cream for dessert.

Skål! *(Cheers!)*

Skål! means *cheers!*, and the verb **at skåle** means *to propose a
toast*. The verb **at hilse på** (-te, -t) has the same meaning. There is a
Danish custom of proposing toasts at the dinner table, drinking to
those present.

How to express likes
kunne lide

Jeg *kan* godt *lide* en øl til maden.	*I like a beer with my food.*
Jeg *kan* godt *lide* at stå tidligt op om morgenen.	*I like to get up early in the morning.*
Jeg *kan* bedre *lide* kaffe end te.	*I like coffee better than tea. (I prefer coffee to tea).*
Jeg *kan* mægtig (vældig/rigtig) godt *lide* ham.	*I am very fond of him.*

holde af

Han *holder* meget *af* sine børn.	*He is very fond of his children.*
De *holder af* at gå lange ture.	*They are fond of long walks.*
Peter *holder* meget *af* ål i gelé.	*Peter likes jellied eels very much.*
Jeg tror, han *holder* mere *af* sin hund end *af* sin kone.	*I think he likes his dog better than his wife.*

synes om

Synes du om dem?	*Do you like them?*
Jeg håber, du synes om værelset.	*I hope you like the room.*
Jeg er begyndt at synes bedre om hende.	*I have started to like her better.*

elske

De elsker hinanden.	*They love each other.*
Hun elsker ham højt.	*She loves him dearly.*
Jeg elsker jordbær med fløde.	*I love strawberries with cream.*
Hun elsker at spille kort.	*She loves playing cards.*

bryde sig om

Bryder du dig om ham?	*Do you care for him?*

How to express dislikes

Jeg kan ikke lide fisk.	*I don't like fish.*
Jeg kan ikke lide at flyve.	*I don't like flying.*
Hun kan ikke lide ham.	*She dislikes him.*
Hun holder ikke af ham.	*She is not fond of him.*
Hun elsker ham ikke.	*She does not love him.*
Jeg synes ikke om filmen.	*I don't like the film.*
Han bryder sig ikke om børn.	*He does not like children.*
Alison bryder sig ikke om hummer.	*Alison does not care for lobster.*

How to translate the English verb 'to have'
If *have* means *possess* you use **have** in Danish:

De har et sommerhus på Mols.	*They have a cottage in Mols.*
Han har et vanskeligt sind.	*He has a difficult temperament.*

However, when the verb means *get* you use **få** in Danish:

Kan jeg få et glas vin?	*Can I have a glass of wine?*
Har I fået nogen kartofler?	*Have you had any potatoes?*

Tag questions with *vel* and *ikke*

De kommer ikke, *vel*?	*They aren't coming, are they?*
De kommer da, *ikke*?	*They are coming, aren't they?*
Du vil da ikke låne ham pengene, *vel*?	*You won't lend him the money, will you?*
Du giver hende pengene, *ikke*?	*You will give her the money, won't you?*

A negative question is followed by **vel**, while **ikke** follows a positive question.

What to say

How to:

- express which you prefer out of two or more possibilities — **Jeg vil helst have en halv hummer.**
- express dislike — **Jeg bryder mig ikke om østers.**
- order (mushroom soup) for two — **Jeg vil gerne bestille 2 gange (champignonsuppe).**

Language patterns

1 'No, nobody, nothing'

The word **ingen** is the plural form as well as the common gender singular form of the adjective *no*. The neuter singular form is **intet**:

Jeg har *ingen* timer om onsdagen.	*I have no classes on Wednesdays.*
Han havde *ingen* søster.	*He had no sister.*
Han havde *intet* slips på.	*He was wearing no tie.*

Ingen and **intet** tend to be replaced by **ikke nogen** and **ikke noget**:

Jeg har *ikke nogen* timer om onsdagen.	*I don't have any classes on Wednesdays.*
Han havde *ikke nogen* søster.	*He didn't have a sister.*
Han havde *ikke noget* slips på.	*He wasn't wearing a tie.*

Ingen is also the pronoun *nobody*:

Der var *ingen* hjemme.	*There was nobody at home.*

Ingenting has replaced **intet** as the pronoun *nothing*:

Han sagde *ingenting*.	*He said nothing.*

In a subordinate clause **ingenting** is placed before the verb(s):

Hvis han *ingenting* siger, gør jeg det heller ikke.	*If he says nothing, I won't say anything either.*

The pronouns **ingen** and **ingenting** tend also to be replaced by **ikke nogen** and **ikke noget**:

Der var *ikke nogen* hjemme.	*There was nobody at home.*
Han sagde *ikke noget*.	*He said nothing.*

2 Adjectives: special cases

a Most adjectives that end in a stressed vowel are not changed (inflected) in the definite form and in the plural – in other words they do not add -e:

den *blå* stol	*the blue chair*
det *blå* bord	*the blue table*
***små* børn**	*small children*

The adjectives **ny** and **fri** may add -e:

de *ny(e)* bukser	*the new trousers*
de er meget *gæstfri(e)*	*they are very hospitable*

The forms with or without -e are interchangeable.

b Adjectives ending in an unstressed -e are not changed at all:

et *lille* hus	*a small house*
den *følgende* dag	*the following day*

c Adjectives ending in -sk do not add -t in the indefinite form neuter singular. This is, of course, also the case when the adjective ends in -t, as a final consonant is never a double consonant in Danish. This rule also applies to a few adjectives that end in -d (e.g. **glad, fremmed**):

et *politisk* spørgsmål	*a political question*
et *udmærket* svar	*an excellent answer*
et *glad* menneske	*a happy person*

d Most adjectives that end in -s do not change:

det *stakkels* barn	*the poor child*
forholdene var *anderledes* dengang	*conditions were different then*
et *tilfreds* menneske	*a satisfied/contented person*

But:

de *tilfredse* kunder	*the satisfied customers*

e When -e is added to adjectives ending in -et, -t- becomes -d-:

det *forsinkede* tog	*the delayed train*
de *friskplukkede* hindbær	*the freshly picked raspberries*

f The adjective **værd** (*worth, worthwhile*) remains unchanged:

Slottene er et besøg *værd*. *The castles are worth a visit.*

3 The definite form of the adjective

This form is also used after the possessive pronouns, demonstrative pronouns and a noun in the possessive:

min *gamle* onkel	*my old uncle*
dette *svære* spørgsmål	*this difficult question*
børnenes *lange* ferie	*the children's long holiday*

4 The adjective 'own'

Notice that the adjective **egen, eget, egne** (*own*) is an exception to the rule explained in note 3:

min *egen* datter	*my own daughter*
mit *eget* hus	*my own house*
mine *egne* bøger	*my own books*

5 Interrogatives

In Unit 4 it was explained that when asking questions starting with *who* and *what* you use **hvem** and **hvad** in Danish. If **hvem** and **hvad** introduce an indirect question (a subordinate clause) and are the subject of the clause, they are followed by **der**:

Ved du, *hvem der* sagde det?	*Do you know who said that?*
Sig mig lige, *hvad der* skete.	*Please tell me what happened.*

Exercises

1 Read the following text, or listen to it if you have the recording, and then answer the questions.

Mette er gift med Ole, og de har tre børn, Malene, Jonna og
Anders. Mette synes, det er svært at lave mad til hele familien. Ole
kan godt spise kylling, men bryder sig ellers ikke om kød. Anders
kan ikke lide fisk. Pigerne er ikke vegetarer, men de holder mere
af grønsager end kød. Hun kan selv lide næsten alting. Hun steger
tit en kylling, som hun serverer med kartofler og andre grønsager.
Men det kan hun selvfølgelig ikke gøre hver dag. Når de får
kylling, laver hun kun en ret, men ellers må hun lave 2 forskellige
retter, f.eks. tomatsuppe og en kødret eller gulerodssuppe med
ærter og en fiskeret. I weekenden skal Ole lave maden. Han køber
altid 2 pizzaer, som bare skal varmes i ovnen.

a Hvor mange børn har Mette og Ole?
b Kan Ole lide al slags mad?
c Bryder Anders sig om kød?
d Er Malene vegetar?
e Laver Mette altid 2 retter mad?
f Hvem laver mad om søndagen?

2 Now look at the pictures for this exercise.

en gaffel (gafler)   *en kniv (-er)*   *et smykke (-r)*   *et ur (-e)*

en paraply (-er)   *et fjernsyn (-)*   *et æble (-r)*   *en pære (-r)*

en radio (-er)

en cykel (cykler)

en bil (-er)

en regnfrakke (-r)

Say that you prefer the item which is pictured rather than the item that is offered. (See Unit 10, **What to say.**) Here is an example:

–Vil du have en æble?
–Nej tak, jeg vil hellere have en pære.

–Vil du have et ur?

a

–Vil du have en radio?

b

–Vil du låne min cykel?

c

Now look at this question and say which you prefer:
–Vil du have et æble eller en pære?

d Jeg vil helst have

Now ask the questions and give the replies!

e –Vil du låne

f

g –Vil du have

h

i –Vil du låne

j

k –Vil du have

l

3 Change the verbs from the present tense to the past tense in the following sentences.

  a Hun sidder og fryser.
  b Det lykkes hende at finde en ledig stol.
  c Vi bryder os ikke om dem.
  d De beder mig om at hente billetterne.
  e Vi glæder os til turen.
  f Hun holder meget af sin have.
  g Man river bygningen ned.
  h Han afbryder samtalen.
  i Børnene løber rundt nede på stranden.

j Hvad betyder sætningen?

k De skærer et mærke i siden af båden.

4 Insert the adjectives in the correct form in the following phrases.

    a de ———— stole (ledig)

    b det ———— terræn (bakket)

    c spørgsmålene er ———— (let)

    d et ———— hus (gul)

    e deres ———— forældre (stakkels)

    f den ———— mad (lækker)

    g et ———— hotel (fransk)

    h det ———— barn (tosproget)

    i hans ———— bukser (blå)

    j hendes ———— cardigan (egen)

5 Translate the English sentences in the following dialogue into Danish.

    a *We would like to see a menu.*

    – Værsgo!

    b *What do you feel like eating?*

    – Jeg er meget sulten. Skal vi begynde med suppe?

    c *That is a good idea. We can have tomato soup or mushroom soup.*

    – Jeg vil gerne have tomatsuppe.

    d *I would rather have mushroom soup.*

    – Og bagefter vil jeg gerne have fisk.

    e *There are several different kinds on the menu. We can ask if they are fresh.*

    – Ja, hvis de ikke er friske, vil jeg hellere have noget andet. Jeg kan ikke lide dybfrostmad.

    f *I would like half a chicken with new potatoes and cucumber salad.*

    – Det er vist lettere, hvis jeg bestiller det samme.

    g *If we are still hungry when we have eaten these two courses, we can have raspberries with cream.*

6 Answer the questions.
   a Hvorfor glæder Alison sig til at komme hjem igen?
   b Hvorfor vil Marianne ikke have en halv hummer?
   c Hvad bestiller George til dessert?
   d Hvad drikker de til maden?
   e Hvem har Hans til bords?
   f Hvad snakker George og Jette om?

Comprehension

George makes a speech

The Danes are very fond of making speeches and during the dessert George strikes his glass.

Danskerne er meget glade for at holde tale, og under desserten slår George på sit glas.

George	Ja, kære venner, så er vores besøg ved at være forbi, og jeg må indrømme, at jeg er helt trist ved tanken om at skulle forlade Danmark. Det har været en meget vellykket tur, og det skyldes først og fremmest den umådelige gæstfrihed, som vi har mødt både her i København og i Jylland. Jeg håber, at vi får lejlighed til at gøre gengæld. Vi har jo masser af plads nu, og I kan komme og bo hos os, når som helst og så længe I har lyst. Jeg vil foreslå, at I kommer og holder ferie hos os næste år i sommerferien. (*George og Alison løfter deres glas.*)
George	Og så vil Alison og jeg gerne hilse på jer allesammen.

være glad for *be fond of, like*
holde tale (holdt, holdt) *make a speech*
tale (-n, -r) *speech*
kær *dear*

slå (slog, slået) *strike, beat, hit*
forlade (forlod, forladt) *leave*
vellykket *successful*
umådelig *tremendous, immense*
gæstfrihed (-en) *hospitality*
møde (-te, -t) here: *encounter*
lejlighed (-en, -er) *opportunity*
gøre gengæld (gjorde, gjort) *repay, reciprocate*
gengæld (-en) *return*
når som helst *whenever*
løfte sit glas (-ede, -et) *raise one's glass*

True or false?

a George says that the success of their trip is due to the immense hospitality they have encountered.

b George and Alison are not in a position to repay this hospitality.

George and Jette start talking again

Jette	Hvor længe har I kendt Hans og Lone?
George	Vi lærte dem at kende for 10 år siden. Vi holdt ferie i Rom det år. Og det gjorde de også. Vi boede på det samme hotel, og vi blev gode venner allerede den første dag, vi var der. Siden da har vi besøgt dem i København flere gange, og de har besøgt os i England 2 gange.
Jette	Jeg har aldrig været i England.
George	Jeg håber, I kommer til næste sommer.
Jette	Ja, tak for indbydelsen. Det vil vi meget gerne, men jeg ved ikke på nuværende tidspunkt, hvornår vi kan holde ferie næste år. Så det er ikke helt sikkert, at det kan lade sig gøre, men vi kommer helt bestemt før eller senere.

indbydelse (-n, -r) *invitation*
nuværende *present*

lade sig gøre *be possible*
før eller senere *sooner or later*

True or false?

a George and Alison met Hans and Lone for the first time on holiday ten years ago.

b Jette accepts George's invitation to come and visit them next summer.

Test yourself

Translate into Danish:

1 Jette does not care for her brother-in-law.
2 If the customers are not satisfied they can have their money back.
3 I had the opportunity to visit the castle, which is worth a visit.
4 The children's long holiday was a difficult time for their mother.
5 For dessert they have home-made ice cream with freshly picked raspberries.
6 He looked confused. I don't know what is wrong with him.
7 When he said nothing I thought he didn't know the answer.
8 They suggested that we should pay only a quarter.
9 I prefer white wine to red wine.
10 You didn't help him, did you?

15

Da I besøgte os i England
When you visited us in England

In this unit you will learn
* **how to talk about politics**

1 The conversation turns to politics

It is the next morning. Hans has been to the baker's to buy fresh rolls and Lone has laid the table for breakfast. Alison and George enter the kitchen.

CD2, TR 33

Hans	Godmorgen og tak for i går!
Lone	Godmorgen! Ja, det var vel nok hyggeligt.
Hans	Har du det ikke ret godt, George?
George	Jeg har lidt hovedpine. Jeg fik vist for meget at drikke i aftes. Men jeg har lige taget et par piller, så den går nok snart over.
Hans	Du trænger til en kop kaffe.
George	Ja, tak! Nå, skal vi snakke om næste sommer?
Hans	Vi kommer meget gerne. På vejen hen til bageren gik jeg og tænkte på vores tur over til jer for 2 år siden.
Lone	Jeg kan huske, der var valg, mens vi var derovre. Hver gang vi lukkede op for fjernsynet, var der enten en
	(Contd)

partipolitisk udsendelse, en diskussion mellem politikere fra forskellige partier eller TV-avis med meningsmålinger.

Hans Men det var faktisk meget interessant.

Lone Ja, det syntes jeg også.

Alison I ville da ikke i seng natten efter valget, da vi sad og så fjernsyn.

Hans Nej, det var alt for spændende.

i går *yesterday*
vel nok *really*
hovedpine (-n) *headache*
i aftes *last night*
pille (-n, -r) *pill*
gå over (gik, gået) *pass, wear off*
gerne *with pleasure*
valg (-et, -) *election; choice*
lukke op for (-ede, -et) *turn on*
fjernsyn (-et, -) *television*
enten ... eller *either ... or*
partipolitisk *party political*
udsendelse (-n, -r) *broadcast*
diskussion (-en, -er) *discussion*
politiker (-en, -e) *politician*
parti (-et, -er) *party*
TV-avis (-en) *television news*
meningsmåling (-en, -er) *opinion poll*
spændende *exciting*

Insight: Lukke op

The verb **lukke** means *shut/close* and **åbne** means *open*. However, **lukke op** also means *open*. It makes no difference whether you say **åbne for fjernsynet** or **lukke op for fjernsynet**; **åbne for vandet** or **lukke op for vandet** (*turn on the water*) etc.

2 The Danish political system

CD2, TR 34

Alison Jeg har svært ved at forstå det politiske system i Danmark. Hvordan undgår man at skabe kaos med så mange partier?

Lone Det virker faktisk ganske godt. Og fordi der er så mange partier i folketinget, sker der ikke de store forandringer, når der kommer en ny regering.

Hans De fleste partier opnår mandater i folketinget efter et valg, og det betyder, at det er næsten umuligt for et enkelt parti at få flertal, så det kan danne regering alene. Derfor har vi som regel en koalitionsregering. De yderliggående partier kan aldrig få støtte af de moderate partier, så vores regering ligger enten en lille smule til højre eller en lille smule til venstre for centrum.

have svært ved *find it difficult*
system (-et, -er) *system*
undgå (undgik, undgået) *avoid*
kaos (-et) *chaos*
virke (-ede, -et) *work, function*
regering (-en, -er) *government*
opnå (-ede, -et) *get, obtain*
mandat (-et, -er) *seat* (in a parliament)
umulig *impossible*
enkelt *single*
flertal (-let) *majority*
koalitionsregering (-en, -er) *coalition government*
yderliggående *extreme, radical*
støtte (-n) *support, backing*
moderat *moderate*
en lille smule *a little bit*

QUICK VOCAB

3 Still talking politics

CD2, TR 35

Lone Hvad stemte I på? Det turde jeg ikke spørge om dengang. Og jeg kunne ikke rigtig finde ud af, om I var tilfredse med resultatet eller skuffede.

(Contd)

George	Ja, det spørgsmål tror jeg ikke vi vil svare på. Jeg vil kun sige, at Alison og jeg stemmer på 2 forskellige partier. Når vi diskuterer politik, kan vi aldrig blive enige, så vi undgår det emne.
Lone	Det må I meget undskylde. Jeg er virkelig ked af, at jeg spurgte jer om det.
Alison	Det skal du ikke være. I finder det nok temmelig underligt, at vi har så forskellige politiske holdninger, at vi ikke kan diskutere dem.
George	Nu overdriver du. Så galt er det bestemt ikke. Da jeg sagde, at vi undgår det emne, mente jeg det ikke alvorligt. Jeg sagde det for sjov. Hvis det virkelig var et stort problem, ville jeg ikke have sagt det på den måde.

QUICK VOCAB

stemme (på) (-te, -t) *vote (for)*
resultat (-et, -er) *result*
skuffe (-ede, -et) *disappoint*
blive enige om (blev, blevet) *agree on*
emne (-t, -r) *subject, topic*
virkelig *really*
underlig *strange*
holdning (-en, -er) *attitude*
overdrive (overdrev, overdrevet) *exaggerate*
gal *bad*
mene noget alvorligt *be serious*
mene (-te, -t) *mean; think*
alvorlig *serious*
for sjov *in jest*
sjov (-et) *fun*

Insight: På den måde

På den måde: *in that way*. In Unit 7 **på ingen måde** was used in George's speech: *in no way*. This is another example of how the use of prepositions can be quite different in different languages.

True or false?

a An election took place in England during Hans and Lone's visit two years ago.

b Hans and Lone were not interested in the election.

c The political system in Denmark is rather chaotic because there are so many parties.

d George is in a bad mood because he has a hangover.

Folketinget – the Parliament

The Danish parliament has 179 members. There has to be a general election every four years, but elections tend to take place more often because the government is usually a coalition government and often does not have the majority in **Folketinget**. There are many political parties in Denmark, and in order to gain seats a party must have at least two per cent of the votes cast in an election. The parties divide into two groups: the right-wing parties and the left-wing parties. Within each group there are moderate parties and extreme parties.

The Danish word *lejlighed*

This can mean *flat* (apartment):

**Peter og Jette har en *lejlighed*   *Peter and Jette have a flat in
i Århus.*   *Århus.*

It also means *opportunity*:

**George håber, at han og Alison   *George hopes that he and Alison
får *lejlighed* til at gøre gengæld.*   *will get the opportunit to
                                        reciprocate.*

Finally it can mean *occasion*:

**ved den *lejlighed*   *on that occasion*

Være ved at *('be about to')*

The phrase **være ved** at followed by an infinitive means either *be about to*, *be on the point of* or *be in the process of*, *be engaged in*:

Ferien *er ved at* være forbi.	*The holiday is nearly over (is about to finish).*
Jeg *var (lige) ved at* sige noget forkert.	*I was on the point of saying something wrong.*
Jeg *var ved at* skrive et brev.	*I was writing a letter.*

Useful expressions

både ... og means *both ... and*
enten ... eller means *either ... or*
hverken ... eller means *neither ... nor*

Expressions with the Danish verb *have*

a have det:

Hvordan *har* du *det*?	*How do you feel?*
De *har det* godt.	*They are well.*

b have noget imod:

Jeg *har* ikke *noget imod* at gå rundt på færgen.	*I don't mind walking about on the ferry.*
Jeg *har* ikke *noget imod* dem.	*I have nothing against them.* (I don't dislike them.)
Jeg *har noget imod*, at han bruger min bil.	*I do mind him using my car.*

c have med:

***Har* du gaven *med*?**	*Have you brought the present?* (Lit. do you have the present with you?)

d have på:

Hvad *har* hun *på*?	*What is she wearing?*

e have brug for:

Hvis der er noget, De *har brug for*, må De endelig sige til.	*If you need anything, do let us know.*

f have lyst til:
    Har du *lyst til* at komme?   *Do you feel like coming?*
    Hvad *har* I *lyst til* at spise?   *What do you feel like eating?*

g have råd til:
    De *har råd til* at købe en ny   *They can afford to buy a new car*
    bil hvert år.   *every year.*
    (have råd til see Unit 17.)

h have svært ved:
    Alison *har svært ved* at   *Alison finds it difficult to*
    forstå det politiske system   *understand the political*
    i Danmark.   *system in Denmark.*

i have travlt:
    Han *har* altid *travlt*.   *He is always busy.*

The Danish word *gerne*

The word **gerne** means *gladly, with pleasure*:

Vi kommer *gerne*.   *We'll come with pleasure.*
Jeg gør det *gerne*.   *I am happy to do it.*

It has another meaning in the following sentence:

De kommer *gerne* om onsdagen.   *They usually come on Wednesdays.*

Here it means *usually, as a rule*.

What to say

How to:

▶ say that you switch on the TV   **Jeg lukker op for fjernsynet.**
▶ say that you find it difficult   **Jeg har svært ved at ...**
   to .../have difficulty ...ing
▶ ask how somebody voted   **Hvad stemte du på?**

▶ say that you can never agree	Vi kan aldrig blive enige.
▶ say that you weren't serious	Jeg mente det ikke alvorligt.
▶ say that you were joking	Jeg sagde det for sjov.

Language patterns

1 The passive voice

Unit 9 (note 4) explains that an action involving a transitive verb can be expressed in two different ways. The verb can be in the active voice:

Alison *bought* the book.

or in the passive voice:

The book *was bought* by Alison.

The English verb *to buy* has the following passive forms:

the infinitive:	the book must *be bought*
the present tense:	the book *is bought*
the past tense:	the book *was bought*
the perfect tense:	the book *has been bought*
the pluperfect tense:	the book *had been bought*

In Danish the passive forms can be constructed in a similar way. The auxiliary verb is **blive**.

In the infinitive, the present tense and the past tense there are alternative forms ending in -s. The Danish passive forms of **at købe** are as follows:

the infinitive:	**blive købt, købes**
the present tense:	**bliver købt, købes**
the past tense:	**blev købt, købtes**
the perfect tense:	**er blevet købt**
the pluperfect tense:	**var blevet købt**

Verbs that end in a consonant in the past tense of the active voice, such as **hjalp** (*helped*), **drak** (*drank*) only have one form in the past tense passive:

blev hjulpet, blev drukket   *was helped, was drunk*

In the spoken language the forms consisting of an auxiliary verb followed by the past participle tend to be preferred. There are, however, situations where the two forms are not interchangeable: after modal verbs the infinitive ending in -s is used, except after **vil** when it implies future and after **skal** when it implies promise:

Han vil *hentes*.	*He wants to be collected.*
Han vil *blive* hentet.	*He will be collected.*
Tøjet skal *vaskes*.	*The clothes must be washed.*
Tøjet skal nok *blive vasket*.	*The clothes will certainly be washed.*

If the verb describes an action that is customary or of long duration, the forms ending in -s are normally used.

The preposition *by* in a passive construction is **af** in Danish:

Børnene blev hentet *af* deres far.	*The children were collected by their father.*

2 Expressions of time

The expressions of time that have appeared in the units are brought together here, and a few new ones have been added to the list.

today	i dag
tomorrow	i morgen
the day after tomorrow	i overmorgen
yesterday	i går
the day before yesterday	i forgårs
this evening	i aften

last night (yesterday evening)	i aftes (i går aftes)
this morning (when referred to later in the day)	i morges/i formiddags
yesterday morning	i går morges
tomorrow morning	i morgen tidlig/ i morgen formiddag
next week	i næste uge
for a week	i en uge
last Sunday	i søndags
this year	i år
last year	sidste år/i fjor
next year	næste år
(he will come) *in a quarter of an hour*	om et kvarter
(he did it) *in a quarter of an hour*	på et kvarter
on Wednesdays	om onsdagen
in (the) summer	om sommeren
on Wednesday (future)	på onsdag
in the middle of the day	midt på dagen
this coming spring	til foråret
next Christmas	til jul
next Easter	til påske
next Whitsun	til pinse
two years ago	for 2 år siden
five months ago	for 5 måneder siden
20 past 7	20 minutter over 7
11 minutes to 9	11 minutter i 9
half past two	halv 3
on the 6th of February	den (d.) 6. februar
during the dessert	under desserten
during the vacation	i ferien
during the summer	i løbet af sommeren

(*During* is **under** if the word that follows is not an expression of time, otherwise **i** or **i løbet af**.)

Exercises

1 Change the sentences **a** to **g** below from the active voice to the passive voice. Here are three examples to help you:

🔊 **CD2, TR 36**

Min bror **spiste** æblekagen: Æblekagen **blev spist** af min bror.
Købmanden skal **hente** flaskerne: Flaskerne skal **hentes** af købmanden.
Købmanden vil **hente** flaskerne: Flaskerne vil **blive hentet** af købmanden.

    a En tysk familie lejer som regel sommerhuset.
    b Lone inviterede Kirsten indenfor.
    c Hans kørte Marie Sørensen op til Holte.
    d Børn kan ikke købe vin.
    e Receptionisten skal nok ordne sagen.
    f Liselotte fandt pengene.
    g En ung lærer fra Herning underviste dem i engelsk.

2 Translate the following sentences into Danish. They are all in the passive voice.
    a The cottage has been sold.
    b The garden was neglected.
    c The farm was restored.
    d The church bell had been hidden.
    e The letter was written on the 9th of August.
    f The building has been pulled down.

3 Translate the following text into Danish:
He switched on the television to watch the news. The news had not started. Instead there was a party political broadcast. In Denmark there are many political parties. Most of them have seats in the parliament. Denmark usually has a coalition government and often the government does not have the majority in parliament. The moderate parties do not want to work together with the extreme parties. Hans and Lone vote

for the same party. They agree on most matters, but not on everything.

4 Insert **der, som, hvad (der)** or **hvis** in the following sentences. (See Unit 6, note 4, and Unit 12, note 1.)

    a George og Jette snakker om de forandringer, ———— har fundet sted i løbet af de sidste 25 år.

    b Hanne, ———— bedstemor har været meget syg, skal over og besøge hende om to uger.

    c Bagefter skal hun på ferie i Frankrig, ———— hun glæder sig meget til.

    d George, ———— både er englænder og dansker, kan godt lide den rolle, ———— hans tosprogethed har skabt.

    e Han føler sig hjemme i begge lande, ———— ikke er så underligt.

    f Men samtidig føler han, at han indtager en særstilling, ———— Jette mener er grunden til, at han ikke har forandret sig så meget.

5 Read the TV guide opposite and answer the questions.

    a Per wants to watch a programme about vintage cars. When is it on?

    b Helle needs to know what the weather will be like tomorrow. When can she find out?

    c The programme which starts at 19.30 is called **Den svundne tid er ej forbi**. What is it about?

    d You don't know whether to watch TV or listen to music before going to bed. Would you choose to watch **Sidste Omgang**?

6 Read the following text, or listen to it if you have the recording, and then answer the questions.

◄) **CD2, TR 37**

Alison læser en novelle af den danske forfatter Anders Bodelsen. Novellen hedder *Amelies øjne*. Den handler om

16.40 Op på mærkerne (G) (th)

10:11. To familier med hver tre generationer mødes over søndagskaffen på Himmelbjerget og har en munter dyst i gamle lege. Genuds. fra 1992.

17.20 Zig-Zag

Løgnens mester.
- i den canadiske serie Degrassi High er Tessa blevet gravid og vil have abort. Joey svigter hende på sin fødselsdag og går i stedet for ud med Caitlin, som har et godt tilbud til ham.

17.50 Nyheder på tegnsprog

18.00 TV-Avisen - med vejret (th)

18.20 Vi på Krageøen (G)

6:13. Fjernsyn for dig.
En svensk serie efter Astrid Lindgrens bog af samme navn.
Sørøverne.
Genuds. fra 1986.

18.48 TV i aften

18.50 Talk og Show - med Billy Joel

DR TV mødte den nu 44-årige sanger og sangskriver i Hamburg, hvor han fortæller om sin musik, og i et teater besvarer han spørgsmål fra et indbudt publikum.

19.30 Den svundne tid er ej forbi (ttv)

En portrætsamtale med den 90-årige forfatter Aage Dons - om et langt livs møde med mennesker, og om at være en rejsende i et uroligt århundrede.
Genuds. 30. aug. (th).

20.00 Hammerslag (ttv)

Hammerslag sendes denne gang fra liebhaver- og veteranbilauktionen i Vejle. Fire specialister vurderer biler fra 1920'erne og opefter.
Genuds. 28. aug. (th).

20.30 TV-Avisen

21.00 SportNyt

21.10 Vold mod kvinder

1:2. Kvinder mishandles i langt flere ægteskaber, end man skulle tro: Det sker igen og igen, og langsomt brydes deres selvværd ned. Fem svenske kvinder fortæller, hvordan de er mishandlet af de mænd, de engang elskede og valgte at leve sammen med.
På skadestuer, blandt læger, politi og hos advokater kender man ofte til kvindemishandling, men for sjældent gribes der ind.
Tilr.: Birgitta Bergmark.
Det andet program om kvindemishandling "Kvinderne flygter" sendes 26. aug. kl. 22.45.

21.50 Motzki, en pølsetysker

Tysk selvironisk komedieserie i 12 dele om en vestberliner der brokker sig - mest over de dødssyge østtyskere og indvandrerne.
Medv. bl.a.: Jürgen Holtz, Jutta Hoffmann og Eva Mattes.
Manus.: Wolfgang Menge.
Instr.: Thomas Nennstiel.

22.15 Sidste Omgang (ttv)

Afsked med livet.
En stærk og humoristisk beretning om en ung mands sidste døgn i København. Hans afsked med vennerne, byen, familien.
Manus.: Bo. Hr. Hansen og Thomas Vinterberg.
Instr.: Thomas Vinterberg.
Medv.: Thomas Bo Larsen, Ann Eleonora Jørgensen, Martin Brygmann, Claus Flygare, Christian Hjejle og Linda Laursen.
Produceret af Den Danske Filmskole med støtte fra Danmarks Radio.

22.50 Stå af racet

Sidste program i serien om mennesker, der mener de har et kald eller en mission i livet, og som derfor går deres egne veje.
Humor er den bedste medicin.

23.20 TV-A nyhedsoversigt

23.23 På gensyn i morgen

- Fotografens sommer.

et maleri, der hænger i stuen hos Leif og Jytte. Leif og Jytte har inviteret gæster til middag. Det er første gang Knut og Lillemor besøger dem, og da de ser maleriet, går de over til det for at se nærmere på det. Lillemor læser kunsthistorie på universitetet og har forstand på kunst. Maleriet er et portræt af Jyttes tipoldemor, der hed Amelie. Lillemor synes, at Amelies øjne er malet på en meget fin måde, og hun siger til Leif og Jytte, at de skulle få en ekspert til at kigge på det. Lillemor tror, at portrættet er malet af en berømt kunstner.

Jytte holder meget af det gamle billede og har ikke lyst til at tage det ned fra væggen. Men hun gør det alligevel, og et par dage senere kører hun hen til et auktionshus for at finde ud af, hvem der har malet billedet, og hvad det er værd. Der bliver maleriet renset, og under rensningen bliver udtrykket i Amelies øjne ødelagt. Da Jytte kommer for at hente billedet og høre hvad det er værd, stirrer øjnene vredt op mod hende, og hun ser væk. Det var ikke en berømt maler, der havde malet de øjne.

a Hvad handler novellen om?
b Hvem har skrevet novellen?
c Hvor hænger maleriet?
d Hvorfor er Lillemor så interesseret i maleriet?
e Hvorfor tager Jytte portrættet ned fra væggen?
f Hvad sker der med maleriet?
g Hvad er det værd?

7 Now answer these questions.
a Hvorfor har George det ikke særlig godt?
b Hvorfor har Alison svært ved at forstå det politiske system i Danmark?
c Skaber de mange partier politisk kaos i Danmark?
d Hvilket parti stemte George og Alison på ved det sidste valg?

Comprehension

Alison explains the situation

Hans, Lone and Alison dressed before breakfast, but George turned up in his dressing gown. He gets up from the table before the others to have a shower and get dressed. After he has left Alison explains to Hans and Lone why she and George rarely discuss politics.

Alison	Det er rigtigt, at vi stemmer på forskellige partier, men jeg er ikke særlig interesseret i politik. Jeg har selvfølgelig en vis overbevisning, og den er uden tvivl påvirket af min baggrund. Jeg stemmer på det samme parti, som mine forældre altid har stemt på. Det føler jeg er det rigtige, men det er ikke noget, jeg går så højt op i. George interesserer sig derimod meget for politik, og hans meninger med hensyn til, hvordan England skal styres, er forskellige fra mine. Men det er faktisk ikke noget problem. Jeg tror, det er meget sundt, hvis ægtefæller ikke er enige om alting.
Lone	Det giver jeg dig bestemt ret i.

vis *certain*
overbevisning (-en, -er) *conviction*
påvirke (-ede, -et) *influence*
baggrund (-en, -e) *background*
gå op i (gik, gået) *be interested in, devote oneself to*
derimod *on the other hand*
mening (-en, -er) *opinion*
styre (-ede, -et) *rule, govern*
sund *healthy*
ægtefælle (-n, -r) *spouse, partner*
alting *everything*
give ret i (gav, givet) *agree with*
Det giver jeg dig ret i. *I agree with you on that.*

True or false?

   a Alison is not particularly interested in politics.
   b Alison wishes that she and George held the same political views.

A surprise visitor

It is a working day for Hans and Lone and they leave immediately after breakfast. In the afternoon Alison goes for a walk. While she is out George falls asleep on the settee. An hour later the door bell rings and wakes him up. Rather confused, he walks out to the front door and opens it.

George	Jette!!
Marianne	Nej, det er ikke Jette, det er Marianne.
George	Ja, selvfølgelig. Det må du undskylde. Jeg har ligget og sovet og er lidt forvirret i hovedet. Men du ligner nu også din mor så meget.
Marianne	Det er der mange, der siger. Du må meget undskylde, at jeg kommer og vækker dig. Men jeg kunne ikke vide, at du lå og sov. Jeg er på vej op til Helsingør og besluttede at køre forbi med en skriftlig ordre fra Frederik og så også for at sige tak for i går. Det var en dejlig aften.
George	Jeg er glad for, at Frederik har bestemt sig til at købe vores chokolade. Men kom indenfor. Skal du skynde dig, eller har du tid til en kop te?
Marianne	Jeg skal først være deroppe klokken 6, så jeg vil gerne have en kop te.

hoved (-et, -er) *head*
ligne (-ede, -et) *look like, resemble*

skriftlig *written*
te (-en) *tea*

True or false?

   a Jette wakes George up when she rings the door bell.
   b Marianne is in a hurry and does not have time for a cup of tea.

George and Marianne have a chat

George	Når man falder i søvn om dagen, sover man så tungt og drømmer så underligt. Jeg havde en meget ubehagelig drøm. Der var noget, jeg var frygtelig bange for, og jeg ville løbe, så det ikke kunne få fat i mig. Men det kunne jeg ikke. Jeg kunne næsten ikke bevæge mig af stedet. Mine ben ville slet ikke lystre mig. Og jeg følte, at det rykkede nærmere og nærmere. Men så ringede dørklokken heldigvis.
Marianne	Det var jo et mareridt.
George	Lad os snakke om noget andet. Du har ikke fortalt mig, hvor du arbejder.
Marianne	Jeg arbejder på et rejsebureau. Jeg sælger ferierejser, flybilletter, færgebilletter og togbilletter. Det er faktisk et godt job. Jeg er meget glad for det.
George	Hvor længe har du arbejdet der?
Marianne	I 3 år. Efter studentereksamen gik jeg på handelshøjskolen i Århus i et år og tog højere handelseksamen. Nå, jeg må vist se at komme videre, ellers kommer jeg for sent til Helsingør.

tung *heavy*
drømme (-te, -t) *dream*
ubehagelig *unpleasant*
drøm (-men, -me) *dream*
bange for *afraid of*
få fat i (fik, fået) *get hold of*
af stedet not to be translated (Lit. from the place)
lystre (-ede, -et) *obey*
rykke (-ede, -et) *move*
dørklokke (-n, -r) *door bell*
mareridt (-et) *nightmare*
rejsebureau (-et, -er) *travel agency*
handelshøjskole (-n, -r) commercial college, school of economics
and business administration

QUICK VOCAB

eksamen (-en, -er or **eksaminer)** *examination*
højere handelseksamen higher examination in economics and
  business administration

True or false?
  a George feels refreshed after his sleep.
  b Marianne works in a travel agency.

Test yourself

Translate into Danish:

1 He switched on the television to watch the news.
2 The night after the election they watched television until
   3 o'clock in the morning.
3 She was interested in a discussion between politicians from
   different parties.
4 The new government has a majority in parliament.
5 When she arrives she wants to be collected.
6 All the boxes have been sold.
7 Who does she look like and what is she wearing?
8 George and Alison can never agree on anything.
9 She said that the clothes would certainly be washed.
10 I find it difficult to understand why they were so disappointed.

16

Alison er syg
Alison is ill

In this unit you will learn
- *how to talk about illnesses and medical advice*
- *how to explain what is wrong with you if you fall ill*

1 Alison does not feel well

Alison has promised to cook the evening meal and returns from her walk with the ingredients for **frikadeller** and a salad.

George	Hej, skat!
Alison	Hej!
George	Hvad er der i vejen med dig? Du er så bleg.
Alison	Jeg har det ikke ret godt. Jeg er så svimmel, og så fryser jeg.
George	Fryser du? I det her vejr! Det er så lummert, jeg tror, det bliver tordenvejr.
Alison	Jeg synes også, det er mærkeligt.
George	Bare du ikke er ved at blive syg.
Alison	Det er jeg også bange for.
George	Har du et termometer med?
Alison	Ja, synes du, jeg skal tage min temperatur?
George	Ja, helt bestemt. Med det samme.

CD2, TR 38

QV

skat *darling* (term of endearment)
bleg *pale*

lummer *close, sultry* (about weather)
tordenvejr (-et) *thunderstorm*
termometer (-er, -metre) *thermometer*
temperatur (-en, -er) *temperature*

Insight: Hej, skat!

The noun **skat** means *treasure*; the plural form is **skatte**.
The singular form is also a term of endearment (*darling*).
Min skat!: *(My) darling!*

---

2 Alison has a temperature

George	Nå, har du feber?
Alison	Ja, 38,3.
George	Jamen, så må du hellere gå i seng.
Alison	Det kan jeg ikke. Jeg har lovet at lave aftensmad.
George	Det kan der ikke være tale om. Den laver jeg.
Alison	Ved du, hvordan man laver frikadeller?
George	Nej, men det kan jeg vel lære. Når du er kommet i seng, kan du fortælle mig, hvad jeg skal gøre. Lone har sikkert også en kogebog med en opskrift på frikadeller.

feber (-en) *temperature, fever*
aftensmad (-en) *supper*
Det kan der ikke være tale om. *That is out of the question.*
frikadelle (-n, -r) *meat ball*
kogebog (-en, -bøger) *cookery book*

Insight: 38,3

In Unit 11 it was explained that where a decimal point is used in English, a comma is used in Danish. Alison has a temperature: *38.5 (thirty-eight point three);* in Danish: **38,3**, said as **otteogtredive tre.**

---

3 Hans and Lone arrive back from work

CD2, TR 39

Lone	Hej, George! Laver du mad?
George	Hej! Ja, jeg laver frikadeller.
Lone	Hvor er Alison?
George	Hun har det ikke ret godt. Hun ligger inde i sengen.
Lone	Sover hun?
George	Nej, men hun har feber, og hun fryser.
Lone	Jeg går ind og snakker med hende.
Lone	Hej, Alison! Det er noget værre noget med dig! George siger, at du har feber.
Alison	Ja, 38,3. Jeg er ked af, at jeg ikke kan lave aftensmad
Lone	Det skal du slet ikke tænke på. Skal jeg ringe efter vores læge?
Alison	Nej, det behøver du ikke. Jeg har taget et par aspirintabletter, som vi havde med hjemmefra. De skal nok slå feberen ned.
Lone	Hvis du ikke har det bedre i morgen tidlig, vil jeg nu insistere på, at du bliver undersøgt af vores læge.

Det er noget værre noget med dig! *You are in a bad way!*
værre *worse*
tablet (-ten, -ter) *tablet, pill*
slå (feberen) ned (slog, slået) *get (the temperature) down*

QV

4 The doctor arrives

The following morning Alison's temperature has risen to 39.5 C and Hans and Lone's doctor arrives to examine her.

CD2, TR 40

Lægen	Goddag! Mit navn er Jens Andersen. Du har det ikke så godt, kan jeg forstå på Lone.
Alison	Nej, jeg har ikke sovet ret godt.
Lægen	Har du smerter nogen steder?

(Contd)

| Alison | Ja, jeg har ørepine. Det venstre øre. Og så har jeg en slem hovedpine. |
| Lægen | Jeg må hellere kigge lidt i dine ører og i din hals og lytte til brystet. |

forstå på (forstod, forstået) *understand from*
smerte (-n, -r) *pain*
nogen steder *anywhere*
ørepine (-n) *earache*
øre (-t, -r) *ear*
slem *bad*
kigge (-ede, -et) *look*
hals (-en, -e) *neck, throat*
lytte (-ede, -et) *listen*
bryst (-et, -er) *breast, chest*

Insight: Jeg har ørepine

Notice that in Danish no article is used, while in English the indefinite article often appears before *earache*: *I have an earache*. Similarly **jeg har hovedpine** (*I have a headache*) etc. However, if an adjective precedes the noun the article is used: **Alison har en slem hovedpine.**

5 The doctor's prescription

Five minutes later the doctor asks Lone to come into the room.

Lægen	Fru Wilson har ørebetændelse og skal have penicillin. Jeg har skrevet en recept, og I må hellere få hentet pillerne med det samme. Feberen er for høj og må slås ned med aspirintabletter, som skal tages hver fjerde time, indtil den er normal igen. Jeg kommer igen på mandag.
Alison	Jamen, på mandag skal vi flyve tilbage til England.
Lægen	Det ville være meget ufornuftigt.
Lone	Det skal du ikke tænke på, Alison. I første omgang skal vi have dig rask igen. I må udsætte turen, indtil doktor Andersen giver dig lov til at rejse.

ørebetændelse (-n) *inflammation of the ear*
penicillin (-et) *penicillin*
recept (-en, -er) *prescription*
hver fjerde time *every four hours* (Lit. each fourth hour)
normal *normal*
ufornuftig *unwise*
i første omgang *to begin with*
omgang (-en, -e) *lap, round*
rask *healthy, fit, well*
udsætte (udsatte, udsat) *postpone*
doktor (-en, -er) *doctor*
lov (common gender) *permission*

Insight: Må slås ned/skal tages

Notice the use of the passive infinitive ending in **-s** after the modal verbs. Cf. Unit 15, note 1.

True or false?

a Alison feels unwell because it is a sultry day.
b Alison does not want to go to bed because she has promised to cook the evening meal.
c Lone rings for the doctor when she learns that Alison is ill.
d Alison feels worse the next morning.

Common illnesses and complaints

hovedpine (-n) *headache*
mavepine (-n) *stomach ache*
ørepine (-n) *earache*
tandpine (-n) *toothache*
influenza (-en) *flu*
halsbetændelse (-n) *tonsillitis*
ørebetændelse (-n) *inflammation of the ear*

Hun har ondt i halsen.	*She has a sore throat.*
Hun har ondt i hovedet.	*She has a headache.*
Hun har ondt i ryggen.	*She has backache.*
Han har ondt i foden.	*His foot hurts.*

The words *recept* and *opskrift*

Notice the difference between these two words. **En recept** means *a prescription*, while **en opskrift** means *a recipe*.

'Every …'

hver fjerde time	*every four hours*
hvert tredje år	*every three years*

The weather

Here are some useful sentences describing the weather.

Hvordan er vejret i dag?	*What's the weather like today?*
Solen skinner.	*The sun is shining.*
Det regner.	*It is raining.*
Det klarer op.	*It is clearing up.*
Det blæser.	*It is windy.*
Det stormer.	*A gale is blowing.*
Det er koldt.	*It is cold.*
Det er frostvejr.	*It is frosty.*
Det sner.	*It is snowing.*
Det er tøvejr.	*It is thawing.*
Det er lummert.	*It is close.*
Det er tordenvejr.	*We are having a thunderstorm.*
Det er overskyet.	*It is cloudy/overcast.*
Det er tåget.	*It is foggy/misty.*

Various expressions with *blive*

a blive af:

Hvor *bliver* George dog *af?*	*Where has George got to?*

b blive til noget:

Turen *blev* nu ikke *til noget*.	*The trip did not come off.*
Det *blev* ikke *til noget*.	*Nothing came of it.*
Han *er blevet til noget*.	*He has got on. (He has been successful.)*

c blive ved med:

De *bliver ved med* at hjælpe ham.	*They continue to help him.*
Han *blev ved med* at ringe.	*He kept ringing.*

d blive væk or blive borte:
   Bogen _er blevet væk/borte_.   _The book has disappeared._

e blive enige:
   Vi kan aldrig _blive enige_.   _We can never agree._

What to say

How to:

▶ say that you don't feel very well   **Jeg har det ikke ret godt.**
▶ say that she has a temperature   **Hun har feber.**
▶ say that it is out of the question   **Det kan der ikke være**
                                                   tale om.

Language patterns

1 Verbs ending in -s

In Danish there are a number of verbs that end in -s in all forms, but have no corresponding active forms. Although these verbs are in the passive voice, their meaning is not passive, as in **lykkes** (_succeed_).

Transitive verbs that exist both in the active and passive voice have passive forms ending in -s in the infinitive, the present tense and, with certain exceptions, in the past tense (see Unit 15, note 1).

Mælken skal sælges **inden d. 12. maj.**   _The milk must be sold before_
                                                     the 12th of May.

Mælk sælges **kun i flasker.**   _Milk is only sold in bottles._
Der solgtes **dengang kød på torvet.**   _At that time meat was sold at_
                                                     the market.

There is no past participle in the passive voice, however, and the compound tenses in the passive are formed by means of the auxiliary verb **blive** and the past participle used to form the compound tenses of the active voice.

Mælken *er blevet solgt*.   *The milk has been sold.*

a Verbs like **lykkes** have a past participle ending in -s which is identical with the past tense. The forms of **lykkes** are as follows:

the infinitive:	hans plan må ikke **lykkes** (*his plan must not succeed*)
the present tense:	hans planer **lykkes** altid (*his plans always succeed*)
the past tense:	hans plan **lykkedes** (*his plan succeeded*)
the perfect tense:	hans plan er **lykkedes** (*his plan has succeeded*)
the pluperfect:	hans plan var **lykkedes** (*his plan had succeeded*)

If the subject of **lykkes** is a person, an impersonal construction is used in Danish:

Det lykkedes (for) ham at   *He succeeded in creating*
   skabe et marked for sine varer   *a market for his goods in*
   i Danmark.   *Denmark.*

The opposite of **lykkes** is **mislykkes** (*fail*):

Planen *mislykkedes*.   *The plan failed.*
Det *er mislykkedes* for dem at   *They have failed to sell their*
   sælge deres hus.   *house.*

b synes (*think*):
   ***Jeg synes*, vi skal gå i**   *I think we should go to the*
      biografen.   *cinema.*
   De *syntes*, vi gav vores børn for   *They thought we gave our*
      mange penge.   *children too much money.*
   Det *har* jeg tit *syntes*.   *I have often thought that.*

Some active verbs have a normal passive form and also a form
ending in -s with a meaning that is different from the passive.

c følge (*follow, accompany*):

De *følger* ham hen til banegården.	They accompany him to the railway station.
Han *blev fulgt* ud i lufthavnen af sin onkel.	He was accompanied to the airport by his uncle.
De *følges (ad)* ned til grænsen.	They travel together as far as the border.

Følges (**ad**) means *accompany each other* (i.e. go together).

De *har fulgtes (ad)* til Grækenland mange gange.	They have gone together to Greece many times.

d slå (*hit, strike, beat*):

Hun *slog* ham.	She hit him.
Han *er blevet slået* af sin bror.	He has been beaten by his brother.
Drengene *slås* altid.	The boys are always fighting.

Slås means *hit each other* (i.e. fight). The past tense is **sloges**.

e møde (*meet*):

Jeg *møder* hende ofte.	I often meet her.
Forslaget *blev mødt* med en del kritik.	The proposal was received with (met with) a lot of criticism.
Vi *mødes* ofte.	We often meet.

f skylde (*owe*):

Jeg *skylder* ham 100 kroner.	I owe him 100 kroner.
Hvor meget *skyldes* der på huset?	How much is owed on the house?
Utilfredsheden *skyldes* deres beskæftigelse.	The discontent is due to their employment.

Skyldes means *stem from, be due to*.

g skiftes til (*take something in turns*) and **findes** (*be, exist*) also
belong here:

De *har skiftedes til* at hjælpe   They have taken it in turns to
hende.   help her.

Der *findes* mange sprogskoler   There are many language
i København.   schools in Copenhagen.

Lykkes and **mislykkes** form the perfect tense with the auxiliary
verb **være**. The others use **have**.

2 Unstressed adverbs

Just as in English there is a tendency to qualify a statement
by adding *I think*, *I suppose*, *you know*, the same happens
in colloquial Danish. Here this effect is achieved by means of
unstressed adverbs. Using *you know* in English can signal that
you actually disagree with what has just been said:

I don't think she should go to the party.
She is 17, you know.

Similarly, the inclusion of an adverb in Danish conveys a subjective
reaction to a previous line in a dialogue. There are a number of
such adverbs, the most common being: **da, dog, jo, nok, nu, vel,
vist**. They have different meanings depending on the context and
it is therefore rather difficult for foreigners to learn to use them.
Below are some examples.

a Nok can mean *probably*, *definitely* or *I suppose*:

Han har *nok* glemt, at vi skal   He has probably forgotten that
mødes klokken 7.   we are to meet at 7 o'clock.

Han sagde, at han *nok* skulle   He said that he would definitely
komme.   come.

Jeg må *nok* hellere ringe   I suppose I had better give him
ham op.   a call.

b Da conveys surprise or is merely used for emphasis:

Det var *da* underligt!   How strange!

Hun er *da* 17.	*She is 17, you know.*
Hun kommer *da*? (Here **da** is used to ask for confirmation.)	*She is coming, isn't she?*

c Vel means among other things *I suppose, probably, I hope*:

De kommer *vel* på søndag.	*I suppose they are coming on Sunday.*
Det er *vel* det, der er sket.	*That is probably what has happened.*
Der er *vel* ikke sket noget.	*I hope nothing has happened.*
Det var *vel* nok hyggeligt.	*That was really nice.*
De kommer ikke, *vel*?	*They aren't coming, are they?*

d Dog, jo, nu and vist

Hvor bliver George *dog* af?	*Where has George got to?* (implying slight impatience)
Det er *jo* ikke nogen helt almindelig chokolade.	*It is no ordinary chocolate.* (**jo** implies 'as you have no doubt noticed'.)
Det er *nu* nemt at flyve fra England til Danmark.	*I must say it is easy to fly from England to Denmark.*
Det er *vist* det røde hus derhenne.	*It is probably the red house over there.*

3 Adjectives used as adverbs

In Unit 9 (note 1) you saw that an adjective can be turned into an adverb by means of the ending **-t**:

Han skriver langsom*t*.   *He writes slowly.*

Adverbs made from adjectives ending in **-lig** or **-ig** do not always add **-t**. They add **-t** when they qualify a verb:

Det blæser frygteligt.   *It is terribly windy.* (Lit. It is blowing terribly.)

They do not add **-t** when they qualify an adjective or an adverb:

Det er frygtelig koldt.	*It is terribly cold.*
Bilen kørte frygtelig stærkt.	*The car drove terribly fast.*

Exercises

1 Write down the plural and the definite forms of the following nouns, as in this example:

en søn   sønnen   sønner   sønnerne

- **a** en datter
- **b** en mor
- **c** en hovedstad
- **d** et barn
- **e** en sommer
- **f** en bager
- **g** et museum
- **h** et menneske

2 Practise expressions of time by translating the following sentences.

- **a** Per came yesterday.
- **b** Lene came the day before yesterday.
- **c** Is she coming tomorrow?
- **d** Yes, she is coming tomorrow morning.
- **e** He comes on Saturdays.
- **f** They are coming on Tuesday.
- **g** Jens came last Wednesday.
- **h** Jane came last night.
- **i** She came this morning.
- **j** They are coming this (coming) spring.
- **k** Niels is coming next Whitsun.
- **l** He always comes in the spring.
- **m** I'll come in an hour.
- **n** She came two weeks ago.
- **o** I was there for three days.

3 Translate the following sentences into Danish:

- **a** They took it in turns to look after the baby.
- **b** We met outside the baker's.
- **c** I think it is wrong to say that his problems are due to his lacking confidence.
- **d** I don't know why the children always fight.
- **e** He has succeeded in learning to speak a foreign language in two months.
- **f** The plan failed because they did not have enough money.
- **g** We have travelled together to England many times.

4 Translate the English sentences into Danish in the following dialogue.

◄) CD2, TR 41

- Hvad er der i vejen?
a *I don't feel very well.*
- Tror du, du har feber?
b *Yes, I have taken my temperature. It is 37.9 C.*
- Har du ondt nogen steder?
c *I have a headache and I am dizzy. I also feel sick.*
- Tror du, du har spist noget, du ikke kunne tåle?
d *I don't think so.*
- Så er det nok influenza. Du må hellere gå i seng med det samme. Har du nogen hovedpinetabletter?
e *Yes, fortunately I bought some yesterday. I'll take two and go to bed.*

5 Add **hans, hendes, sin, sit, sine** or **deres** to the following passage.

Liselotte er glad for ———— job. ———— forældre kommer tit og besøger hende i København. Hun og ———— mor holder meget af at gå i teatret. ———— far kan bedre lide at se en fodboldkamp i fjernsynet. Når de går i teatret, ringer han til ———— fætter, der bor i Ballerup. Han kommer ind til Søren, og de to mænd spiser ———— mad foran fjernsynet. Fætteren tager tilbage til Ballerup klokken 10, fordi ———— kone ikke kan lide at være alene hjemme. Liselotte rejser over til Fyn en gang om måneden og besøger ———— forældre i Odense.

6 Answer the following questions.
a Hvorfor synes George, det er mærkeligt, at Alison fryser?
b Ved George, hvordan man laver frikadeller?
c Hvordan har Alison det den følgende morgen?
d Hvad svarer lægen, da Alison siger til ham, at hun skal rejse til England om 2 dage?

Comprehension

A change of plan

The doctor has left. Hans has gone to the chemist's and Lone and George are talking in the kitchen.

Lone	Lægen sagde, at Alison er for syg til at rejse hjem på mandag.
George	Jeg havde på fornemmelsen, at han ville sige det. Så må jeg have lavet om på billetterne. Det kan Marianne måske gøre. Hun arbejder på et rejsebureau.
Lone	De fleste rejsebureauer holder åbent lørdag formiddag. Du må hellere skynde dig at ringe til hende.
George	Det kan jeg ikke. Jeg ved ikke, hvad det er for et rejsebureau.
Lone	Jette og Peter er stadig i København. De bor hos Marianne, når de er herovre. Du har Mariannes nummer, så ring til dem. De kan fortælle dig, hvor hun arbejder.
George	Hvad skulle jeg gøre uden dig? Jeg ville slet ikke kunne klare det her.

lave om på (-ede, -et) *alter, change*
holde åbent (holdt, holdt) *be open*
stadig *still*
nummer (-et, numre) *number*

True or false?
a George is not surprised when Lone tells him that the doctor does not want Alison to travel back to England on Monday.
b George rings the travel agency where Marianne works straight away.

George copes with the situation

George	Hallo! Det er George. Er det Jette? Jeg har lidt af et problem og skulle gerne have fat i Marianne, inden de

	lukker inde på rejsebureauet. Men jeg kender hverken
	adressen eller telefonnummeret.
Jette	Nu skal jeg give dig nummeret. Hvad er der sket?
George	Alison er blevet syg, så vi kan ikke rejse hjem på
	mandag. Jeg bliver nødt til at lave om på flybilletterne.

In the middle of the day Alison falls asleep. When she wakes up a couple of hours later George is sitting beside her bed.

George	Nå, hvordan går det?
Alison	Lidt bedre, tror jeg. Jeg kan sikkert godt klare at rejse hjem på mandag.
George	Under ingen omstændigheder.
Alison	Det bliver dyrt at lave om på billetterne. Det har vi ikke råd til.
George	Det er ligegyldigt, hvad det koster. Og det kommer måske ikke til at koste ret meget. Jeg har talt med Marianne, og hun vil sørge for, at vi får billetter til flyet på næste fredag i stedet for på mandag. Jeg tror, den her tur har været for anstrengende for dig. Nu må du ikke bekymre dig om noget som helst og lade mig passe dig for en gangs skyld.

lukke (-ede, -et) *close*
under ingen omstændigheder *in no circumstances*
omstændighed (-en, -er) *circumstance*
have råd til *be able to afford*
råd (-et, -) *piece of advice,* here: *means*
det er ligegyldigt *it does not matter*
ligegyldig *unimportant*
sørge for (-ede, -et) *arrange*
anstrengende *strenuous, tiring*
bekymre sig om (-ede, -et) *worry about*
noget som helst *anything at all*
for en gangs skyld *for once*

True or false?

a Alison does not feel any better after her sleep.

b George says to Alison that she must not worry about anything.

Test yourself

Translate into Danish:

1 Alison has an earache and a bad headache.
2 The doctor has written a prescription.
3 George finds Lotte's cookery book because he cannot cook without a recipe.
4 The aspirin tablets must be taken every four hours.
5 They have succeeded in selling their car.
6 We took it in turns to read a story to the children.
7 Because they could not afford it the trip didn't come off.
8 He has probably forgotten the address.
9 You don't like him, do you?
10 They have gone to Paris together before.

17

På indkøb i København
Shopping in Copenhagen

In this unit you will learn
* *how to talk about shopping for presents*

1 George chats to Jette

Alison's recovery is slow. She and George had hoped that she
would be well enough to go shopping in Copenhagen to buy a
few presents before they leave, but that proves impossible. They
want to buy, among other things, a present for Hans and Lone.
On Tuesday evening they decide that George should go shopping
on his own the following afternoon. He rings Marianne at home
to ask her if he can pick up the tickets the next day.

George	Hallo, det er George. Er det Marianne?
Jette	Nej, det er Jette. Marianne er desværre ikke hjemme.
George	Er I stadig i København?
Jette	Ja, vi skulle egentlig være taget tilbage til Mols i søndags, men fordi vejret var så elendigt, besluttede vi at blive herovre. Peter har for længe siden lovet, at han vil male væggene i Mariannes stue, så det er han ved nu. Hvordan har Alison det?
George	Det går fremad, men langsomt. Ved du hvad, jeg skal ud og købe nogle gaver i morgen eftermiddag, og vi vil gerne give Marianne en gave, fordi hun har været os til så stor hjælp. Kan du foreslå noget, som hun vil blive glad for?
	(Contd)

CD2, TR 42

Jette	Ja, det kan jeg godt. Men det kommer selvfølgelig an på, hvor meget den må koste. Hun ville blive glad for en ny lampe til stuen.
George	Hvordan skal den se ud?
Jette	Jeg skal ind og købe noget stof til gardiner til stuen i morgen. Vi kunne mødes på Strøget, og jeg kunne hjælpe dig med at købe en lampe.
George	Vil du det? Det ville jeg være meget glad for. Hvor skal vi mødes?

QUICK VOCAB

elendig *miserable*
væg (-gen, -ge) *wall*
være ved at male *be* (in the process of) *painting*
gå fremad (gik, gået) *improve, make progress*
langsomt *slowly*
Ved du hvad ... *Listen ...*
har været os til stor hjælp *has been a great help to us*
komme an på (kom, kommet) *depend on*
lampe (-n, -r) *lamp*
stof (-fet, -fer) *material*
gardin (-et, -er) *curtain*

2 George and Jette meet up

They arrange to meet at the entrance to one of the big department stores at 3 o'clock.

George	Skal vi ikke gå op og drikke en kop kaffe i cafeteriet, inden vi går i gang med indkøbene?
Jette	Jo, lad os det.
George	Vil du have en kage til kaffen?
Jette	Nej tak. Jeg vil hellere have et stykke smørrebrød. Jeg har ikke spist frokost.
George	Jeg kan godt spise en kage. Hvad skal det være for et stykke?

Jette	Jeg vil godt have et stykke rugbrød med ost og vindruer. Jeg kan huske, at du altid godt kunne spise en kage, dengang vi gik på højskolen.
George	Jeg holdt især meget af det wienerbrød, vi fik om eftermiddagen. Det er noget, jeg savner i England.
Jette	Kan man ikke få wienerbrød i England?
George	Jo, men det smager anderledes.
Jette	Savner du ellers Danmark? Hvis det kunne lade sig gøre, ville du så hellere bo i Danmark?
George	Det ved jeg ikke. Det er ikke noget, jeg går og tænker på. Jeg hører til den slags mennesker, der lever i nuet. Om man er lykkelig eller ej afhænger i højere grad af en selv end af omgivelserne.
Jette	Jeg tror også, det er begrænset i hvor høj grad, vi kan bestemme over vores eget liv. Der sker så meget, som virker helt tilfældigt, men som senere viser sig at danne en slags mønster. Som om det var meningen, at det skulle ske.
George	Du har ikke forandret dig ret meget. Kan du huske vores diskussioner om skæbnebegrebet?
Jette	Ja, vi havde vidt forskellige meninger med hensyn til, om vores liv var forudbestemt eller ej. Nå, vi kan ikke sidde her hele eftermiddagen. Hvor mange gaver skal du købe?
George	Tre. En til Marianne, en til Hans og Lone og så en til Alison.
Jette	Lad os gå ind i afdelingen med boligudstyr først. Den ligger på denne etage. Der kan vi nok finde en lampe.

QUICK VOCAB

gå i gang med (gik, gået) *start (work) on*
indkøb (-et, -) *purchase, shopping*
kage (-n, -r) *cake*
et stykke smørrebrød *an open sandwich*
smørrebrød (-et) *open sandwiches* (plural)
rugbrød (-et) *rye bread*
ost (-en, -e) *cheese*
vindrue (-n, -r) *grape*

lade sig gøre *be possible*
høre til (-te, -t) *belong to, be one of*
leve i nuet (-ede, -et) *live in the present*
nu (-et) *present moment*
om man er lykkelig eller ej *whether one is happy or not*
lykkelig *happy*
i højere grad *to a larger degree, more*
omgivelser (pl.) *surroundings*
begrænset *limited*
i hvor høj grad *to what extent*
bestemme over (-te, -t) *control; decide*
virke (-ede, -et) here: *appear*
tilfældig *accidental, random*
vise sig at ... (-te, -t) *appear to ..., prove to ...*
mønster (-et, mønstre) *pattern*
Det var meningen, at det skulle ske. *It was meant to happen.*
mening (-en) here: *intention*
skæbnebegrebet *the concept of fate*
skæbne (-n) *fate*
begreb (-et, -er) *concept, idea*
vidt (forskellige) *widely (different)*
forudbestemt *predestined*
afdeling (-en, -er) *department*
boligudstyr (-et) *furniture and fittings*
etage (-n, -r) *floor*

Insight

Wienerbrød
The Danish word for *Danish pastries* is associated with
Vienna (in Danish **Wien**): Lit. Viennese bread. The singular
Danish form corresponds to the plural in English. So *one
pastry* is **et stykke wienerbrød**.

The verb 'virke'
In Unit 15 **virke** translated *work*: [**Systemet**] **virker faktisk
ganske godt.** (*In fact the system works quite well.*) In this

dialogue the sense is *appear*: **Der sker så meget, som virker helt tilfældigt.** (*So much happens that appears completely accidental.*)

3 Buying a present for Alison

After the purchase of the lamp, George wants to buy a piece of jewellery for Alison.

CD2, TR 43

Jette	Jeg vil foreslå, vi går hen til en guldsmed. Der er en afdeling med smykker her, men der er et større udvalg i en guldsmedeforretning.
Ekspedient	Kan jeg hjælpe Dem med noget?
George	Jeg vil gerne købe en gave. Kunne vi få lov til at gå rundt og kigge på smykkerne selv først? Jeg har ikke bestemt, hvad slags smykke, jeg vil købe.
Ekspedient	Ja, det må De gerne.
Jette	Skal det være en broche eller et armbånd eller en halskæde?
George	Hvad synes du?
Jette	Et sølvarmbånd. Der ligger nogle meget smukke armbånd på den hylde der.
George	Hvis det nu var til dig, hvad for et ville du så vælge?
Jette	Det, der ligger yderst til højre, tror jeg.
George	Hvis du skulle købe et af dem til Alison, hvad for et ville du så købe?
Jette	Så tror jeg, jeg ville vælge det, der ligger lige ved siden af. Det passer bedre til Alison. Nå, jeg går over og kigger på noget andet, mens du beslutter dig.

guldsmed (-en, -e) *jeweller*
gå hen til en guldsmed *go to a jeweller's*
smykke (-t, -r) *piece of jewellery*
udvalg (-et) *selection*
guldsmedeforretning (-en, -er) *jeweller's (shop)*
ekspedient (-en, -er) *shop assistant*

QUICK VOCAB

Unit 17 På indkøb i København *Shopping in Copenhagen* 255

broche (-n, -r) *brooch*
armbånd (-et, -) *bracelet*
halskæde (-n, -r) *necklace*
sølvarmbånd (-et, -) *silver bracelet*
hylde (-n, -r) *shelf*
yderst *furthest*
passe til (-ede, -et) *suit*
beslutte sig (-ede, -et) *make up one's mind*

4 George makes up his mind

George	Ja, nu har jeg fundet noget passende. Jeg vil gerne have 2 sølvarmbånd. De ligger på hylden derovre.
Ekspedienten	Er det en gave?
George	Det er faktisk 2 forskellige gaver, så jeg vil gerne have dem pakket ind hver for sig.

passende *suitable*
pakke ind (-ede, -et) *wrap (up)*
hver for sig *separately*

True or false?

a Jette und Peter decided to stay on in Copenhagen because the weather broke.
b Jette wants to buy new furniture for Marianne's flat.
c George and Jette both have coffee and cakes before they go shopping.
d At the jeweller's George buys a brooch for Alison.

Shop names
The possessive form is not used in Danish.

Han gik hen til bageren.	*He went to the baker's.*
Hun er hos slagteren.	*She is at the butcher's.*
Hun gik hen til grønthandleren.	*She went to the greengrocer's.*
Han er på apoteket.	*He is at the chemist's.*

The words *etage* and *sal*
Note how you use these two words:

Afdelingen med boligudstyr ligger på denne *etage*.	*The department with furniture and fittings is on this floor.*
Huset har fem *etager*.	*The building has five storeys.*
Marianne bor på tredje *sal*.	*Marianne lives on the third floor.*

In a block of flats the word **sal** is used about a particular floor, but the ground floor is **stue** or **stueetage**:

De bor i *stuen*.	*They live on the ground floor.*

The Danish word *mening*
This word has three meanings – *opinion*, *sense* or *intention*.

Vi havde vidt forskellige *meninger* med hensyn til, om vores liv var forudbestemt eller ej.	*We had widely different opinions as to whether our lives were predestined or not.*
Giver det nogen *mening*?	*Does it make any sense?*
Det var *meningen*, at det skulle ske.	*It was meant (intended) to happen.*

Tøj *(clothes)*	**spadseredragt (-en, -er)** *suit* (ladies')
bluse (-n, -r) *blouse*	
nederdel (-en, -e) *skirt*	**jakke (-n, -r)** *jacket*
kjole (-n, -r) *dress*	**frakke (-n, -r)** *coat*
skjorte (-n, -r) *shirt*	**regnfrakke (-n, -r)** *raincoat*
slips (-et, -) *tie*	**strømpebukser** (pl.) *tights*
bukser (pl.) *trousers*	**sok (-ken, -ker)** *sock*
cowboybukser (pl.) *jeans*	**hat (-ten, -te)** *hat*
jakkesæt (-tet, -) *suit* (men's)	

Have råd til *(be able to afford)*
This phrase means *be able to afford* (Lit. have the means to):

Han *har råd til* at rejse på ferie i år.	*He can afford to go on holiday this year.*

| De *havde* dårligt *råd til* at købe nyt tøj til børnene. | They could barely afford to buy new clothes for the children. |

Various expressions with *gå* and *komme*

a gå fremad:

| Det *går fremad* (med hende). | She is getting better. |
| Det *går fremad*. | Things are improving. |

b gå med:

| Han *går med* briller. | He wears glasses. |

c gå op i:

| Jeg *går* ikke så højt *op i* politik. | I am not all that interested in politics. |
| Han *går op i* sit arbejde. | He devotes himself to his job. |

d gå over:

| Hovedpinen *går* nok snart *over*. | The headache will probably wear off soon. |

e gå ud på:

| Legen *går ud på*, at alle er utilfredse med deres tilværelse. | The idea of the game is that they are all dissatisfied with their lives. |

f gå i vandet:

| Skal vi *gå i vandet* før frokost? | Shall we go swimming before lunch? |

g gå til spilde:

| Der kommer ikke til at *gå* noget *til spilde*. | Nothing will be wasted. |

h gå en tur:

| Vi kan *gå en tur* i eftermiddag. | We can go for a walk this afternoon. |

i komme an på:

Det *kommer an på*, om han kan komme. *It depends on whether he can come.*

j komme med:

Mikael *kommer med* en flaske rødvin. *Mikael brings a bottle of red wine.*

Kan jeg *komme med*? *Can I join you?*

k komme til at:

Der *kommer* ikke *til at* gå noget til spilde. *Nothing will be wasted. (future)*

Han *kom til at* vælte flasken. *He accidentally knocked over the bottle. (accident)*

Jeg *kom til at* røre ved tasken. *I happened to touch the bag. (chance)*

Hun *kommer til at* ligne sin mor mere og mere. *She is getting to look increasingly like her mother. (gradually)*

l komme ud af det med:

Vi *kom* allesammen godt *ud af det med* hinanden. *We all got on well together.*

m komme sig:

Min bestemor *kom sig*, og nu har hun det godt igen. *My grandmother recovered, and now she is well again.*

What to say

How to:

▶ say 'Listen, …' **Ved du hvad, …**
▶ say that you would like them wrapped separately **Jeg vil gerne have dem pakket ind hver for sig.**

Language patterns

Singular and plural form of nouns

In some cases a Danish plural form corresponds to a singular form in English and vice versa.

a penge (*money*)

Jeg kan ikke finde *pengene* (plural).	*I cannot find **the money*** (singular).
***De* ligger på bordet inde i stuen.**	***It** is lying on the table in the sitting room.*

b smykker (*jewellery*)
Smykker is the plural form of **et smykke** (*a piece of jewellery*).

Han købte *et smykke* til sin kone.	*He bought **a piece of jewellery** for his wife.*
***Smykkerne* var meget dyre** (plural).	***The jewellery** was very expensive* (singular).

c møbler (*furniture*)
Møbler is the plural form of **et møbel** (*a piece of furniture*).

Hun har mange dejlige *møbler* (plural).	*She has a lot of beautiful **furniture*** (singular).

d råd (*advice*)
Råd is the plural form of **et råd** (*a piece of advice*).

Hun gav ham mange *gode* råd (plural).	*She gave him much good advice* (singular).

A singular form in Danish corresponds to a plural form in English in the following examples:

e tøj (*clothes*)

Tøjet er rent (singular).   *The clothes are clean* (plural).
Det ligger i køkkenet.   *They are lying in the kitchen.*

f værktøj (*tools*)
Værktøj is a compound noun, and like **tøj** only exists in the singular.

Hvor er værktøjet (singular)?   *Where are the tools* (plural)?
Han ejer ikke et eneste stykke   *He hasn't got a single tool.*
   værktøj.

g smørrebrød (*open sandwiches*)
Smørrebrødet kommer   *The sandwiches will arrive at*
   klokken 4 (singular).   *4 o'clock (plural).*
Jeg vil gerne have et stykke   *I would like a sandwich.*
   smørrebrød.

Exercises

1 Insert the reflexive verb in the correct form into the following sentences.

   a George synes ikke, at Jette (forandre sig) ret meget. (*perfect tense*)

   b Skal du (skynde sig)? (*infinitive*)

   c Jeg (føle sig) dårligt tilpas. (*past tense*)

   d I kan (hygge sig) meget bedre, hvis I ikke behøver at være høflige over for en fremmed. (*infinitive*)

   e Vi (vaske sig) om morgenen. (*present tense*)

   f De (sætte sig) til bords. (*perfect tense*)

2 Now you are going to give directions. Look at the map and imagine that you meet both **a** and **b** at Kongens Nytorv in the centre of Copenhagen.

   a Undskyld, kan du sige mig, hvor Rundetårn ligger?
   b Undskyld, kan du sige mig, hvor Christiansborg Slot ligger?

3 Translate the following sentences into Danish. Sentences (a) to (g) are on the recording.

◄ **CD2, TR 45**

   a She can afford to buy the house.
   b She has a lot of money.
   c She has more furniture than we have.
   d The furniture was very expensive.
   e Can I give you a piece of good advice?
   f He wants to buy a piece of jewellery for his wife.
   g Have you packed your clothes?
   h I am hungry. Can I have a sandwich?

    i Where are the sandwiches?

    j I would like a Danish pastry.

    k Where are my tools?

4 Add the adverbs to the main clauses of these sentences.

    a Han har råd til at rejse på ferie i år. (ikke)

    b Hun besøger sine bedsteforældre, når hun rejser over til København. (altid)

    c De kommer med færgen, der ankommer klokken 3. (nok)

    d Hun bruger alt for mange penge. (desværre)

    e Det var et stort problem. (virkelig)

5 Now add the adverbs to the subordinate clauses of these sentences.

    a Hun sagde, at hendes overbevisning var påvirket af hendes baggrund. (uden tvivl)

    b Hans indså, at lægegerningen var det rigtige for ham. (ikke)

    c De siger, at det bliver dyrt at lave om på billetterne. (måske)

    d Deres børn kan tale fransk, fordi de rejser til Frankrig i sommerferien. (altid)

    e Alison sagde, at hun ville holde Mikael. (gerne)

6 Change the following sentences from the active to the passive voice.

    a Lægen undersøgte Alison.

    b George har lavet frikadellerne.

    c Hans hentede medicinen.

    d George passer Alison.

    e Lone og Hans har inviteret Kirsten og Niels til middag.

    f Alisons bror slår græsplænen.

7 Answer the following questions:

    a Hvorfor har Alison og George besluttet at give Marianne en gave?

    b Hvad spiser Jette til kaffen i cafeteriet?

    c Ville George hellere bo i Danmark end i England, hvis det var muligt?

    d Hvad køber George til Alison?

Comprehension

Thinking about presents for Hans and Lone

When George has paid for the bracelets he walks round the shop looking for Jette, but he cannot find her anywhere. He waits for a while thinking that she will turn up. In the end he leaves the jeweller's. On the pavement outside the shop Jette is talking to a lady. When she sees George, she finishes the conversation.

Jette	Jeg fik pludselig øje på en dame fra Århus, som jeg spiller bridge med. Vi fik aftalt, hvornår vi skal begynde igen efter ferien.
George	Er du glad for at spille bridge?
Jette	Ja, det interesserer mig meget. Nå, det var gaven til Alison. Hvad vil I give Hans og Lone?
George	Alison synes, at vi skal give dem noget, som er både smukt og nyttigt, en brugsgenstand, som f.eks. en salatskål eller en kande eller en kobbergryde.
Jette	Så foreslår jeg, vi går tilbage til stormagasinet og kigger i afdelingen med køkkenudstyr.
George	Vi snakkede også om en karaffel og 6 vinglas. Og jeg foreslog et forklæde til Hans og en liggestol til Lone.

få øje på (fik, fået) *see, catch sight of*
bridge (-n) *bridge*
aftale (-te, -t) *arrange, agree*
nyttig *useful*
brugsgenstand (-en, -e) *article for everyday use*
salatskål (-en, -e) *salad bowl*
kande (-n, -r) *jug*
kobbergryde (-n, -r) *copper saucepan*
gryde (-n, -r) *saucepan*
stormagasin (-et, -er) *department store*
køkkenudstyr (-et) *kitchen equipment*
karaffel (karaflen, karafler) *decanter*

vinglas (-set, -) *wine glass*
forklæde (-t, -r) *apron*
liggestol (-n, -e) *deckchair*

True or false?
  a Jette left the shop because she needed some fresh air.
  b Alison wants George to buy a present for Hans and Lone that is both useful and pretty.

Test yourself

Translate into Danish:

1 I would like to give Marianne a present. Can you suggest something she would like?
2 It depends how much you want to spend on the present.
3 Let us go to the department with furniture and fittings, which is on this floor.
4 The building has six storeys and they live on the fourth floor.
5 George went to the baker's to buy three Danish pastries and half a litre of whipping cream.
6 I don't understand why she wants to give him the car. It makes no sense.
7 George is buying a piece of jewellery for Alison.
8 I don't know how much money they have.
9 George wants to give Lone a deckchair and Hans an apron.
10 When Jette suddenly caught sight of a lady she knew, she went out onto the pavement to talk to her.

18

Farvel og på gensyn!
Goodbye, till next time!

In this unit you will learn
- *how to talk about the labour market, jobs and unemployment*
- *how to say 'goodbye'*
- *how to express gratitude*

1 Alison is feeling better

It is Thursday morning, George and Alison's last day in Denmark. George has gone to the baker's, Hans is in the shower and Lone is talking to Alison.

CD2, TR 46

Lone	Nå, hvordan går det?
Alison	Nu går det bedre. Jeg er feberfri, og jeg har ikke ondt nogen steder. Og for første gang siden i fredags er jeg sulten.
Lone	Så er du ved at komme dig. Det er en skam, at jeres besøg skulle ende sådan.
Alison	Jeg er ked af, at vi har været til ulejlighed. Vi er blevet 5 dage længere, end I havde inviteret os til, og I har måttet arrangere lægebesøg og hente medicin.
Lone	Sikke noget pjat! Jeg håber, I vil betragte vores hjem som jeres danske hjem, hvor I kan komme og bo når som helst. Jeg har været så glad for at have jer boende. Tror du, du er rask nok til at være oppe et par timer i aften? Jeg vil faktisk gerne invitere Niels og Kirsten over og spise sammen med os.

| Alison | Hvis jeg skal rejse til England i morgen, kan det ikke nytte noget, jeg ligger i sengen hele dagen. Jeg må vænne mig til at være oppe igen. Jeg vil meget gerne være sammen med Niels og Kirsten i aften. |

være feberfri *have a normal temperature*
det er en skam, at ... *it is a pity that ...; what a pity that ...*
ende (-te, -t) *end*
sådan *like this*
være til ulejlighed *be a nuisance, cause trouble*
Sikke noget pjat! *Nonsense! That's silly!*
hjem (-met, -) *home*
det kan ikke nytte noget *it is no good*
nytte (-ede, -et) *be of use, help*
vænne sig til (-ede, -et) *get used to*

Insight: ondt

The adjective **ond** corresponds to *evil/bad*. **Have ondt i** means *feel pain in*: **Jeg har ondt i hovedet**, cf. Unit 16. **Have ondt** followed by **af** means *feel sorry for*: **Jeg har ondt af ham.** (*I feel sorry for him.*) **Jeg har ondt af mig selv.** (*I am filled with self-pity.*)

2 Niels talks about work problems

It is 7 o'clock in the evening. Niels and Kirsten, George and Alison and Hans and Lone are sitting round the dinner table. Lone asks Niels a question.

Lone	Har du været i England for nylig?
Niels	Jeg var i Manchester for en måned siden. Men nu går der nok lang tid, før jeg kommer derover igen.
Lone	Jeg troede, at du rejste derover en gang om måneden.
Niels	Det har jeg også gjort indtil nu. Men det er slut. Firmaet er gået konkurs.

(Contd)

CD2, TR 47

Lone	Det vidste jeg ikke. Det er da frygteligt. Så har du mistet dit arbejde.
Niels	Ja, siden i går har jeg været arbejdsløs.
Hans	Jeg var godt klar over, at I havde nogle problemer, men jeg vidste ikke, at det stod så dårligt til.
Niels	Det gik godt for nogle år siden. Men så fik vi nedgangstid. Konkurrencen skærpedes inden for elektronikbranchen, og priserne begyndte at falde. Prisfaldet har ødelagt os. Vores profit var ikke stor nok til, at vi kunne sætte priserne ned. Det er kun de helt store selskaber, der kan overleve i disse tider.

slut *over, at the end, finished*
gå konkurs (gik, gået) *go bankrupt*
miste (-ede, -et) *lose*
arbejdsløs *unemployed*
være klar over *realize, know*
det står dårligt til *things are bad*
nedgangstid (-en, -er) *recession*
konkurrence (-n) *competition*
skærpe (-ede, -et) *sharpen, tighten, intensify*
elektronikbranche (-n) *electronics industry*
branche (-n, -r) *branch of trade*
prisfald (-et, -) *fall in price(s)*
ødelægge (-lagde, -lagt) *ruin, destroy*
profit (-ten) *profit*
selskab (-et, -er) *company*
overleve (-ede, -et) *survive*

Insight: Skærpedes

Konkurrencen skærpedes (*Competition intensified*). **Skærpe** is a transitive verb (*sharpen, intensify something*) and therefore the passive is required in Danish. In English this verb is both transitive and intransitive (*make* or *become more intense*).

3 Niels explains his difficulties

CD2, TR 48

Hans	Hvad vil du så gøre nu?
Kirsten	Jeg har jo heldigvis et godt job. Som lærer kan man ikke uden videre blive afskediget. Så vi kan sagtens klare os rent økonomisk. Men det bliver svært for Niels at vænne sig til ikke at skulle på arbejde.
George	Du kan vel hurtigt få et nyt job. Der må være en masse firmaer, der er interesseret i at ansætte en mand med din uddannelse og dine erfaringer.
Niels	Nej, det bliver nærmest umuligt. De fleste firmaer vil hellere ansætte unge mennesker, der lige er blevet færdige med uddannelsen. De skal ikke have så meget i løn. Jeg er simpelthen for gammel og for dyr at ansætte.
Alison	Det er da frygtelig deprimerende. Er der ikke noget helt andet, du kunne beskæftige dig med?
Niels	Du har ret. Selvmedlidenhed fører ikke til noget. I årevis har jeg beklaget mig over, at jeg har haft alt for travlt. Jeg fik ikke dyrket nogen motion, jeg har spist og drukket for meget. Nu vil jeg lægge min tilværelse helt om. Der er også en masse bøger, som jeg nu omsider får tid til at læse.

uden videre *as a matter of course, just like that*
afskedige (-ede, -et) *dismiss, sack*
klare sig (-ede, -et) *manage*
rent økonomisk *purely financially*
hurtigt *quickly*
ansætte (ansatte, ansat) *employ*
uddannelse (-n, -r) *training, education, degree*
nærmest *almost*
løn (-nen) *pay, wage, salary*
De skal ikke have så meget i løn. *They are cheaper to employ.* (Lit. they do not have to be paid so much)
deprimerende *depressing*
beskæftige sig med *occupy oneself with, do*
have ret *be right*
ret (-ten) *right, justice*

QUICK VOCAB

selvmedlidenhed (-en) *self-pity*
føre til (-te, -t) *lead to*
i årevis *for years*
beklage sig over (-ede, -et) *complain of*
alt for *far too*
dyrke motion *take exercise*
motion (-en) *exercise*
lægge om (lagde, lagt) *change*

True or false?

a Alison is embarrassed because she feels that she and George have outstayed their welcome.

b Niels has been going to England once a week.

c Niels's company went bankrupt because of the recession.

d Niels is hopeful that he will soon get another job.

Writing a letter

a to relatives and friends
dear in Danish is **kære**:

Kære mor,
Kære Lotte,
Kære Poul og Lise,

You finish a letter to a close relative or friend with:

Kærlig hilsen,
Mange kærlige hilsener,

kærlig (*loving, affectionate*)
hilsen (-en, -er) (*greeting, regard*)

The following greetings are less intimate:

Hjertelig hilsen,
De bedste hilsener,
Venlig hilsen,

hjertelig (*heartfelt, sincere*)

b to a company or an institution

Below the name and the address you do not write anything corresponding to *Dear Sir* or *Dear Madam*.

You finish a formal letter with the greeting:

Med venlig hilsen,
Mette Pedersen

Below is a typical business letter. Here is a translation of the letter to help you understand it:

We are in receipt of your letter dated 31.01.10, which we read with great interest. Before we can give you a detailed offer we would like to ask you for further information.

You write that you are interested in buying a machine for the production of chocolate. There are several models, however, and we would be grateful to you if you could specify the kind of chocolate you have in mind: eating chocolate or cooking chocolate.

We enclose a few brochures showing different types of machines. The prices listed are for information only.

Assens, d. 9. februar 2010

Mr George Wilson,
England

Vi har modtaget Deres brev af 31.01.10 og har læst det med stor interesse. Før vi kan give Dem et detaljeret tilbud, vil vi gerne bede Dem om nogle yderligere oplysninger.

De skriver, at De er interesseret i at købe en maskine, der kan fremstille chokolade. Der findes imidlertid flere forskellige modeller, og vi ville derfor være Dem taknemmelig, om De ville opgive, hvad slags chokolade, det drejer sig om: spisechokolade eller kogechokolade.

(Contd)

Vi vedlægger nogle brochurer med forskellige typer af maskiner.
De anførte priser gives kun til orientering.

Med venlig hilsen,

A/S BØGHS MASKINFABRIK

VIGGO JØRGENSEN

Insight: Oplysninger

Unit 17 dealt with nouns whose plural form corresponds to
a singular form in English and vice versa. The plural form
oplysninger means *information*, while the singular form
oplysning means *a piece of information*.

The Danish word *lige*

The adjective **lige** means *equal*, *straight* or *even*:

Vi er alle *lige*.	*We are all equal.*
en *lige* vej	*a straight road*
et *lige* nummer	*an even number*

The adverb **lige** means *equally*, *straight*, *exactly*, *immediately* or *just*.

a *equally*

Pakkerne er *lige* tunge.	*The parcels are equally heavy.*
Jeg er ikke altid *lige* nem at være gift med.	*It isn't always easy to be married to me. (Lit. I am not always equally easy to be married to.)*

b *straight*

Jeg gik *lige* hjem.	*I went straight home.*
Han kørte *lige* ud.	*He went straight ahead.*
Han sagde det *lige* ud.	*He said it straight out.*

c *exactly*

Den (Klokken) er *lige* 7.	*It is exactly 7 o'clock.*
Det var *lige*, hvad jeg trængte til.	*It was exactly what I needed.*

d *immediately*

Man må ikke gå i vandet *lige* **efter et måltid.**	*You must not go in the sea immediately after a meal.*
Hotellet ligger *lige* **ved siden af hjørneejendommen.**	*The hotel is situated immediately beside (right next to) the building at the corner.*

e *just*

Han har *lige* **været i England.**	*He has just been to England.*
Jeg går *lige* **hen og køber en avis.**	*I'll just go and buy a paper.*
Jeg kan *lige* **så godt bestille et værelse nu.**	*I might just as well book a room now.*

f Lige is also used in polite requests among friends, meaning *would you mind …ing* (see Unit 3, *Please*).

Kan du lige gå ned til bageren?	*Would you mind going to the baker's?*

Legemsdele *(parts of the body)*

hoved (-et, -er)	*head*	**arm (-en, -e)**	*arm*
ansigt (-et, -er)	*face*	**albue (-n, -r)**	*elbow*
hår (-et, -)	*hair*	**hånd (-en, hænder)**	*hand*
pande (-n, -r)	*forehead*	**finger (-en, fingre)**	*finger*
øje (-t, øjne)	*eye*	**bryst (-et, -er)**	*breast*
næse (-n, -r)	*nose*	**mave (-n, -r)**	*stomach*
mund (-en, -e)	*mouth*	**ryg (-gen, -ge)**	*back*
øre (-t, -r)	*ear*	**ben (-et, -)**	*leg*
kind (-en, -er)	*cheek*	**knæ (-et, -)**	*knee*
hals (-en, -e)	*neck, throat*	**fod (-en, fødder)**	*foot*
skulder (-en, skuldre)	*shoulder*	**tå (-en, tæer)**	*toe*

Hun har lyst hår. (singular)	*She has fair hair.*
Han har nogle enkelte grå hår. (plural)	*He has a few grey hairs.*

Ben also means *bone*.

Metaller (metals)
See below for a list of metals and some associated words.

guld (-et) gold
et guldur a gold watch
en guldsmed a goldsmith,
 a jeweller
sølv (-et) silver
sølvbryllup silver wedding
sølvpapir foil
bronze (-en) bronze

bronzealder bronze age
jern (-et) iron
en jernbane a railway
et jernhelbred an iron
 constitution
stål (-et) steel
et stålværk a steelworks
ståltråd (steel) wire

Expressions with *at være*
a være færdig med:
 De *er færdige med*   *They have finished the business*
 forretningsmødet.   *meeting.*
 Er du *færdig med* **bogen?** *Have you finished the book?*

b være glad for:
 Vi *er så glade for,* **at det** *We are so pleased that it proved*
 kunne lade sig gøre.   *possible.*
 Hun *er glad for* **sin farmor.** *She is fond of her grandmother.*

c være ked af:
 Jeg *er så ked af,* **at jeg**   *I am so sorry to have caused*
 har været til ulejlighed.   *trouble.*
 Hvad *er du ked af*?   *Why are you sad?*
 Hun *er ked af* **at høre på** *She is tired of listening to him.*
 ham.
 Er du *ked af* **at vente et** *Would you mind waiting a moment?*
 øjeblik?

d være klar over:
 Jeg *var* **ikke** *klar over,* **at**   *I didn't realize that things were*
 det stod så dårligt til.   *that bad.*

e være længe om:
Det var han længe om.   *That took him a long time.*

f være nødt til:
Jeg er nødt til at stå op   *I have to get up at 5 o'clock*
klokken 5 i morgen.   *tomorrow.*

g være ved at:
Du er ved at komme dig.   *You are getting better.*
Jeg var ved at gøre rent i   *I was cleaning the living room when*
stuen, da han kom.   *he arrived.*
Han var lige ved at   *He nearly dropped the bowl.*
tabe skålen.

h være i vejen:
Hvad er der i vejen?   *What is the matter? What is wrong?*

What to say

How to:

- ▶ say that someone is right   **Du har ret.**
- ▶ say that someone is in the   **Hun har uret.**
  wrong
- ▶ express regret   **Det er en skam, at ...**
     Jeg er så ked af, at ...
- ▶ say 'It is no good (... ing)'   **Det kan ikke nytte noget,**
     (at jeg/du/han/etc ...)
- ▶ express that you think   **Sikke noget pjat!**
  someone is apologizing
  too much

Language patterns

1 Indefinite and definite forms of nouns

a Occasionally there are differences between Danish and English in the use of the definite form. Unit 14 contains an example of this:

De taler først om *livet* i Danmark i dag.	*They first talk of life in Denmark today.*

Abstract nouns (for example, words like *death, fate, time, light, democracy, parliament*) tend to be used in the definite form in Danish:

Han er døden nær.	*He is at death's door.*
Skæbnen var ham blid.	*Fate was kind to him.*
Tiden læger alle sår.	*Time heals all sorrows.* (Lit. wounds)
lysets hastighed	*the speed of light*
Demokratiet er i fare.	*Democracy is in danger.*
Folketinget samles på Christiansborg Slot.	*Parliament meets at Christiansborg Slot.*

b Another difference concerns the use of the indefinite article in English when someone's profession, nationality or religion is expressed, where the noun is used without an article in Danish.

Han er ekspedient.	*He is **a** shop assistant.*
Kirsten er lærer.	*Kirsten is **a** teacher.*
Lotte er dansker.	*Lotte is **a** Dane.*
Per er katolik.	*12.3*

Notice: Som barn var han en tynd lille fyr (*as a child ...*)

2 More differences between English and Danish expressions

In Unit 3 (note 5) you saw examples where in Danish the second noun follows immediately after the first one, as in **en flaske vin** (*a bottle of wine*). There are other cases where *of* in English is omitted in Danish:

et glas øl	*a glass **of** beer*
en skive melon	*a slice **of** melon*
den 1. marts	*the 1st **of** March*
et par sko	*a pair **of** shoes*
2 pund smør	*2 pounds **of** butter*
25 liter benzin	*25 litres **of** petrol*
øen Fyn	*the island **of** Funen*

3 Comparison of adjectives

In Unit 8 (note 1) you saw that a few adjectives have an irregular comparison, while there are others in which the vowel undergoes a change in the comparative and superlative degree. All the adjectives used in the units that belong to either of these groups are listed below:

a *Irregular comparison*

gammel	ældre	ældst
god	bedre	bedst
lille	mindre	mindst
lidt *(a little)*	mindre *(less)*	mindst *(least)*
meget	mere	mest
mange	flere	flest
slem *(bad)*	værre	værst

Note: **de fleste** mennesker *most people*

b *Vowel change*

få	færre	færrest
lang	længere	længst
stor	større	størst
ung	yngre	yngst

A different irregularity occurs in **nær** (*near*), which has an **m** before the endings -ere and -est: nærmere, nærmest.

Exercises

1 Change the adjectives in these sentences to either the comparative or the superlative.

   a Jens er (høj) end Peter. (*comp.*)

   b Den gule taske er (billig) end den røde. (*comp.*)

   c Den brune taske er den (billig). (*superl.*)

   d Det (lille) barn går endnu ikke i skole. (*superl.*)

   e Mine forældre kender (mange) mennesker i København nu end for 10 år siden. (*comp.*)

   f Vil du have (meget) te? (*comp.*)

   g Lilly er (ung) end Marie. (*comp.*)

   h Hvad hedder deres (ung) datter? (*superl.*)

   i Der er 5 kilometer til det (nær) supermarked. (*superl.*)

2 Translate the English sentences in the following dialogue into Danish.

◄)) **CD2, TR 49**

   a *Preben and Louise cannot afford to travel to France this year.*

   – Hvorfor ikke?

   b *Preben's company has gone bankrupt.*

   – Det vidste jeg ikke. Vil det sige, at han har mistet sit arbejde?

   c *Yes, he is unemployed.*

   – Han fortalte mig engang, hvor meget han fik i løn. Han tjente en masse penge.

   d *Yes, it will be difficult for them to manage. Louise has a good job, but she does not earn as much money as Preben did. They may have to sell their house.*

   – Det bliver nok ikke nemt for ham at få et andet job.

   e *He is very depressed. If he finds a job abroad he will leave the country.*

3 Write a letter to a friend in Denmark. Talk about your family, your work and the progress you are making in Danish.

4 Translate this passage into Danish:
Preben's wife is a teacher. As a child she did not like going to school. Maybe that is the reason why she decided to become a teacher. Most of her pupils like her. Life in a Danish village may seem boring to someone who grew up in Copenhagen, but she is actually very fond of working in a small school. I hope that fate is kind to her and that her husband finds a job in the nearest town so that she won't have to leave the school.

5 Now answer the following questions:
a Hvordan har Alison det torsdag morgen?
b Hvorfor har Niels mistet sit job?
c Bliver det svært for Niels og Kirsten at klare sig?
d Hvorfor bliver det svært for Niels at få et andet job?

Comprehension

Presents for Hans and Lone

Fredag morgen står de tidligt op. Det fly, som George og Alison skal med, flyver fra Kastrup klokken 10, og de skal være ude i lufthavnen senest en time før. Mens de sidder og spiser morgenmad, går George ind og henter 2 pakker. Den ene giver han til Lone, der tager papiret forsigtigt af. Gaven er en kobbergryde med 25 røde roser.

George	Den kan også bruges til madlavning.
Lone	Tusind tak! Den er vi meget glade for. Den er så smuk, at det næsten er synd at bruge den i køkkenet. Den burde altid stå til pynt.
Hans	Tak skal I have!
George	Siden du måske ikke vil få så stor fornøjelse af gryden som Lone, har vi en gave til, som jeg synes, du skulle pakke op.

(Contd)

Hans	Mange tak! Det gør jeg gerne. Men dog! Ja, dem kan jeg godt finde ud af at bruge.
Lone	Må jeg se, hvad det er? Tre flasker champagne! Dem glæder jeg mig til at smage på.
Hans	Det ved jeg ikke, om du kan få lov til. Det er min gave.

QUICK VOCAB

pakke (-n, -r) *parcel*
papir (-et) *paper*
forsigtig *cautious, careful, gentle*
madlavning (-en) *cooking*
det er synd *it is a pity*
synd (-en, -er) *sin*
til pynt *for decoration*
pynt (-en) *ornament, trimming(s)*
siden *since*
Han vil få fornøjelse af gryden. *The pan will prove useful to him.*
fornøjelse (-n, -r) *pleasure;* here: (**nytte**) *use*
Men dog! *I say!*

True or false?

a On Friday morning they have to get up early because George and Alison have to be at the airport at 9 o'clock.

b The parcel that Hans opens contains 25 red roses.

Goodbye!

They arrive at Kastrup Airport a few minutes past nine. Lone and Hans don't stay long at the airport since they have to go to work.

Alison	Farvel! Tusind tak for denne gang! Det har været en dejlig ferie.
George	Ja, farvel og tak for alt! På gensyn til næste sommer!
Hans	Farvel og god rejse!
Lone	Farvel! Jeg håber ikke, at turen bliver for anstrengende for Alison.

gensyn (-et, -) *meeting (again), reunion*

A present for Alison

George and Alison check in their baggage. Before they go up into the departure lounge George gives Alison the present he bought for her at the jeweller's.

George	Jeg har en lille gave til dig! Jeg er godt klar over, at jeg ikke altid er lige nem at være gift med. Så gaven er min måde at sige undskyld på.
Alison	Det skal du slet ikke tænke på! Men det betyder ikke, at jeg ikke sætter stor pris på gaven. Tak, skat!

Jeg er ikke altid lige nem at være gift med. *It isn't always easy to be married to me.*
lige nem *equally easy*
Det skal du ikke tænke på! *Don't worry about that!*
sætte pris på (satte, sat) *appreciate, value*

Test yourself

Translate into Danish:

1 For the first time since last Friday Alison is hungry and would like a piece of rye bread with a slice of cheese.
2 Because competition intensified in the electronics industry, prices began to fall.
3 Before we can give you a price we need more information.
4 You must drink more water and less wine.
5 Most people were wrong when they thought the next government would not be a coalition government.
6 For many years Niels hasn't taken any exercise, and he has eaten and drunk too much.

7 But he has an iron constitution, and he will now start running every day.
8 At the end of the letter to her mother she wrote: love from Marie.
9 George finished the business letter with the words: Yours sincerely, George Wilson.
10 Niels will not be able to get another job because he is too old and too expensive to employ.

Strong and irregular verbs

In the list below you will find all the strong and irregular verbs that have appeared in the dialogues and other texts. Some of these verbs are prefixed verbs, such as **indse (ind-se)**, **tilbringe (til-bringe)**. There are also a few compound verbs, such as **istandsætte (i-stand-sætte:** Lit. put in order). These prefixed and compound verbs are included in the list.

There are three columns, showing the infinitive, the past tense and the past participle of the verbs. If the present tense is irregular it appears in brackets immediately after the infinitive, as in **vide [ved]**. Most of the prefixed and compound verbs are entered with a reference to the basic verb.

Infinitive	Past tense	Past participle
afbryde (cf. bryde)		
afgå (cf. gå)		
afhænge	afhang	afhængt
ankomme (cf. komme)		
ansætte (cf. sætte)		
bede	bad	bedt
befinde (cf. finde)		
beskrive (cf. skrive)		
bestå (cf. stå)		
betyde	betød	betydet
blive	blev	blevet
bringe	bragte	bragt
bryde	brød	brudt
burde [bør]	burde	burdet
byde	bød	budt6.1
drikke	drak	drukket
dø	døde	(er) død (*adjective*)
efterlade (cf. lade)		

(Contd)

falde	faldt	faldet
fare	farede/for	faret
finde	fandt	fundet
findes	fandtes	(har) fandtes
flyve	fløj	fløjet
foreslå (cf. slå)		
forlade (cf. lade)		
forstå (cf. stå)		
forsvinde	forsvandt	forsvundet
fortsætte (cf. sætte)		
fortælle (cf. tælle)		
fryse	frøs	frosset
fyge	fygede/føg	fyget/føget
følge	fulgte	fulgt
få	fik	fået
give	gav	givet
grundlægge (cf. lægge)		
gøre [gør]	gjorde	gjort
gå	gik	gået
have [har]	havde	haft
hedde	hed	heddet
hjælpe	hjalp	hjulpet
holde	holdt	holdt
indse (cf. se)		
indtage (cf. tage)		
istandsætte (cf. sætte)		
knibe	kneb	knebet
komme	kom	kommet
kunne [kan]	kunne	kunnet
lade	lod	ladet/ladt
		(*prefixed verbs only* – ladt)
ligge	lå	ligget
lyde	lød	lydt
lægge	lagde	lagt
løbe	løb	løbet
måtte [må]	måtte	måttet

Infinitive	Past tense	Past participle
nyde	nød	nydt
omgive (cf. give)		
overdrive	overdrev	overdrevet
rive	rev	revet
se	så	set
sidde	sad	siddet
sige	sagde	sagt
skrive	skrev	skrevet
skulle [skal]	skulle	skullet
skære	skar	skåret
slå	slog	slået
slås	sloges	(har) sloges
sove	sov	sovet
springe	sprang	sprunget
spørge	spurgte	spurgt
stjæle	stjal	stjålet
stå	stod	stået
synge	sang	sunget
sælge	solgte	solgt
sætte	satte	sat
tage	tog	taget
tilbringe (cf. bringe)		
tilbyde (cf. byde)		
turde [tør]	turde	turdet
tælle	talte	talt
udsætte (cf. sætte)		
undgå (cf. gå)		
vide [ved]	vidste	vidst
ville [vil]	ville	villet
vælge	valgte	valgt
være [er]	var	været
ødelægge (cf. lægge)		

Key to the exercises

Unit 1
Dialogues **a** F, **b** T, **c** F.

Exercises **1 a** Hans' nabo hedder Kirsten. **b** Hans' ven fra England hedder George. **c** Kirstens mor hedder Marie Sørensen. **d** Jeg hedder (...). **2 a** Kommer Alison på fredag? **b** Bor Marie Sørensen i Herning? **c** Kører George med toget fra Esbjerg til København? **d** Er det en interessant rejse? **3 a** Kommer de i dag? **b** Hun flyver herover. **c** Den er lang. **d** Det kører til København. **e** De bor i Holte. **4 a** Jeg hedder (...). **b** Nej, jeg kommer fra England. **c** Ja/nej, jeg bor i (...). **5 a** Hvad hedder du? **b** Kommer du fra København? **c** Bor din datter også i Esbjerg? **6 a** Hej John! Velkommen til Danmark! **b** Hej Mads! Tak! **c** Jeg synes, det er en interessant rejse. **d** Hvad hedder din mor? **e** Hun hedder Edith Olesen. **f** Hun skal bo hos os i en uge. **g** Undskyld, er du/De Viggo Nielsen? **h** Nej, jeg hedder Per Hansen. **i** Undskyld!

Comprehension Travelling to England **a** T, **b** F, **c** F. København **a** F, **b** T, **c** F.

Test yourself 1 Vi bor i London. **2** De kommer i dag. **3** Hvad hedder din mor? **4** George skal bo hos os. **5** Han rejser med toget/tog) til København. **6** Hun synes, det er en interessant rejse. **7** De flyver til Danmark på tirsdag. **8** Bor I i England? **9** Undskyld, er du/De) Kirstens mor? **10** Skal han være i Manchester i en uge?

Unit 2
Dialogues **a** T, **b** T, **c** F, **d** F, **e** T.

Exercises **1 a** naboen, **b** turisten, **c** slottet, **d** dronningen, **e** ugen, **f** koppen. **2 a** Det er ikke en lang rejse. **b** Alison flyver ikke til København. **c** Hun hedder ikke Marie Sørensen. **d** De spiser ikke æblekage. **e** Han kan ikke spise mere. **f** Hun skal ikke bo hos os. **g** Vi skal ikke køre nu. **3 a** Jeg vil gerne flyve på fredag. **b** Jeg vil

gerne bo hos dem. **c** Jeg vil gerne rejse til England. **d** Jeg vil gerne
have en kop kaffe. **4 a** De spiser den. **b** Jeg skal køre med dem. **c** De
holder meget af ham. **d** Vi siger 'du' til hende. **5 a** Ja, George er lidt
træt. **b** Han trænger til en gin og tonic. **c** De skal have klar suppe,
flæskesteg med rødkål og æblekage. **d** Ja, George holder meget af
dansk mad. **e** Ja, de drikker rødvin til maden. **6 b, a, d, c, f, e.**

Comprehension a T, **b** F, **c** F, **d** T.

Test yourself 1 George vil gerne have et glas vin. **2** Han vil gerne
flyve på tirsdag. **3** Du trænger til en kop kaffe. **4** Jeg synes, maden
smager godt. **5** De har fem flasker vin. **6** Synes du, rejsen er
interessant? **7** Dronningen spiser ikke suppen. **8** I rejser til London
med toget. **9** Kan vi bo hos jer? **10** Jeg vil ikke køre med dem.

Unit 3
Dialogues a F, **b** F, **c** T.

Exercises 1 a buketten, buketter, buketterne; **b** bordet, borde,
bordene; **c** dronningen, dronninger, dronningerne; **d** toget, tog,
togene; **e** slottet, slotte, slottene; **f** naboen, naboer, naboerne;
g familien, familier, familierne; **h** båden, både, bådene. **2 a** Jeg vil
gerne have en flaske rødvin. **b** Det er lidt for dyrt, synes jeg. **c** Ja,
det er billigt. Den vil jeg gerne have. **3 a** dyre buketter **b** danske
familier **c** små parker **d** trætte ekspeditricer **e** hyggelige slotte
f stærke vine **g** lange rejser. **4 a** I mellemtiden dækker jeg bord.
b Til dessert spiser vi chokoladeis. **c** I dag kommer George.
d På mandag skal jeg flyve til London. **e** Nu skal vi spise. **f** Om et
kvarter kører jeg til Holte. **5 a** Min, **b** Hans, **c** Vores, **d** Deres,
e Hendes, **f** hans, **g** sin, **h** jeres, **i** dine, **j** sine. **6 a** Jeg vil gerne have
fire roser. **b** Jeg vil gerne have tre stykker wienerbrød. **c** Jeg vil
gerne have fem tulipaner. **d** Jeg vil gerne have to flasker rødvin.
7 a Ja, George har sovet som en sten. **b** Nej, George går hen til
bageren efter morgenbrød. **c** Nej, roserne er dyre. **d** Nej, det regner.

Comprehension a F, **b** T, **c** T, **d** F.

Test yourself 1 Hvordan er vejret i dag? **2** Det blæser, og det
regner. **3** Jeg ved, hvor butikken ligger. **4** Hvad koster roserne?

5 Blomsterne er dyre. **6** Jeg vil gerne have en billig buket. **7** Hendes mor rejser til København. **8** Kirsten skal bo hos sine venner i Jylland. **9** På fredag flyver Alison til Danmark. **10** Hvis solen skinner i morgen, kan vi gå en tur.

Unit 4
Dialogues **a** F, **b** T, **c** F, **d** T.

Exercises **1 a** buketten er billig; **b** toget er rødt; **c** passageren er træt; **d** flasken er lille; **e** turisten er venlig; **f** desserten er god; **g** slottet er dyrt. **2 a** mine, **b** sin, **c** hendes, **d** jeres, **e** deres, **f** dine, **g** Hans. **3 a** ti minutter over ti; **b** halv et; **c** kvart i otte; **d** fem minutter over halv elleve; **e** fire minutter i halv fire; **f** to minutter i to. **4 a** Toget er forsinket. Det ankommer klokken 1 (et). **b** Englænderen afgår (kører) 12.30 (tolv tredive). Man skal have pladsbillet. **c** En enkeltbillet eller en returbillet? **d** Det bliver 438,00 (fire hundrede otteogtredive) kroner. **5 a** boede, **b** dækkede, **c** ringede, **d** regnede, **e** klarede, **f** varede, **g** kostede, **h** lavede. **6 a** blæste, **b** kørte, **c** købte, **d** smagte, **e** spiste, **f** trængte, **g** talte, **h** rejste. **7 a** Alison og George skal rejse til Århus på mandag. **b** George køber enkeltbilletter. **c** Der afgår intercitytog fra København hver time. **d** Flyveturen varer ca. 2 timer. **e** Nej, Alison ankommer ikke med flyet klokken 2. Toget ned til London var forsinket.

Comprehension Travelling by train **a** F, **b** T, **c** F. At the airport **a** F, **b** F, **c** T.

Test yourself 1 Hvad er klokken? **2** Den er halv et. **3** Hun rejste med toget til lufthavnen. **4** Hvornår ringede hun? **5** Hvad sagde hendes nabo? **6** Når vejret var fint, gik vi en tur. **7** Hvor længe varede flyveturen? **8** Undskyld, kan du sige mig, hvor de bor? **9** Jeg er ked af, din rejse var så besværlig. **10** Næste gang rejser vi sammen.

Unit 5
Dialogues **a** T, **b** F, **c** F, **d** T.

Exercises **1 a** vennen er fornuftig; **b** toget er langt; **c** dronningen er smuk; **d** blomsterne er dyre; **e** bagerne er venlige; **f** slottet er gammelt;

g passageren er sulten. **2 a** A single room costs 600.00 DKr. a night.
b No, breakfast is not included in the price. It costs 60.00 DKr.
c It takes half an hour to drive from the hotel to the beach. **3 a** den
hyggelige restaurant; **b** den sultne englænder; **c** den dyre vin; **d** det blå
hus; **e** det gamle, gule hus; **f** det store bål. **4 a** Jeg vil gerne besøge et
museum. **b** Jeg synes ikke, vi skal spise på en restaurant. Det er for
dyrt. **c** Hvis maden er god og billig, vil jeg gerne spise der. **5 a** Vi
rejste til England med vores datter. **b** De ringer til os hver dag. **c** Vi
skal nok køre jer op til Gilleleje. **d** De vil gerne købe jeres hus. **e** Vores
blomster var ikke dyre. **f** Deres fly er forsinket. **g** Kan I køre dem ud
i lufthavnen? **6 a** De kommer nok i morgen. **b** Jeg skal bare dække
bord. **c** Han har ikke tændt bålet. **d** Jeg ringer altid til min mor midt
på dagen. **e** Det begynder snart at blive mørkt. **f** Solen skinner ikke.
g Det har ikke regnet hele dagen. **h** Jeg kan ikke få billetter til
forestillingen. **7 a** Ja, Hans synes, det er en god idé at køre op til
Louisiana. **b** Ja, de kører op til Helsingør i stedet. Lone kan få
billetter til forestillingen på Kronborg Slot. **c** Nej, det ligger lidt uden
for Gilleleje. **d** De kører over til et gammelt, gult hus. Det er ikke Lars
og Malenes hus, men ejeren ved, hvor deres hus ligger.

Comprehension a F, **b** F, **c** T.

Test yourself 1 Vores venner holder en fest. **2** I morges spiste vi
morgenmad klokken halv syv. **3** Jeg tror, jeg ved, hvor slottet
ligger. **4** Hun glemte de røde blomster. **5** Den gamle mand bor i det
lille, gule hus. **6** Hvad har I lyst til at lave i dag? **7** Jeg håber, jeg
kan få billetter til forestillingen. **8** Jeg tænker på det blå hav og den
blå himmel. **9** Det begynder at blive mørkt. **10** Vi kommer ned til
stranden om ti minutter.

Unit 6
Dialogues **a** T, **b** F, **c** F, **d** T.

Exercises **1 a** har besøgt; **b** har dækket; **c** har regnet; **d** har glemt;
e har købt; **f** har drukket; **g** har fundet; **h** er ankommet; **i** har
været; **j** har sagt. **2 a** begyndte, **b** inviterede, **c** boede, **d** rejste, **e** fik,
f fortalte, **g** blev, **h** var. **3 a** Lars og Malene har et sommerhus, der/
som ligger i Gilleleje. **b** Vi går ned til bålet, som Lars har tændt.
c De har drukket den dyre flaske vin, som George gav dem.

d Hans spiser lidt mere af æblekagen, som Lone har lavet.
e Vi rejser over til København, der/som er Danmarks hovedstad.
4 a synes, **b** tror, **c** tænker, **d** synes, **e** tror, **f** synes, **g** tror, **h** synes.
5 Hvad er klokken? Den er halv syv. Forestillingen begynder
klokken otte. Jeg må være i Gilleleje fem minutter i halv otte. Jeg
kører kvart i syv. Min datter skal være i lufthavnen fem minutter
over halv syv i morgen. **6 a** Ja, du skal gå hen ad Torvegade til
Middelgade. Der skal du gå til højre. Der ligger en blomsterhandler
på hjørnet af Middelgade og Storegade over for en damefrisør.
b Ja, du skal gå hen ad Storegade til første gade på venstre hånd.
Den hedder Borgergade. Der skal du gå til venstre. Når du kommer
til Torvegade, skal du gå til højre. Hansens Hotel ligger på hjørnet
af Torvegade og Middelgade over for en kiosk. **7 a** tolv røde roser;
b tyve gule tulipaner; **c** femogtredive engelske turister; **d** firs små
huse; **e** tooghalvtreds gamle tog; **f** nioghalvfjerds sultne passagerer;
g syvogtres billige restauranter; **h** nioghalvfems fornuftige mænd.

Comprehension Looking for the hotel **a** F, **b** F. In the evening **a** T,
b F, **c** T.

Test yourself 1 Hendes mand har lejet en bil. **2** Jeg har tilbragt
mange år i England. **3** Børnene er blevet store. **4** Hun har aldrig
fortalt ham om bilen, som hun lejede, da hun boede hos sin mor.
5 Georges kone satte sig på den forkerte plads. **6** Da han boede
i Danmark, arbejdede han i en forretning. **7** Jeg giver hende
billetterne, når hun kommer i morgen. **8** Forestillingen er begyndt.
9 Vi kører til biografen, der ligger over for banegården. **10** Når I
har kørt en kilometer, skal I dreje til højre.

Unit 7
Dialogues **a** F, **b** F, **c** F.

Exercises 1 a Det betyder ikke, at chokoladen er dyrere end andre
slags chokolade. **b** Jeg kunne ikke tale dansk, da jeg kom til
Danmark. **c** Jeg kan ikke lide at tale med mennesker, jeg møder i
toget. **d** Vi rejser ikke med toget, når vi skal til København.
e Kaffen var ikke færdig, da jeg kom tilbage. **f** Jeg synes ikke, vi skal
besøge Louisiana i dag. **2 a** Han kender ikke Tivoli, fordi han aldrig
har været i København. **b** Jeg håber, det snart klarer op. **c** Han siger,

at de måske kommer på mandag. **d** Fordi det altid regner, kører vi
aldrig op til Gilleleje. **e** Hvis solen ikke skinner i eftermiddag, kan vi
gå i biografen. **3 a** afgår, **b** ankommer, **c** besøger, **d** giver, **e** gør,
f kan, **g** finder, **h** ligger, **i** er, **j** trænger, **k** har, **l** sælger, **m** laver.
4 a Hun vasker sig og klæder sig på. **b** Skynd dig, George! **c** Vi skal
skynde os. **d** Jeg vaskede mig og klædte mig på. **e** De har sat sig
ned. **f** George barberede sig. **g** Skyndte I jer? **5** Jeg vil gerne byde jer
velkommen til dette forretningsmøde. Jeg håber, at I alle sammen
har fået en kop kaffe. Jeg vil gerne sige et par ord om kaffen, der
er en særlig fin kaffe. Den er selvfølgelig dyrere end de fleste andre
slags kaffe, men der er stor efterspørgsel efter vores kaffe i England,
og jeg ved, at danskerne også holder af stærk kaffe. Jeg kan tilbyde
jer favorable priser. **6 a** Vækkeuret ringer klokken 7. **b** Nej, Alison
skynder sig ud på badeværelset. **c** Ja, George er meget sulten.
d George og Alisons chokolade er dyrere end de fleste andre slags
chokolade, fordi den er lavet af de fineste ingredienser. **e** Der er nu
stor efterspørgsel efter luksusvarer, fordi folk er begyndt at interessere
sig mere for kvalitet end for billige priser.

Comprehension George chats to Poul **a** T, **b** F, **c** F. Alison talks to
Gitte **a** F, **b** T, **c** T.

Test yourself 1 Da vækkeuret ringede, stod Alison op. **2** Hun
vaskede sig og klædte sig på. **3** George er meget sulten. **4** Hvis
kunderne køber 100 æsker, kan George tilbyde dem særlig favorable
priser. **5** Begge forældre lærte dansk i løbet af det år, de tilbragte i
Danmark. **6** Både Anna og Maria har set forestillingen. **7** Hvis han
ikke har lyst til at køre ud til skoven, bliver vi hjemme. **8** Jeg vil
ikke arbejde hele tiden. **9** Hun vil gerne købe et af husene for enden
af denne gade. **10** Jeg fik at vide, at hun kender min mor. Men jeg
ved ikke, om hun har mødt min far.

Unit 8
Dialogues **a** T, **b** T, **c** F, **d** F.

Exercises **1 a** dyrere; **b** hyggeligere; **c** mere sulten; **d** stærkere;
e større; **f** ældre; **g** mere; **h** flere. **2 a** Goddag. Mit navn er
Peter Smith. Jeg vil gerne bestille et værelse. **b** Fra i morgen indtil
den elvte. **c** Jeg kommer på fredag i stedet og bliver indtil den

elvte. Hvad koster et enkeltværelse? **d** Er det med morgenmad?
3 a vigtige; **b** nemme; **c** forsinkede; **d** sultne; **e** blå. **4 a** en hyggelig
kro; **b** et dansk hotel; **c** et forsinket tog; **d** et lille badeværelse;
e en lækker dessert. **5 a** Yes, there are a few tickets left. **b** The
cheapest tickets cost 90.00 DKr. (plus booking charge). **c** No, all
the tickets have been sold up to and including 16 November. **d** The
performance begins at 5p.m. on Saturdays. **e** Not yet. The advance
booking is for the next two weeks only. **6 a** George vil ikke bo på
det samme hotel, fordi han synes, værelserne er for dyre. **b** Det
koster et bestemt beløb pr. dag plus forsikringen. Beløbet afhænger
af bilens størrelse. **c** Alison har lyst til at gå i biografen. **d** Filmen
hedder 'Italiensk for begyndere'. **e** Nej, der er udsolgt til filmen
klokken 21.

Comprehension A telephone conversation **a** F, **b** T. Late Tuesday
evening **a** T, **b** F.

Test yourself 1 Du er så stille. Hvad er der i vejen? **2** Han købte de
billigste billetter. **3** Min datter spiste mere is end min kone. **4** Der
er flere slotte her end i Danmarks hovedstad. **5** Nogle mennesker
synes, det er lettere/nemmere at gå end at køre til hovedstadens
centrum. **6** Har De/I et ledigt enkeltværelse i næste uge? **7** Jeg
kommer nok i morgen. Så kan vi tale om det. **8** Når vi er i
England, er du så anderledes. **9** Den udmærkede chokolade, som
jeg smagte i går, er meget dyr. **10** Hvis der er nogen æbler tilbage,
kan du bringe mig nogle?

Unit 9
Texts and dialogues **a** F, **b** F, **c** T, **d** T.

Exercises **1 a** inde; **b** ned; **c** hen; **d** derovre; **e** hjemme; **f** ud; **g** ude.
2 a Når han taler dansk, føler han sig som dansker. **b** Fordi roserne
var så dyre, købte hun tulipanerne. **c** Når vi skal til København,
rejser vi som regel med toget. **d** Da toget ankom til Århus, var de
meget trætte. **e** Hvis det holder op med at regne, kan vi køre ud
til stranden i eftermiddag. **3 a** Jeg vil gerne have et pund tomater.
b Jeg vil gerne have tre løg. **c** Jeg vil gerne have seks gulerødder.
d Jeg vil gerne have tre pund jordbær. **e** Jeg vil gerne have tre kilo

kartofler. **f** Jeg vil gerne have fem porrer. **g** Jeg vil gerne have to
agurker. **4 a** vokser, **b** dyrker, **c** vokser, **d** vokset. **5 a** Han skal
rejse til London på fredag. **b** Han vil gerne rejse til London på
fredag. **c** Han kan rejse til London på fredag. **d** De må ikke købe
et hus i Århus. **e** De vil gerne købe et hus i Århus. **f** De kan købe
et hus i Århus. **g** De vil købe et hus i Århus. **h** Vi skal besøge dem i
deres sommerhus i Gilleleje. **i** Vi må besøge dem i deres sommerhus
i Gilleleje. **j** Vi vil besøge dem i deres sommerhus i Gilleleje. **k** Vi
må ikke besøge dem i deres sommerhus i Gilleleje. **6 a** noget,
b nogen, **c** nogle, **d** noget, **e** nogle, **f** nogen. **7 a** Nej, jeg bor i en
by. Jeg har en lejlighed inde midt i byen. **b** Nej, jeg boede ude på
landet i mange år. Mine forældre havde en gård. Men for to år
siden solgte de gården. **c** Ja, jeg kan lide at bo der. Min lejlighed er
lille, men ny. Mine forældres gård var meget gammel.

Comprehension En molbohistorie **a** T, **b** F. Talking about the past
a T, **b** F.

Test yourself 1 Da George bestemte/besluttede at holde op med at
undervise, købte han og Alison den forsømte gård. **2** Alison dyrker
grønsager, bær og frugt. **3** Fordi jorden ikke er særlig god herude,
vokser grønsagerne langsomt. **4** Vi kørte ud til halvøen, hvor vi så
mange levn fra fortiden. **5** Jeg ved ikke, om han har set gravhøjene.
6 Hvis du/I ikke har lyst til at gå i vandet, kan vi spise frokost nu.
7 Lejligheden i Århus er ikke ret stor: en stue, to soveværelser, et
køkken og et badeværelse. **8** Det kniber med pladsen. **9** Molboerne
bestemte/besluttede at skjule/gemme deres kirkeklokke, fordi de var
bange for, at fjenden skulle stjæle den. **10** Hvis det holder op med
at regne, kan vi sidde i haven.

Unit 10
Texts and dialogues **a** T, **b** T, **c** F, **d** T, **e** F.

Exercises **1 a** har glemt; **b** er kørt; **c** har bestilt; **d** har lejet; **e** har
besluttet; **f** er landet; **g** er lykkedes; **h** har fortalt; **i** har dyrket; **j** er
begyndt. **2 a** Han er meget høj, ca. 1,90m (en meter og halvfems).
Han har kort, mørkt hår og blå øjne. **b** Sorte bukser og en grøn
jakke. **c** Nej, han så slet ikke glad ud. Han så meget træt ud.

d Det ved jeg ikke. **3 a** Hvis han ikke kan komme i morgen, vil vi køre op til Helsingør. **b** Hvis du ikke tager en cardigan med, kommer du til at fryse. **c** Hvis I aldrig har været i København, må I rejse derover i år. **d** Hvis du kun har købt en liter mælk, må vi købe noget mere. **e** Hvis du ikke kan leje en bil, skal vi nok hente dig. **4 a** Han bor nord for København. **b** Vi rejste sydpå. **c** De kom østfra. **d** John er englænder. **e** Viggo er dansker. **f** Erik Møller er bager. **g** Jeg har ingen/ikke nogen penge, så jeg kan ikke gå i biografen. **h** Jeg ved ikke, om hans mor har set sit barnebarn. **i** Hvis flyet er forsinket, kan vi besøge min tante på vej til lufthavnen. **5 a** Lise er Mettes moster/tante. **b** Malene er Åses barnebarn. **c** Mette er Elses datter. **d** Birte er Jørgens svigermor. **e** Christian er Mikaels morbror/onkel. **f** Malene er Jørgens niece. **6 a** København ligger ved Øresund på Sjælland. **b** Alison låner et par lange bukser, en cardigan og en regnfrakke. **c** Alison har lyst til en kop kaffe. **d** Mikaels mor har langt, mørkt hår og brune øjne. Hun er lidt under middelhøjde og tynd. Hun er sytten eller måske atten år gammel. **e** De kan ikke finde Mikaels mor, fordi der er så mange mennesker på færgen. **f** Det ved vi ikke. Måske kan hun ikke klare at passe sit barn og gemmer sig på færgen.

Comprehension What does she look like? **a** T, **b** F. What does he look like? **a** F, **b** T.

Test yourself 1 Hvordan ser hun ud? **2** De ser gamle ud. **3** Det lykkedes dem at købe et nyt hus. **4** Jeg har brug for mere tøj. Jeg har kun to hvide bluser og et par mørkegrå bukser. **5** En fjerdedel af indbyggerne bor i hovedstaden. **6** Hun rystede på hovedet, da hendes svoger spurgte, om han kunne låne deres bil. **7** Vi ved ikke, hvorfor de ikke kan finde Mikaels mor. **8** De andre æsker er i det andet værelse. **9** Man vil gerne hjælpe sine venner. **10** Jeg har ikke noget imod at gå en tur i regnvejret.

Unit 11
Dialogues **a** T, **b** F, **c** F, **d** F.

Exercises **1 a** den syvende oktober, seksten hundrede (og) enogfyrre; **b** den enogtredivte december, atten hundrede (og)

treoghalvtreds; **c** den første februar, nitten hundrede (og) niogtres;
d den femte juni, nitten hundrede (og) tretten; **e** den seksogtyvende
maj, sytten hundrede (og) seksten; **f** den elvte marts, femten
hundrede (og) otteoghalvfjerds. **2 a** følte, besvimede; **b** ankom;
c gik; **d** lå, sov; **e** vågnede, skyndte; **f** ringede; **g** vidste, var; **h** sagde,
havde. **3 a** gammel/ung; **b** tynd/tyk; **c** dyr/billig; **d** mindre/større;
e indvendig/udvendig **f** sur/glad; **g** lang/kort; **h** sidst/først; **i** stor/
lille. **4 a** forsinkede tog; **b** nemme rejser; **c** beboede øer; **d** grønne
skove; **e** fornuftige fætre; **f** gæstfri(e) damer; **g** stakkels børn;
h gamle mænd; **i** sultne døtre; **j** udmærkede forestillinger. **5 a** Det
er min fødselsdag den femtende april. **b** Ja, det er min fødselsdag
i dag. **c** Hvis man/du fortæller folk, at det er ens/din fødselsdag,
lyder det, som om man/du beder om en gave. **d** Jeg vil ikke fejre
min fødselsdag. Jeg kan ikke lide fødselsdage. De minder mig om,
at tiden flyver af sted. Jeg er bange for at blive gammel.

Comprehension **a** T, **b** F.

Test yourself 1 Det er hans fødselsdag den enogtyvende juni.
2 Den sjette juli, atten hundrede (og) syv og halvtreds. **3** Jeg må
hellere melde sagen til politiet. **4** Efter fem dage i Århus kørte
George og Alison ud til Mols, hvor de boede hos deres gæstfri(e)
venner. **5** Det stakkels barn satte sig på gulvet for to timer siden
og sidder stadig der/sidder der endnu. **6** Hun lagde sig på sengen,
fordi hun følte sig svimmel. **7** Til sommer har jeg bestemt at gå på
sprogkursus. **8** I går vågnede han, før vækkeuret ringede. **9** Hans
kunne ikke koncentrere sig om bøgerne. Derfor afbrød han studiet.
10 Jeg kan huske, at vi allesammen kom godt ud af det med
hinanden.

Unit 12
Texts and dialogues **a** F, **b** F, **c** T.

Exercises **1 a** Den unge kvinde, der/som sidder over for Alison,
spørger hende, om hun kan passe den lille dreng. **b** Den lille
dreng, hvis mor er gået på toilettet, falder i søvn. **c** Drengens mor
kommer ikke tilbage, hvad der får Alison til at tro, at hun ikke
er interesseret i sit barn. **d** George kommer ind i cafeteriet og ser

barnet, som Alison passer. **e** Den unge mor efterlod kun en baby
og en barnevogn, hvad de synes er meget mærkeligt. **2 a** Jørgen
og Gitte Juhl har fem børn. **b** De har tre døtre. **c** Den yngste pige
hedder Lise. **d** Den ældste pige læser medicin på universitetet i
København. **e** Poul er sytten år. **f** Viggo vil være politibetjent.
3 a billigere; **b** kønnere; **c** mindre; **d** ældre; **e** yngre; **f** længere;
g flere; **h** færre, **i** mere. **4 a** George ved ikke, hvornår Alison
kommer hjem. **b** Han kender ikke Alisons venner fra sprogskolen.
c Lone kan mange sprog. **d** De fik at vide, at flyet ville ankomme
klokken 6. **e** Jeg vidste ikke, at de var flyttet ud på landet. **f** Jette vil
gerne lære Alison nærmere at kende. **g** George har kendt Hans og
Lone i mange år. **5 a** Eleverne på begynderholdet lærer udtalen og
grammatikken, og de lærer at stave ordene. I timerne skal de også
tale dansk. **b** Eleverne på Alisons hold diskuterer danske noveller.
c Legen går ud på, at de alle er utilfredse med deres tilværelse, fordi
de ikke kan lide deres arbejde. For alles vedkommende findes der
en ideel stilling, som en af de andre har. De skal stille spørgsmål
til hinanden for at finde ud af, hvem de skal bytte stilling med.
d Alisons historie handler om en mand, der bor i en storby. Han
kan ikke tåle forureningen, og larmen går ham på nerverne.
Han lægger penge til side, så han kan købe et hus ude på landet.
Omsider får han sparet penge nok sammen og flytter langt ud på
landet. Han flytter imidlertid ikke væk fra larmen, for man bygger
en motorvej for enden af hans have.

Comprehension Alison phones George **a** T, **b** F. George phones
Marianne **a** T, **b** F.

Test yourself 1 Han kunne ikke svare på spørgsmålet, som
nordmanden stillede. **2** Drengen var færdig med romanen, hvad
der gjorde hans mor glad. **3** Da manden havde sparet penge nok
sammen, flyttede han ud på landet. **4** Mange af eleverne kan ikke
dansk. Jeg ved ikke hvor mange. **5** Svenskerne skal bo hos os i en
uge. **6** Denne kvinde levede for mange år siden. **7** Jeg sad og så
fjernsyn, da jeg hørte en irriterende larm. **8** Min nabo er yngre end
sin italienske kone. **9** Vi har travlt med at male vores hus. **10** Fordi
jeg ikke kunne huske ordene, sagde jeg det forkerte.

Unit 13
Dialogues and texts **a** T, **b** F, **c** T.

Exercises **1 a** Jeg ved ikke, om mine forældre kan komme på søndag. **b** Hvis de kommer, kan du fortælle dem om din tur til London. **c** Jeg spurgte hende, om hun ville låne en cardigan. **d** Hvis han ikke kan hjælpe mig, vil jeg spørge min fætter, om han kan låne mig pengene. **e** Hvis barn passer du? **f** Hvis du har lyst, kan vi gå i biografen i aften. **g** En af mine venner, hvis forældre er på ferie, holder en fest på lørdag. **2 a** Da de kom til Østerport Station, stod Marianne og ventede på dem. **b** 'Hvornår tog I hjemmefra?', spurgte hun. **c** Når Peter og Jette kommer til København på torsdag, skal de alle ud og spise på en restaurant. **d** Når vi besøgte dem, fik vi altid en kop kaffe klokken 11 om formiddagen. **e** Da George kom til Danmark, kunne han ikke tale dansk ret godt. **f** Når George taler dansk, føler han sig som dansker. **g** Hvornår ankommer toget? **3 a** I må gerne gå en tur i skoven. **b** Du skal køre din søster til færgen. **c** Jeg bør hjælpe dem med at flytte. **d** Han tør godt gå hen på politistationen med pengene. **e** De kan godt komme på torsdag. **f** Du må komme og hjælpe os. **4 a** De gifter sig til sommer. **b** Du bevæger dig ikke nok. **c** Han følte sig dårligt tilpas. **d** Vi hygger os altid, når de kommer på besøg. **e** Jeg satte mig ud i køkkenet. **f** I kan lægge jer på græsplænen og nyde det gode vejr. **5 a** George og Alison vil holde en uges ferie, fordi de får meget travlt, når de kommer hjem. **b** Jette og Peter kommer til København på torsdag. **c** Deres tur begynder på Langelinie, hvor de skal se Den Lille Havfrue. **d** Den kongelige familie bor på Amalienborg Slot. **e** Strøget går fra Kongens Nytorv til Rådhuspladsen. **f** Nej, Alison tør ikke gå op ad den udvendige trappe til toppen af kirketårnet.

Comprehension Marianne's childhood **a** T, **b** F. A cold experience **a** T, **b** F.

Test yourself 1 De gik op ad trappen til toppen af kirketårnet. **2** Hun så ham løbe ind i haven. **3** Jeg har på fornemmelsen, at der er noget galt. **4** Købmanden fandt sine børn legende på stranden.

5 Byen voksede i størrelse og betydning. **6** Danmark har været et kongerige i mere en et tusind år. **7** I det syttende århundrede/i 1600-tallet byggede Christian den Fjerde mange slotte. **8** Må jeg få et glas mælk? **9** De tør ikke gå gennem den mørke skov. **10** Min onkel er død. Han døde for tre måneder siden.

Unit 14
Dialogues **a** T, **b** T, **c** F, **d** F.

Exercises **1 a** Mette og Ole har tre børn. **b** Ole bryder sig ikke om kød, men kan godt spise en kylling. **c** Ja, Anders kan godt lide kød, men han bryder sig ikke om fisk. **d** Nej, Malene er ikke vegetar, men hun holder mere af grønsager end af kød. **e** Nej, når hun steger en kylling, laver hun kun en ret. **f** Ole laver mad om søndagen. Han varmer bare en pizza i ovnen. **2 a** Nej tak, jeg vil hellere have et smykke. **b** Nej tak, jeg vil hellere have et fjernsyn. **c** Nej tak, jeg vil hellere låne din bil. **d** Jeg vil helst have en pære. **e** Vil du låne en paraply eller en regnfrakke? **f** Jeg vil helst låne en paraply. **g** Vil du have en gaffel eller en kniv? **h** Jeg vil helst have en kniv. **i** Vil du låne en bil eller cykel? **j** Jeg vil helst låne en cykel. **k** Vil du have et fjernsyn eller en radio? **l** Jeg vil helst have en radio. **3 a** sad, frøs; **b** lykkedes; **c** brød; **d** bad; **e** glædede; **f** holdt; **g** rev; **h** afbrød; **i** løb; **j** betød; **k** skar. **4 a** de ledige stole; **b** det bakkede terræn; **c** spørgsmålene er lette; **d** et gult hus; **e** deres stakkels forældre; **f** den lækre mad; **g** et fransk hotel; **h** det tosprogede barn; **i** hans blå bukser; **j** hendes egen cardigan. **5 a** Vi vil gerne se et spisekort. **b** Hvad har du lyst til at spise? **c** Det er en god idé. Vi kan få tomatsuppe eller champignonsuppe. **d** Jeg vil hellere have champignonsuppe. **e** Der er flere forskellige slags på spisekortet. Vi kan spørge, om de er friske. **f** Jeg vil gerne have en halv kylling med nye kartofler og agurkesalat. **g** Hvis vi stadigvæk er sultne, når vi har spist disse to retter, kan vi få hindbær med fløde. **6 a** Alison glæder sig til at komme hjem igen, fordi hun savner sin have. **b** Marianne vil ikke have en halv hummer, fordi hun er vegetar. Hun spiser hverken kød eller fisk. **c** Til dessert bestiller George hjemmelavet is med friskplukkede hindbær. **d** De drikker hvidvin til forretten og rødvin til hovedretten. **e** Hans har Marianne til bords. **f** George og Jette snakker om livet i Danmark i dag og om de forandringer, der har fundet sted i løbet af de sidste 25 år. Og de snakker om sig selv.

Comprehension George makes a speech **a** T, **b** F. George and Jette **a** T, **b** T.

Test yourself 1 Jette bryder sig ikke om sin svoger. **2** Hvis kunderne ikke er tilfredse, kan de få deres penge tilbage. **3** Jeg havde lejlighed til at besøge slottet, der er et besøg værd. **4** Børnenes lange ferie var en svær tid for deres mor. **5** Til dessert fik de hjemmelavet is med friskplukkede hindbær. **6** Han så forvirret ud. Jeg ved ikke, hvad der er i vejen med ham. **7** Da han ingenting sagde, troede jeg, at han ikke kendte svaret. **8** De foreslog, at vi kun skulle betale en fjerdedel. **9** Jeg vil hellere have hvidvin end rødvin. **10** Du hjalp ham ikke, vel?

Unit 15
Dialogues **a** T, **b** F, **c** F, **d** T.

Exercises **1 a** Sommerhuset lejes som regel af en tysk familie. **b** Kirsten blev inviteret indenfor af Lone. **c** Marie Sørensen blev kørt op til Holte af Hans. **d** Vin kan ikke købes af børn. **e** Sagen skal nok blive ordnet af receptionisten. **f** Pengene blev fundet af Liselotte. **g** De blev undervist i engelsk af en ung lærer fra Herning. **2 a** Sommerhuset er blevet solgt. **b** Haven blev forsømt. **c** Gården blev istandsat. **d** Kirkeklokken var blevet skjult. **e** Brevet blev skrevet den 9. august. **f** Bygningen er blevet revet ned. **3** Han lukkede op for fjernsynet for at se TV-avisen. TV-avisen var ikke begyndt. I stedet var der en partipolitisk udsendelse. I Danmark er der mange politiske partier. De fleste har mandater i folketinget. Danmark har som regel en koalitionsregering, og tit har regeringen ikke flertal i folketinget. De moderate partier vil ikke arbejde sammen med de yderliggående partier. Hans og Lone stemmer på det samme parti. De er enige om de fleste sager, men ikke om alt. **4 a** der/som; **b** hvis; **c** hvad; **d** der/som; som; **e** hvad der; **f** hvad. **5 a** It starts at 20.00 and is called **Hammerslag** ('Hammerslag' means literally 'hammer stroke' and refers to the hammer used at auctions.) **b** The news at 18.00 is followed by a weather forecast. **c** The programme is an interview with the author Aage Dons who is 90 years old. He talks about people he has met during his long life and about being a traveller in a turbulent century. **d Sidste Omgang** is a powerful and humorous account of a young man's last 24 hours in Copenhagen. He takes leave of his friends, the city and his relatives. **6 a** Novellen handler om et gammelt maleri. **b** Anders Bodelsen har skrevet novellen. **c** Maleriet hænger i stuen hos Leif og Jytte. **d** Lillemor tror, at maleriet er malet af en berømt dansk maler. **e** Jytte tager portrættet ned fra væggen, fordi hun vil køre hen til et auktionshus med det for at finde ud af, hvad det er værd. **f** Maleriet bliver renset, og udtrykket i Amelies øjne bliver ødelagt. **g** Det er ikke særlig meget værd, fordi det er en ukendt maler, der har malet det. **7 a** George har det ikke godt, fordi han fik for meget at drikke i aftes. **b** Alison har svært ved at forstå det politiske system i Danmark, fordi der er så mange partier. **c** De mange partier skaber ikke politisk kaos i Danmark. Regeringen består som regel af flere partier, der enten ligger lidt til højre eller lidt til venstre for centrum. **d** George og Alison stemte på 2 forskellige partier ved det sidste valg, men de vil ikke sige, hvad de stemte på.

Comprehension Alison explains **a** T, **b** F. A surprise visitor **a** F, **b** F. George and Marianne **a** F, **b** T.

Test yourself 1 Han lukkede op for fjernsynet for at se TV-avisen. **2** Natten efter valget så de fjernsyn indtil klokken tre om morgenen. **3** Hun var interesseret i en diskussion mellem politikere fra forskellige partier. **4** Den nye regering har et flertal i folketinget. **5** Når hun ankommer, vil hun hentes. **6** Alle æskerne er blevet solgt. **7** Hvem ligner hun, og hvad har hun på? **8** George og Alison kan aldrig blive enige om noget. **9** Hun sagde, at tøjet nok skulle blive vasket. **10** Jeg har svært ved at forstå, hvorfor de var så skuffede.

Unit 16
Dialogues **a** F, **b** T, **c** F, **d** T.

Exercises **1 a** datteren, døtre, døtrene; **b** moderen/moren, mødre, mødrene; **c** hovedstaden, hovedstæder, hovedstæderne; **d** barnet, børn, børnene; **e** sommeren, somre, somrene; **f** bageren, bagere, bagerne; **g** museet, museer, museerne; **h** mennesket, mennesker, menneskene/menneskerne. **2 a** Per kom i går. **b** Lene kom i

forgårs. **c** Kommer hun i morgen? **d** Ja, hun kommer i morgen
tidlig (formiddag). **e** Han kommer om lørdagen. **f** De kommer
på tirsdag. **g** Jens kom i onsdags. **h** Jane kom i (går) aftes. **i** Hun
kom i morges (i formiddags). **j** De kommer til foråret. **k** Niels
kommer til pinse. **l** Han kommer altid om foråret. **m** Jeg kommer
om en time. **n** Hun kom for to uger siden. **o** Jeg var der i tre dage.
3 a De skiftedes til at passe babyen (barnet). **b** Vi mødtes uden
for bageren. **c** Jeg synes, det er forkert at sige, at hans problemer
skyldes hans manglende selvtillid. **d** Jeg ved ikke, hvorfor børnene
altid slås. **e** Det er lykkedes (for) ham at lære at tale et fremmed
sprog på to måneder. **f** Planen mislykkedes, fordi de ikke havde
penge nok. **g** Vi har fulgtes ad til England mange gange. **4 a** Jeg
har det ikke ret godt. **b** Ja, jeg har taget min temperatur. Jeg har
37,9 (syvogtredive ni). **c** Jeg har ondt i hovedet, og jeg er svimmel.
Jeg har også kvalme. **d** Det tror jeg ikke. **e** Ja, jeg købte heldigvis
nogle i går. Jeg tager to og går i seng. **5** Liselotte er glad for sit
job. Hendes forældre kommer tit og besøger hende i København.
Hun og hendes mor holder meget af at gå i teatret. Hendes far kan
bedre lide at se en fodboldkamp i fjernsynet. Når de går i teatret,
ringer han til sin fætter, der bor i Ballerup. Han kommer ind til
Søren, og de to mænd spiser deres mad foran fjernsynet. Fætteren
tager tilbage til Ballerup klokken 10, fordi hans kone ikke kan
lide at være alene hjemme. Liselotte rejser over til Fyn en gang om
måneden og besøger sine forældre i Odense. **6 a** George synes,
det er mærkeligt, at Alison fryser, fordi det er så lummert. **b** Nej,
George ved ikke, hvordan man laver frikadeller. Han beder Alison
om at fortælle ham, hvad han skal gøre. **c** Den følgende morgen
har Alison ørepine og en slem hovedpine. Feberen er nu 39,5
(niogtredive fem). **d** Lægen siger, at det ville være meget ufornuftigt
at rejse tilbage til England om 2 dage.

Comprehension A change of plan **a** T, **b** F. George copes **a** F, **b** T.

Test yourself 1 Alison har ørepine og en slem hovedpine. **2** Lægen
har skrevet en recept. **3** George finder Lottes kogebog, fordi han
ikke kan lave mad uden en opskrift. **4** Aspirintabletterne skal tages
hver fjerde time. **5** Det er lykkedes dem at sælge deres bil. **6** Vi
skiftedes til at læse en historie for børnene. **7** Fordi de ikke havde

råd, blev turen ikke til noget. **8** Han har nok glemt adressen.
9 Du kan ikke lide ham, vel? **10** De har før fulgtes ad til Paris.

Unit 17
Dialogues **a** T, **b** F, **c** F, **d** F.

Exercises **1 a** har forandret sig; **b** skynde dig; **c** følte mig; **d** hygge
jer; **e** vasker os; **f** har sat sig. **2 a** Ja, du skal gå ned ad Strøget, og
når du kommer til tredje gade på højre hånd, skal du gå til højre.
Gaden hedder Købmagergade. Rundetårn ligger i Købmagergade,
og når man kommer fra Strøget ligger det på højre side. **b** Ja, du
skal gå ned ad Strøget, og når du kommer til anden gade på venstre
hånd, skal du gå til venstre. Du skal gå ned ad Højbro Plads og
over broen. På den anden side af broen ligger Christiansborg Slot.
3 a Hun har råd til at købe huset. **b** Hun har mange penge. **c** Hun
har flere møbler end vi har. **d** Møblerne var meget dyre. **e** Kan jeg
give dig et godt råd? **f** Han vil købe et smykke til sin kone. **g** Har
du pakket dit tøj? **h** Jeg er sulten. Kan jeg få et stykke smørrebrød?
i Hvor er smørrebrødet? **j** Jeg vil gerne have et stykke wienerbrød.
k Hvor er mit værktøj? **4 a** Han har ikke råd til at rejse på ferie
i år. **b** Hun besøger altid sine bedsteforældre, når hun rejser over
til København. **c** De kommer nok med færgen, der ankommer
klokken 3. **d** Hun bruger desværre alt for mange penge. **e** Det var
virkelig et stort problem. **5 a** Hun sagde, at hendes overbevisning
uden tvivl var påvirket af hendes baggrund. **b** Hans indså, at
lægegerningen ikke var det rigtige for ham. **c** De siger, at det måske
bliver dyrt at lave om på billetterne. **d** Deres børn kan tale fransk,
fordi de altid rejser til Frankrig i sommerferien. **e** Alison sagde, at
hun gerne ville holde Mikael. **6 a** Alison blev undersøgt af lægen.
b Frikadellerne er blevet lavet af George. **c** Medicinen blev hentet
af Hans. **d** Alison passes af George. **e** Kirsten og Niels er blevet
inviteret til middag af Lone og Hans. **f** Græsplænen bliver slået af
Alisons bror. **7 a** Alison og George har besluttet at give Marianne
en gave, fordi hun har været dem til så stor hjælp. **b** Jette spiser et
stykke rugbrød med ost og vindruer. **c** George ved ikke, om han
hellere ville bo i Danmark end i England. Det er ikke noget, han
går og tænker på. **d** George køber et armbånd til Alison.

Comprehension a F, **b** T.

Test yourself 1 Jeg vil gerne give Marianne en gave. Kan du foreslå noget, som hun ville synes om? **2** Det kommer an på/Det afhænger af, hvor meget du vil bruge på gaven. **3** Lad os gå ind i afdelingen med boligudstyr, der ligger på denne etage. **4** Bygningen har seks etager, og de bor på fjerde sal. **5** George gik hen til bageren for at købe tre stykker wienerbrød og en halv liter piskefløde. **6** Jeg forstår ikke, hvorfor hun vil give ham bilen. Det giver ingen mening. **7** George køber et smykke til Alison. **8** Jeg ved ikke, hvor mange penge de har. **9** George vil give Lone en liggestol og Hans et forklæde. **10** Da Jette pludselig fik øje på en dame, hun kender, gik hun ud på fortovet for at tale med hende.

Unit 18
Dialogues a T, **b** F, **c** T, **d** F.

Exercises 1 a højere; **b** billigere; **c** billigste; **d** mindste; **e** flere; **f** mere; **g** yngre; **h** yngste; **i** nærmeste. **2 a** Preben og Louise har ikke råd til at rejse til Frankrig i år. **b** Prebens firma er gået konkurs. **c** Ja, han er arbejdsløs. **d** Ja, det bliver svært for dem at klare sig. Louise har et godt job, men hun tjener ikke så mange penge som Preben gjorde. De bliver måske nødt til at sælge deres hus. **e** Han er meget deprimeret. Hvis han finder et arbejde i udlandet, forlader han landet. **4** Prebens kone er lærer. Som barn brød hun sig ikke om at gå i skole. Det er måske grunden til, at hun besluttede at blive lærer. De fleste af hendes elever kan godt lide hende. Livet i en dansk landsby kan synes (virke) kedeligt, hvis man er vokset op i København, men hun er faktisk meget glad for at arbejde på en lille skole. Jeg håber, skæbnen er hende blid, og at hendes mand finder et job i den nærmeste by, så hun ikke bliver nødt til at forlade skolen. **5 a** Torsdag morgen går det bedre. Alison er feberfri og har ikke ondt nogen steder. **b** Niels har mistet sit job, fordi hans firma ikke var stort nok til at klare sig i en nedgangstid. **c** Niels og Kirsten kan klare sig rent økonomisk, men de får problemer, fordi det bliver svært for Niels at vænne sig til ikke at skulle på arbejde. **d** Det bliver svært for Niels at få et andet job, fordi de fleste firmaer hellere vil ansætte unge mennesker, der ikke skal have så meget i løn.

Comprehension a T, **b** F.

Test yourself 1 For første gang siden i fredags er Alison sulten og vil gerne have et stykke rugbrød med en skive ost. **2** Fordi konkurrencen skærpedes inden for elektronikbranchen, begyndte priserne at falde. **3** Før vi kan give Dem/dig en pris, har vi brug for flere oplysninger. **4** Du skal drikke mere vand og mindre vin. **5** De fleste mennesker havde uret, da de troede, den næste regering ikke ville blive en koalitionsregering. **6** I mange år har Niels ikke dyrket nogen motion, og han har spist og drukket for meget. **7** Men han har et jernhelbred, og han vil nu begynde at løbe hver dag. **8** I slutningen af brevet til sin mor skrev hun: Kærlig hilsen, Marie. **9** George sluttede forretningsbrevet med ordene: Med venlig hilsen, George Wilson. **10** Niels vil ikke kunne få et andet job, fordi han er for gammel og for dyr at ansætte.

Danish–English vocabulary

adresse (-n, -r) *address*
af *of, from;* **af og til** *now and then*
afbryde (afbrød, afbrudt) *break off, discontinue*
afdeling (-en, -er) *department*
afgå (afgik, afgået) *depart*
afhente (-ede, -et) *collect, fetch*
afhænge af (afhang, afhængt) *depend on*
afskedige (-ede, -et) *dismiss, sack*
afslutte (-ede, -et) *finish, conclude*
afstikker (-en, -e) *detour*
aftale (-te, -t) *arrange, agree*
aften (-en, -er) *evening*
aftensmad (-en) *supper*
agurk (-en, -er) *cucumber*
aldrig *never*
alene *alone*
alle *everybody* (pl. of **al** *all*)
allerede *already*
allesammen *all of us* (or *you, them*)
allevegne *everywhere*
almindelig *ordinary, common, usual*
alt for *far too*
altid *always*
alting *everything*
alvorlig *serious*
anden/andet *other* (pl. **andre**)
anderledes *different*

ankomme (ankom, ankommet) *arrive*
ankomst (-en, -er) *arrival*
ansigt (-et, -er) *face*
anstrengende *strenuous, tiring*
ansætte (ansatte, ansat) *employ*
appelsin (-en, -er) *orange*
appelsinmarmelade (-n) *marmalade*
arbejde (-t, -r) *work, employment*
arbejde (-ede, -et) *work*
arbejdsløs *unemployed*
arm (-en, -e) *arm*
armbånd (-et, -) *bracelet*
arrangere (-ede, -et) *arrange*
at *that*
at *to* (e.g. **at spise** *to eat*)
august *August*

baby (-en, -er) *baby*
badeværelse (-t, -r) *bathroom*
bagage (-n) *luggage, baggage*
bagefter *afterwards*
bager (-en, -e) *baker*
baggrund (-en, -e) *background*
bakke (-n, -r) *hill*
ballet (-ten, ter) *ballet*
bamse (-n, -r) *teddy bear*
banegård (-en, -e) *railway station*
bange (for) *afraid (of)*
bar (-en, -er) *bar*
barbere sig (-ede, -et) *shave (oneself)*

bare *I hope, I do hope*
bare *only*
barn (-et, børn) *child*
barnepige (-n, -r) *nanny*
barnevogn (-en, -e) *pram*
beboet *inhabited*
bede (bad, bedt) *ask*
befinde sig (befandt, befundet)
   be, find oneself
begge *both*
begrave (-ede, -et) *bury*
begravelse (-n, -r)
   funeral, burial
begreb (-et, -er) *concept, idea*
begrænset *limited*
begynde (-te, -t) *begin*
begynderhold (-et, -) *class/group*
   for beginners
behøve (-ede, -et) *need*
beklage sig over (-ede, -et)
   complain of
bekymre sig om (-ede, -et)
   worry about
beliggenhed (-en) *situation,*
   position
beløb (-et, -) *amount*
ben (-et, -) *leg*
benzin (-en) *petrol*
berømt *well-known, famous*
beskrive (beskrev, beskrevet)
   describe
beskæftige sig med (-ede, -et)
   occupy oneself with, do
beskæftigelse (-n, -r) *occupation,*
   work, employment
beslutte (-ede, -et) *decide*
beslutte sig (-ede, -et) *make up*
   one's mind

bestemme (-te, -t) *decide*
bestemme over (-te, -t) *control,*
   decide
bestemt *certain, fixed*
bestille (-te, -t) *book*
bestå af (bestod, bestået)
   consist of
bestå i (bestod, bestået)
   consist in
besvime (-ede, -et) *faint*
besværlig *difficult, tiresome*
besøg (-et, -) *visit*
besøge (-te, -t) *visit*
betale (-te, -t) *pay*
betegnelse (-n, -r) *name,*
   designation
betragte (-ede, -et) *consider*
betyde (betød, betydet) *mean*
betydning (-en, -er) *importance,*
   meaning
bevæge sig (-ede, -et) *move*
bil (-en, -er) *car*
billet (-ten, -ter) *ticket*
billetsælger (-en, -e) *ticket*
   office clerk
billig *cheap*
billige priser *low prices*
biograf (-en, -er) *cinema*
biskop (-pen, -per) *bishop*
bjerg (-et, -e) *mountain*
ble (-en, -er) *nappy*
bleg *pale*
blind *blind*
blind vej *cul-de-sac*
blive (blev, blevet) *become, stay*
blive af (blev, blevet) *become of;*
   Hvor bliver George af? *Where*
   has George got to?

blive enige (blev, blevet) *agree*

blive til noget (blev, blevet)
  come off, materialize

blomst (-en, -er) *flower*

bluse (-n, -r) *blouse*

blæse: det blæser *it's windy*

blødkogt *soft-boiled*

blå *blue*

bo (-ede, -et) *stay, live*

bog (-en, bøger) *book*

boligudstyr (-et) *furniture and
  fittings*

bord (-et, -e) *table*

borddame (-n, -r) *partner at
  dinner table*

borg (-en, -e) *castle*

branche (-n, -r) *branch of
  trade*

bridge (-n) *bridge*

briller (pl.) *glasses*

bringe (bragte, bragt) *bring*

bro (-en, -er) *bridge*

broche (-n, -r) *brooch*

**bror (broderen/broren,
  brødre)** *brother*

bruge (-te, -t) *use*

bruge (penge) til *spend
  (money) on*

brugsgenstand (-en, -e) *article
  for everyday use*

brun *brown*

brusebad (-et, -e) *shower*

bryde sig om (brød, brudt)
  care for, like

bryllup (-pet, -per) *wedding*

bryst (-et, -er) *breast, chest*

buket (-ten, -ter) *bouquet*

bukser (pl.) *trousers*

bund (-en, -e) *bottom*

**burde (bør, burde, burdet);
  bør** *ought to*

busk (-en, -e) *bush*

butik (-ken, -ker) *shop*

by (-en, -er) *town*

byde velkommen (bød, budt)
  bid welcome

bygge (-ede, -et) *build*

bygge (noget) til *add
  (on) (something)*

bygning (-en, -er) *building*

byplanlægning (-en) *town
  planning*

bytte (-ede, -et) *exchange, swap*

bær (-ret, -) *berry*

børnebillet (-ten, -ter) *half ticket*

børs (-en, -er) *stock exchange*

båd (-en, -e) *boat*

både ... og *both ... and*

bål (-et, -) *bonfire*

ca. (cirka) *approximately*

cafeteria (cafeteriet, -er)
  cafeteria

cardigan (-en, -er) *cardigan*

centrum (centret, centrer) *centre*

champignon (-en, -er) *mushroom*

champignonsuppe (-n, -r)
  mushroom soup

chokolade (-n, -r) *chocolate*

chokoladefabrik (-ken, -ker)
  chocolate factory

chokoladeis *chocolate ice cream*

cykle (-ede, -et) *cycle*

d.v.s. (det vil sige) *that is to say*

da *when*

da *of course, indeed*
dag (-en, -e) *day*
dame (-n, -r) *lady*
danne (-ede, -et) *form, constitute*
danse (-ede, -et) *dance*
dansk *Danish*
dansker (-en, -e) *Dane*
datter (-en, døtre) *daughter*
dav *hello* (informal greeting)
de *they*
De *you* (formal, sing. and pl.)
december *December*
dejlig *lovely*
del (-en, -e) *part*
Dem *you* (formal, sing. and pl.)
dem *them*
den *it* (common gender)
den/det *that*
dengang *then, at that time*
denne/dette *this*
dens/dets *its*
deprimerende *depressing*
der (relative) *which, who, that*
der (adv.) *there, at that place*
der *there*
der er … *there are/is …*
derefter *after that*
deres *their, theirs*
Deres *your, yours* (formal, sing. and pl.)
derfor *so*
derfra *from there*
derhenne *over there, up there*
derimod *on the contrary*
derned *down there*
derop *up there*
derover/derovre *over there*
dessert (-en, -er) *dessert*

desværre *unfortunately*
det *it* (neuter gender)
det er ligegyldigt *it does not matter*
dig *you* (sing.)
din/dit/dine *your, yours* (sing.)
diskussion (-en, -er) *discussion*
diskutere (-ede, -et) *discuss*
display (-et, -s/-) *display unit*
dobbelthage (-n, -r) *double chin*
dog adverb used in exclamatory remarks
doktor (-en, -er) *doctor*
dreje (-ede, -et) *turn*
dreje sig om (-ede, -et) *be about, be a matter of, amount to*
dreng (-en, -e) *boy*
drikke (drak, drukket) *drink*
drivhus (-et, -e) *greenhouse*
dronning (-en, -er) *queen*
drøm (-men, -me) *dream*
drømme (-te, -t) *dream*
dukke op (-ede, -et) *turn up*
du *you* (informal, sing.)
dus; være dus med *be on Christian name terms with* (Lit. say **du** to)
dyr *expensive*
dyreliv (-et) *fauna*
dyrke (-ede, -et) *grow, cultivate*
dyrke motion (-ede, -et) *take exercise*
dæk (-ket, -) *deck*
dække (-ede, -et) *cover*
dø (døde, no past participle**)** *die*
dør (-en, -e) *door*

dørklokke (-n, -r) *door bell*
dårlig *ill, unwell; bad, poor*

efter *after; for* (go to the
   baker's for …)
efterhånden *gradually; by now*
efterlade (efterlod,
   efterladt) *leave (behind)*
eftermiddag (-en, -e) *afternoon*
efternavn(-et, -e) *surname*
efterspørgsel (-en)
   (efter) *demand (for)*
efterår (-et, -) *autumn*
efterårsferie (-n, -r) *autumn*
   half-term holiday
egentlig *actually*
egn (-en, -e) *part of the country,*
   area, district
ej; eller ej *or not*
eje (-ede, -et) *own*
ejer (-en, -e) *owner*
eksamen (-en, -er or
   eksaminer) *examination*
ekspedere (-ede, -et) *serve*
   (customer)
ekspedient (-en, -er) *shop*
   assistant (male)
ekspeditrice (-n, -r) *shop*
   assistant (female)
eksportere (-ede, -et) *export*
elektronikbranche (-n)
   electronics industry
elendig *miserable*
elev (-en, -er) *pupil, student*
eller *or*
eller rettere *or rather*
ellers *otherwise*
ellers andet *anything else*

elske (-ede, -et) *love*
emne (-t, -r) *subject, topic*
en/et *a; one;* **den ene** *one*
   (of them)
en *someone*
en lille smule *a little bit*
en masse *a lot of*
end *than*
ende (-n, -r) *end;* **for enden af**
   at the end of
ende (-te, -t) *end*
endelig; (bliv) endelig
   (siddende) *do (stay)*
endnu *still*
energi (-en) *energy*
eneste *only*
engang *once*
engang imellem *now and then,*
   occasionally
engelsk *English*
englænder (-en, -e) *Englishman*
enkelt *single*
enkeltbillet (-ten, -ter) *single*
   ticket
enkeltværelse (-t, -r) *single room*
enten … eller *either … or*
erfaring (-en, -er) *experience*
etage (-n, -r) *floor*
eventuelt *possibly*

f.eks. (or **fx**); **for eksempel** *for*
   instance
fabrik (-ken, -ker) *factory*
faktisk *in fact*
falde (faldt, faldet) *fall*
falde (faldt, faldet); det falder
   mig naturligt *it comes naturally*
   to me

falde i søvn (faldt, faldet) *fall asleep*
familie (-n, -r) *family*
far (faderen/faren, fædre) *father*
fare (vild) (farede/for, faret) *lose one's way*
fart (-en) *speed*
farve (-n, -r) *colour*
farvel *goodbye*
farvel så længe *see you soon* (Lit. goodbye so long)
favorabel *favourable*
feber (-en) *temperature, fever*
feberfri; være feberfri *have a normal temperature*
fejl (-en, -) *mistake;* **tage fejl** *be wrong, be mistaken*
fejre (-ede, -et) *celebrate*
ferie (-en, -er) *holiday*
ferierejsende *holiday-maker*
fest (-en, -er) *party*
film (-en, -) *film*
fin *fine, grand*
finde (fandt, fundet) *find*
finde frem til (fandt, fundet) *work out*
finde sted (fandt, fundet) *happen, take place*
finde ud af (fandt, fundet) *find out*
findes (fandtes, har fandtes) *be*
firma (-et, -er) *firm*
fisk (-en, -) *fish*
fjende (-n, -r) *enemy*
fjerdedel (-en, -e) *quarter*
fjernsyn (-et, -) *television*
flaske (-n, -r) *bottle*
flere *more; several*

flertal (-let) *majority*
fleste; de fleste *most*
flot *smart*
fly (-et, -) *aeroplane*
flytte (-ede, -et) *move*
flyve (fløj, fløjet) *fly*
flyvetur (-en, -e) *flight*
flæskesteg (-en, -e) *roast pork*
fløde (-n) *cream*
folk *people*
folketinget *the Danish Parliament*
for (conj.) *for, because*
for *too* (too expensive)
for ... siden *ago*
for en gangs skyld *for once*
for nylig *recently*
for sjov *in jest*
for tiden *at the moment*
forandre sig (-ede, -et) *change* (intrans.)
forandring (-en, -er) *change*
forbi (adv.) *past; over*
fordi *because*
fordom (-men, -me) *prejudice*
foreslå (foreslog, foreslået) *suggest*
forestilling (-en, -er) *performance*
forfatter (-en, -e) *author*
forhandle (-ede, -et) *market, sell*
forkert *wrong*
forklæde (-t, -r) *apron*
forlade (forlod, forladt) *leave*
forleden *the other (day)*
formiddag (-en, -e) *morning* (the time between 9 a.m. and noon)
fornemmelse (-n, -r) *feeling*
fornuftig *sensible, reasonable*
fornøjelse (-n, -r) *pleasure*

forret (-ten, -ter) *first course*
forretning (-en, -er) *shop*
forretningsmøde (-t, -r)
  business meeting
forsigtig *cautious; careful, gentle*
forsikring (-en, -er) *insurance*
forsinket *delayed*
forskellig *different*
forskellighed (-en, -er) *difference,*
  dissimilarity
forstå (forstod, forstået)
  understand
forstå på (forstod, forstået)
  gather from
forsvinde (forsvandt,
  forsvundet) *disappear*
forsømme (-te, -t) *neglect, miss*
  (e.g. an opportunity)
fortid (-en) *past*
fortov (-et, -e) *pavement*
fortovscafé (-en, -er) *pavement*
  café
fortsætte (fortsatte,
  fortsat) *continue*
fortælle (fortalte, fortalt) *tell*
fortælling (-en, -er) *story*
forudbestemt *predestined*
forurening (-en) *pollution*
forventning (-en, -er) *expectation*
forvirret *confused*
forældre (pl.) *parents*
forår (-et, -) *spring*
fra *from*
fransk *French*
franskbrød (-et, -) *loaf of white*
  bread
fredag *Friday*
fredelig *peaceful*

frem og tilbage *backwards and*
  forwards
fremmed *foreign; strange*
fremstille (-ede, -et) *make,*
  produce
frikadelle (-n, -r) *meatball*
frisk *fresh*
friskplukket *freshly picked*
frk. (frøken) *Miss*
frokost (-en, -er) *lunch*
fru *Mrs*
frugt (-en, -er) *fruit*
frygtelig *terrible*
fryse (frøs, frosset) *feel cold;*
  freeze
fugl (-en, -e) *bird*
fuld *full, complete*
funktionær (-en, -er) *employee*
fyge (-ede/føg, -et/føget) *drift*
fylde (-te, -t) *fill*
fyr (-en, -e) *fellow*
færdig *ready;* **være færdig** *have*
  finished
færge (-n, -r) *ferry*
føde (-te, -t) *bear, give birth to*
fødselsdag (-en, -e) *birthday*
føle (-te, -t) *feel*
føle sig (dårligt)
  tilpas (-te, -t) *feel ill*
følgende *following*
før *before*
før eller senere *sooner or later*
før i tiden *formerly, previously*
føre til (-te, -t) *lead to*
først *first; not until*
først og fremmest *first and*
  foremost
få (fik, fået) *get*

få at vide (fik, fået) be told
få fat i (fik, fået) get hold of
få igen (fik, fået) get back
få øje på (fik, fået) see, catch
  sight of

gade (-n, -r) street
gal bad; mad, angry; **alt for galt**
  far too kind
gammel old
gang (-en, -e) time; portion,
  helping
ganske quite
gardin (-et, -er) curtain
gave (-n, -r) present
gemme (-te, -t) hide
genbrugspapir (-et) recycled
  paper
gengæld (-en) return
gennem through
gensyn (-et, -) meeting (again);
  reunion
gerne with pleasure; **vil
  gerne** would like (to)
gifte sig (-ede, -et) marry,
  get married
give (gav, givet) give
give ret i (gav, givet)
  agree with
glad happy
glas (-set, -) glass
glemme (-te, -t) forget
glæde sig til (-ede, -et) look
  forward to
god good; **god til** good at
Godmorgen! Good morning!
godt well
grad (-en, -er) degree

grammatik (-ken, -ker)
  grammar
gratis free
grav (-en, -e) grave
gravad marinated in salt, sugar
  and spices
gravhøj (-en, -e) burial mound
gravsten (-en, -) tombstone
**grundlægge (grundlagde,
  grundlagt)** found
gryde (-n, -r) saucepan
grænse (-n, -r) border, frontier
græsplæne (-n, -r) lawn
grøftekant (-en, -er) side of the
  road/path (Lit. edge of ditch)
grøn green
grøn(t)sager (pl.) vegetables
gråhåret grey-haired
gul yellow
guldsmed (-en, -e) jeweller
guldsmedeforretning (-en, -er)
  jeweller's (shop)
gulerod (-en, gulerødder) carrot
gæstfri hospitable
gæstfrihed (-en) hospitality
gøre (gør, gjorde, gjort) do, make
**gøre gengæld (gør, gjorde,
  gjort)** repay, reciprocate
gå (gik, gået) go, walk; **gå i Tivoli**
  visit the Tivoli Gardens; (about
  films) be on, be shown; (about
  streets) run
gå en tur (gik, gået) go for a walk
gå fremad (gik, gået) improve,
  make progress
gå i baglås (gik, gået) get
  jammed, stick
gå i gang med start (work) on

gå i vandet (gik, gået) *go for a swim*

gå med (gik, gået) *wear (e.g. clothes)*

gå op i (gik, gået) *be interested in, devote oneself to*

gå over (gik, gået) *pass, wear off*

gå til spilde (gik, gået) *go to waste, be wasted*

gå ud på (gik, gået); legen går ud på *the idea of the game is*

gård (-en, -e) *farm; yard*

hage (-n, -r) *chin*

hallo *hello*

hals (-en, -e) *neck, throat*

halskæde (-n, -r) *necklace*

halv *half*

halvdel (-en, -e) *half*

halvø (-en, -er) *peninsula*

han *he*

handelshøjskole (-n, -r) *commercial college, school of economics and business administration*

handle om (-ede, -et) *be about, deal with*

hans *his*

hav (-et, -e) *sea*

have (-n, -r) *garden*

have (har, havde, haft) *have*

have brug for (har, havde, haft) *want, need*

have det (har, havde, haft); hvordan har du det? *how do you feel?*

have lyst til (har, havde, haft) *feel like*

have noget imod (har, havde, haft) *mind, have something against*

have på (har, havde, haft) *wear*

have ret (har, havde, haft) *be right*

have råd til (har, havde, haft) *be able to afford*

have svært ved (har, havde, haft) *find it difficult, have difficulties*

have til bords (har, havde, haft) *take in to table, sit next to*

have til huse (har, havde, haft) *be housed*

have travlt (har, havde, haft) *be busy*

havfrue (-n, -r) *mermaid*

havn (-en, -e) *harbour, port*

hedde (hed, heddet) *be called*

hede (-n, -r) *moor*

hej *hello* (informal greeting)

heldig *lucky, fortunate*

heldigvis *fortunately*

hel; hele eftermiddagen *all afternoon;* **hele byen** *the whole of the town;* **hele året rundt** *all year round*

hellere *rather*

helst *preferably*

helt *completely*

hen an adverb that indicates movement away from the speaker

hende *her*

hendes *her, hers*

hensyn (-et, -) *consideration*

hente (-ede, -et) *fetch*

henvende sig til (-te, -t) *address*

her *here*
heroppe *up here*
herover/herovre *over here*
herude *out here*
hilse på (-te, -t) *greet; drink to*
  (someone present)
hilsen (-en, -er) *greeting, regard*
himmel (-en, himle) *sky, heaven*
hinanden *each other*
hindbær (-ret, -) *raspberry*
historie (-n, -r) *history, story, affair*
hjem (-met, -) *home*
hjem (adv.) *home*
hjemme *at home*
hjemmefra *from home*
hjemmelavet *home-made*
hjertelig *heartfelt, sincere*
hjælpe (hjalp, hjulpet) *help*
hjørne (-t, -r) *corner*
hjørneejendom (-men, -me)
  corner property
hold (-et, -) *class, team, group*
holde (holdt, holdt) *hold* (e.g. a
  child); **holde fest** *have a party*
holde af (holdt, holdt) *be fond of*
holde op (holdt, holdt) *stop*
holde tale (holdt, holdt) *make a
  speech*
holde åbent (holdt, holdt) *be
  open*
holdning (-en, -er) *attitude*
hos *with*
hotel (-let, -ler) *hotel*
hoved (-et, -er) *head*
hovedpine (-n) *headache*
hovedret (-ten, -ter) *main course*
hovedstad (-en, hovedstæder)
  capital

hr. (herre) *Mr.*
hummer (-en, -e) *lobster*
hun *she*
hurtigt *quickly*
hus (-et, -e) *house, building*
huske (-ede, -et) *remember*
hvad *what*
hvad med ... *what about ...*
hvem *who*
hver/hvert *every, each*
hver fjerde *time every four hours*
hver for sig *separately*
hverken ... eller *neither ... nor*
hvidvin (-en, -e) *white wine*
hvilken *which*
hvis *if*
hvis *whose*
hvor *where*
hvor (er her smukt) *how
  (beautiful it is here)*
hvor end *wherever*
hvor mange *how many*
hvoraf *of which, of whom*
hvordan *how*
hvorfor *why*
hvornår *when*
hygge sig (-ede, -et) *have a good
  time, enjoy oneself*
hyggelig *cosy, homely, nice*
hylde (-n, -r) *shelf*
høflig *polite*
høj *tall, high*
høje tid; på høje tid *high time*
**højere handelseksamen (-en,
  -er** or **-eksaminer)** *higher
  examination in economics and
  business administration*
højre *right*

højskole (-n, -r) *(folk) high school*

høre (-te, -t) *hear*

høre til (-te, -t) *belong to, be one of*

håbe (-ede, -et) *hope*

hånd (-en, hænder) *hand*

hår (-et, -) *hair*

I *you (plural)*

i *in*

i aften *this evening, tonight*

i aftes *last night*

i dag *today*

i eftermiddag *this afternoon*

i første omgang *to begin with*

i gelé *jellied*

i går *yesterday*

i hvert fald *at any rate, in any case; definitely, absolutely*

i hvor høj grad *to what extent*

i højere grad *to a larger degree, more*

i krigstid *in time of war*

i land *ashore*

i løbet af *in the course of*

i mellemtiden *in the meantime*

i morgen *tomorrow*

i morges *this morning*

i nærheden af *near, close to*

i stedet (for) *instead (of)*

i år *this year*

i årevis *for years*

idé (-en, -er) *idea*

ideel *ideal*

identitet (-en) *identity*

igen *again*

ih! *oh!*

ikke *not*

ikke; (Du kan godt spise noget mere,) ikke? *(…) can't you?*

ikke-ryger (-en, -e) *non-smoker*

ikke engang *not even*

imellem (cf. **mellem**) *among, between*

imidlertid *however*

ind/inde (adv.) *in*

indbydelse (-n, -r) *invitation*

indbygger (-en, -e) *inhabitant*

inden *before*

inden da *before then*

inden døre *indoors*

inden for *inside*

indendørs *indoors*

inderst inde *deep down*

indkøb (-et, -) *purchase, shopping*

indledning (-en, -er) *beginning, introduction*

indrømme (-ede, -et) *admit*

indse (indså, indset) *understand, realize*

indtage (indtog, indtaget) *take up, assume, fill, occupy*

indtil *until*

indtryk (-ket, -) *impression*

indvendig *inside, internally*

influenza (-en) *flu*

ingen *nobody*

ingrediens (-en, -er) *ingredient*

insistere (på) (-ede, -et) *insist (on)*

interessant *interesting*

interesse (-n, -r) *interest*

interessere (-ede, -et) *interest*

interessere sig for (-ede, -et) *be interested in*

invitation (-en, -er) *invitation*
invitere (-ede, -et) *invite*
istandsætte (-satte, -sat) *repair, restore, recondition*
istandsættelse (-n, -r) *repair, restoration*
især *especially*

ja *yes;* **ja tak** *yes please*
ja *well*
jakke (-n, -r) *jacket*
jamen *well; but*
januar *January*
jeg *I*
jeres *your, yours* (pl.)
jo *yes* (after negative question)
jo *as you know*
job (-bet, -) *job*
jord (-en) *earth, soil, ground, land* (pl. **jorder**)
jordbær (-ret, -) *strawberry*
juli *July*
juni *June*

kaffe (-n) *coffee*
kage (-n, -r) *cake*
kaj (-en, -er) *quay*
kande (-en, -r) *jug*
kaos (-et) *chaos*
karaffel (karaflen, karafler) *decanter*
kartoffel (-en, kartofler) *potato*
kaste (-ede, -et) *throw*
ked af (cf. **være ked af**)
kedelig *boring*
kende (-te, -t) *know*
kendskab (-et) *knowledge*
kigge (-ede, -et) *look*

kilometer (-en, -) *kilometre*
kind (-en, -er) *cheek*
kirke (-n, -r) *church*
kirkeklokke (-n, -r) *church bell*
kiste (-n, -r) *coffin*
kjole (-n, -r) *dress*
klar suppe *consommé*
klare (-ede, -et) *manage*
klare sig (-ede, -et) *manage*
klare op (-ede, -et) *brighten up*
klog *wise*
klokke (-n, -r) *bell*
klokken 12.00 *at 12 o'clock*
klæde sig på (-te, -t) *dress (oneself)*
knibe med (kneb, knebet); det kniber med *there is a scarcity of*
koalitionsregering (-en, -er) *coalition government*
kobbergryde (-n, -r) *saucepan made of copper*
kogebog (-en, -bøger) *cookery book*
kold *cold*
komme (kom, kommet) *come*
komme sig (kom, kommet) *recover*
komme an på (kom, kommet) *depend on*
komme med (kom, kommet) *bring*
komme ud af det med (kom, kommet) *get on with* (people)
koncentrere sig om (-ede, -et) *concentrate on*
kone (-n, -r) *wife; woman*
konge (-n, -r) *king*
kongelig *royal*

kongerige (-t, -r) *kingdom*
konkurrence (-n, -r) *competition*
konkurs; gå konkurs *go bankrupt*
kop (-pen, -per) *cup*
kort *short*
koste (-ede, -et) *cost*
krig (-en, -e) *war*
kro (-en, -er) *inn*
krone (-n, -r) *crown* (Danish currency)
kuffert (-en, -er) *suitcase*
kultur (-en, -er) *culture*
kun *only*
kunde (-n, -r) *customer*
kunne (kan, kunne, kunnet); kan *can, may; know* (a language)
kunne lide (kan, kunne, kunnet) *like*
kunne tænke sig (kan, kunne, kunnet) *feel like*
kunstig *artificial*
kuperet *hilly, undulating*
kvalitet (-en, -er) *quality*
kvalme (-n) *nausea*
kvarter (-et, -) *quarter of an hour*
kvarter (-et, -er) *part of town, district*
kvinde (-n, -r) *woman*
kylling (-en, -er) *chicken*
kær *dear*
kærlig *loving, affectionate*
købe (-te, -t) *buy*
købmand (-en, købmænd) *grocer, merchant*
kød (-et) *meat*
køkken (-et, -er) *kitchen*
køkkenudstyr (-et) *kitchen equipment*

køn *pretty*
køre (-te, -t) *go, drive, ride, travel*
køre fast (-te, -t) *get bogged down*

lade (lod, ladet/ladt) *let*
lade sig gøre *be possible*
laks (-en, -) *salmon*
lampe (-n, -r) *lamp*
land (-et, -e) *country*
lande (-ede, -et) *land*
landfast *connected by land*
landsby (-en, -er) *village*
landskab (-et, -er) *landscape*
lang *long*
langsomt *slowly*
langt (adv.) *far*
larm (-en) *noise*
lave (-ede, -et) *make, do*
lave om på (-ede, -et) *alter, change*
ledig *vacant*
leg (-en, -e) *game*
lege (-ede, -et) *play*
leje (-ede, -et) *rent, hire*
leje ud (-ede, -et) *let*
lejlighed (-en, -er) *flat; opportunity; occasion*
let *easy*
letmælk (-en) *semi-skimmed milk*
lettere sagt end gjort *more easily said than done*
leve af (-ede, -et) *live by, make a living by*
leve i nuet (-ede, -et) *live in the present*
levn (-et, -) *relic*
lidt *a little*
lige *just*

lige; lige (ved siden af) *right (next to)*
lige penge *the exact amount*
lige så godt *just as well*
ligegyldig unimportant
ligge (lå, ligget) *lie, be situated*
liggestol (-en, -e) *deckchair*
ligne (-ede, -et) *look like, resemble*
lille (pl. små) *small*
liter (-en, -) *litre*
liv (-et, -) *life*
livlig *lively*
livret (-ten, -ter) *favourite dish*
lov (common gender); **give lov til** *give permission to*
love (-ede, -et) *promise*
luft (-en) *air*
lufthavn (-en, -e) *airport*
luge (-ede, -et) *weed*
lukke inde *lock up*
lukke op for (-ede, -et) *switch on* (e.g. the television)
luksus (-en) *luxury*
luksusvare (-n, -r) *luxury article*
lummer *close, sultry*
lyde (lød, lydt) *sound*
lykkelig *happy*
lykkes (lykkedes, er lykkedes) *succeed, be successful*
lys *fair, light*
lyst (-en, -er) *inclination, wish, desire*
lystre (-ede, -et) *obey*
lytte (-ede, -et) *listen*
læge (-n, -r) *doctor*
lægegerning (-en) *medical profession*

lægge (lagde, lagt) *put, place*
lægge sig (lagde, lagt) *lie down*
lægge om (lagde, lagt) *change*
lægge planer (lagde, lagt) *make plans*
lægge til side (lagde, lagt) *put aside*
lækker *delicious*
længe (adv.) *long, a long time*
lære (-te, -t) *learn*
lære at kende (-te, -t) *get to know*
lærer (-en, -e) *teacher*
læse (-te, -t) *read, study*
løbe (løb, løbet) *run*
løfte sit glas (-ede, -et) *raise one's glass*
løg (-et, -) *onion*
løn (-nen) *pay, wage, salary*
lørdag *Saturday*
løse (-te, -t) *loosen, release; solve*
låne (-te, -t) *borrow, lend*

mad (-en) *food*
madlavning (-en) *cooking*
male (-ede, -et) *paint*
man *one*
mand (-en, mænd) *man; husband*
mandag *Monday*
mandat (-et, -er) *seat* (in parliament)
mange *many*
mangle (-ede, -et) *lack*
mareridt (-et) *nightmare*
marmelade (-n, -r) *jam*
marts *March*

maskine (-n, -r) *machine*
masser af *lots of*
mave (-n, -r) *stomach*
med *with;* **med toget** *by train*
med det samme *straight away*
med hensyn til *as regards*
medicin (-en, -er) *medicine*
meget *much*
meget; meget (sulten) *very (hungry)*
melde (-te, -t) *report*
mellem (cf. **imellem**) *between, among*
melon (-en, -er) *melon*
men *but*
Men dog! *I say!*
mene (-te, -t) *mean; think*
mene noget alvorligt (-te, -t) *be serious*
mening (-en) *opinion; intention*
meningsmåling (-en, -er) *opinion poll*
menneske (-t, -r) *person, human being*
mens *while*
mere *more*
meter (-en, -) *metre*
Middelhavet *the Mediterranean*
middelhøjde (-n) *average (or medium) height*
midt; midt (på dagen) *in the middle (of the day);* **midt (i byen)** *in the middle (of the town)*
mig *me*
miljøbevidst *environmentally aware*
million (-en, -er) *million*

min, mit, mine *my, mine*
minde (om) (ede, -et) *remind (of)*
mindre *smaller*
minut (-tet, -ter) *minute*
miste (-ede, -et) *lose*
mod *towards*
moderat *moderate*
mor (moderen/moren, mødre) *mother*
morgen (-en, -er) *morning*
morgenbrød (-et) *breakfast rolls*
morgenmad (-en) *breakfast*
motion (-en) *exercise*
motorvej (-en, -e) *motorway*
mulig *possible*
mulighed (-en, -er) *possibility*
mund (-en, -e) *mouth*
museum (museet, museer) *museum*
mægtig *immensely*
mælk (-en) *milk*
mærke (-t, -r) *mark*
mærkelig *strange*
møde (-te, -t) *meet; encounter*
mønster (-et, mønstre) *pattern*
mørk *dark*
måde (-n, -r) *way;* **på ingen måde** *in no way*
måned (-en, -er) *month*
måske *perhaps*
måtte (må, måtte, måttet); **må** *must, may;* **må hellere** *had better*

nabo (-en, -er) *neighbour*
nat (-ten, nætter) *night*
national *national*
natur (-en) *nature, scenery*

naturligvis *of course*
navn (-et, -e) *name*
ned/nede *down*
nederdel (-en, -e) *skirt*
nedgangstid (-en, -er) *recession*
nej *no;* **nej tak** *no thanks*
nem *easy*
nerve (-n, -r) *nerve*
netop *exactly, precisely*
nogen steder *anywhere*
nogen (noget, nogle) *some;*
  (pl. **nogen***) any*
nogensinde *ever*
noget *something, anything*
noget (forsømt) *somewhat*
  (neglected)
nok *probably; certainly*
nok; (penge) nok *enough*
  (money)
nordpå *northwards, north*
normal *normal*
novelle (-n, -r) *short story*
nu (-et) *present moment*
nu *now*
nu; (det er) nu (nemt) *I must say*
  (it is easy)
nummer (-et, numre) *number*
nuværende *present*
ny *new*
nyde (nød, nydt) *enjoy*
nytte (-ede, -et) *be of use, help*
nyttig *useful*
nægte (-ede, -et) *refuse*
nærhed (-en) *proximity, vicinity*
nærmere *(adv.) more closely,*
  more precisely, in detail; nearer
nærmest *almost*
næse (-n, -r) *nose*

næste *next*
næsten *nearly*
næststørst *second largest*
nødt til (cf. **være nødt til**)
nøgle (-n, -r) *key*
nøjagtig *exactly*
nå (-ede, -et) *reach, get to*
nå *well*
når *when*
når som helst *whenever*

og *and*
også *also*
om *about* (e.g. tell about);
  whether; **om et kvarter** *in*
  a quarter of an hour; **om**
  måneden *a month, each month*
om bord *on board*
omelet (-ten, -ter) *omelette*
omgang (-en, -e) *lap, round*
omgive (omgav, omgivet)
  surround
omgivelser (pl.) *surroundings*
omkring *around, round*
område (-t, -r) *area, region*
omsider *at long last, eventually*
omstændighed (-en, -er)
  circumstance
onkel (-en, onkler) *uncle*
onsdag *Wednesday*
op/oppe *up*
opføre (-te, -t) *perform*
ophold (-et, -) *stay*
oplevelse (-en, -er) *experience*
oplyse (-te, -t) *inform*
opnå (-ede, -et) *get, obtain*
opskrift (-en, -er) *recipe*
ord (-et, -) *word*

ordensmenneske (-t, -r) *tidy
person*
ordre (-n, -r) *order*
os *us*
ost (-en, -e) *cheese*
osv. (og så videre) *etc.*
over *over, across*
over for *opposite; towards, to*
overbevisning (-en, -er)
conviction
**overdrive (overdrev,
overdrevet)** *exaggerate*
overhovedet ikke *not at all*
overleve (-ede, -et) *survive*
overraskelse (-n, -r) *surprise*
overveje (-ede, -et) *consider*

pakke ind (-ede, -et) *wrap (up)*
pakke (-n, -r) *parcel*
pakke op (-ede, -et) *unwrap*
papir (-et) *paper*
par (-ret, -) *pair;* **et par** *a few,
a couple of*
park (-en, -er) *park*
parti (-et, -er) *party*
partipolitisk *party political*
passager (-en, -er) *passager*
passe (-ede, -et) *look after, mind*
passe til (-ede, -et) *suit*
passende *suitable*
penge (pl.) *money*
penicillin (-et) *penicillin*
person (-en, -er) *person*
personlighed (-en, -er)
personality
pige (-n, -r) *girl*
pille (-n, -r) *pill*
pinse *Whitsun*

pinsemorgen *Whitsunday
morning*
piskefløde (-n) *whipping cream*
pistol (-en, -er) *pistol*
pjat; sikke noget pjat! *nonsense!,
that is stupid!*
plads (-en, -er) *place, seat; space;
square*
pladsbillet (-ten, -ter) *seat
reservation*
plan (-en, -er) *plan*
pludselig *suddenly*
plus *plus*
politi (-et) *police*
politibetjent (-en, -e)
policeman
politiker (-en, -e) *politician*
politisk *political*
politistation (-en, -er) *police
station*
porcelæn (-et) *porcelain*
porre (-n, -r) *leek*
pr. (per); pr. nat *per night, a night*
prioritetskunde (-n, -r) *priority
customer*
pris (-en, -er) *price;* **sætte pris på**
appreciate, value
prisfald (-et, -) *fall in price(s)*
problem (-et, -er) *problem*
produkt (-et, -er) *product*
profit (-ten) *profit*
provinsby (-en, -er) *provincial
town*
præsentere (-ede, -et) *introduce*
prøve (-ede, -et) *try*
pynt (-en) *ornament, trimming(s)*
pære (-n, -r) *pear*
pæretræ (-et, -er) *pear tree*

på on; **på banegården** at the railway station

på grund af because of, on account of

påskelilje (-n, -r) daffodil

påvirke (-ede, -et) influence

radio (-en, -er) radio

radise (-n, -r) radish

rask healthy, well, fit

recept (-en, -er) prescription

receptionist (-en, -er) receptionist

rede (-n, -r) nest

regel (reglen, regler) rule; **som regel** as a rule

regere (-ede, -et) rule

regering (-en, -er) government

regeringstid (-en) reign

regne (-ede, -et) rain

regnfrakke (-n, -r) raincoat

rejse (-n, -r) journey

rejse (-te, -t) travel

rejsebureau (-et, -er) travel agency

ren clean, pure

rense (-ede, -et) clean

rent (økonomisk) purely (financially)

respektive respective

rest (-en, -er) rest, remainder

restaurant (-en, -er) restaurant

resultat (-et, -er) result

resumé (-et, -er) summary

ret (-ten, -ter) dish, course

ret; (ikke) ret (langt) (not) very (far)

returbillet (-ten, -ter) return ticket

rigtig right; **det rigtige** the right thing

ringe (-ede, -et) telephone, ring

ringe (mig) op (-ede, -et) telephone

riste (-ede, -et) toast

rive ned (rev, revet) demolish, pull down

rivende tearing

rolle (-n, -r) part, role

rose (-n, -r) rose

rugbrød (-et) rye bread

rund round

rundstykke (-t, -r) roll

rundt round, about

rydde op (-ede, - et) tidy up

ryger (-en, -e) smoker

rykke (-ede, -et) move

rækkehus (-et, -e) terrace house

rød red

rødkål (-en) red cabbage

rødvin (-en, -e) red wine

råd (-et, -) means; piece of advice

rådhus (-et, -e) town/city hall

sag (-en, -er) matter, case

sagtens easily

salat (-en) lettuce; salad (pl. **-er**)

salatskål (-en, -e) salad bowl

samme same

sammen together

sandelig indeed

sang (-en, -e) song

sangstemme (-n, -r) singing voice

sankthansaften St. John's Eve

savne (-ede, -et) miss

scene (-n, -r) stage, scene

se (så, set) *see*
se ... ud (så, set) *look* (e.g. pretty)
sejle (-ede, -et) *sail*
selskab (-et, -er) *company*
selv *myself* (or *yourself, himself* etc.)
selv om *even though*
selvfølgelig *of course*
selvmedlidenhed (-en) *self-pity*
selvtillid (-en) *(self-)confidence*
senere *later*
seng (-en, -e) *bed*
sent *late*
september *September*
seværdighed (-en, -er) *sight*
sidde (sad, siddet) *sit*
siddeplads (-en, -er) *seat*
side (-n, -r) *side;* ved siden af *next to*
siden *since*
siden da *since then*
sidst *last*
sidst på (eftermiddagen) *at the end of (the afternoon)*
sige (sagde, sagt) *say, tell*
sige til (sagde, sagt) *say so*
sikkert *very likely, no doubt*
simpelthen *simply*
sjov (-et) *fun*
skabe (-te, -t) *create*
skade (-ede, -et) *harm*
skaldyr (-et, -) *shellfish*
skam; det er en skam *it is a pity, what a pity*
skat (-ten, -ter) *treasure; darling*
ske (-te, -t) *happen*
skib (-et, -e) *ship, boat*
skifte (-ede, -et) *change*

skiftes til (skiftedes, har skiftedes) *take it in turns*
skinne (-ede, -et) *shine*
skive (-n, -r) *slice*
skjorte (-n, -r) *shirt*
skjule (-te, -t) *hide*
skole (-n, -r) *school*
skov (-en, -e) *wood, forest*
skriftlig *written*
skrive (skrev, skrevet) *write*
skuffe (-ede, -et) *disappoint*
skulle (skal, skulle, skullet); skal *is going to; shall; will; must*
skyldes (skyldtes, har skyldtes) *be due to, be caused by*
skynde sig (-te, -t) *hurry*
skæbne (-n, -r) *fate*
skænke (-ede, -et) *pour*
skære (skar, skåret) *cut*
skærpe (-ede, -et) *sharpen, tighten, intensify*
skøn *beautiful*
skål (-en, -e) *bowl*
skål! *cheers!*
skåle med (-ede, -et) *toast*
slags (-en, -) *kind, sort*
slank *slender*
slem *bad*
slet ikke *not at all*
slips (-et, -) *tie*
slot (-tet, -te) *castle, palace*
slut *over, at an end, finished*
slutning (-en, -er) *end*
slutte (-ede, -et) *end*
slå (slog, slået) *hit, strike*
slå (feberen) ned (slog, slået) *get the fever down*
smage (-te, -t) *taste*

smage på (-te, -t) *taste, sample, try*

smerte (-n, -r) *pain*

smuk *beautiful*

smykke (-t, -r) *piece of jewellery*

smørrebrød (-et) *open sandwiches*

snakke (-ede, -et) *talk, chat*

snart *soon*

sne (-en) *snow*

snestorm (-en, -e) *blizzard*

sol (-en, -e) *sun*

solbær (-ret, -) *blackcurrant*

som *that, which, whom*

som *as; like;* **som om** *as if*

som sagt *as mentioned (before)*

sommer (-en, somre) *summer*

sommerhus (-et, -e) *summer cottage*

sove (sov, sovet) *sleep*

soveværelse (-t, -r) *bedroom*

spadsere (-ede, -et) *walk*

spadseretur (-en, -e) *walk*

spare sammen (-ede, -et) *save (up)*

spille (-ede, -et) *play*

spille en rolle (-ede, -et) *play a part*

spinat (-en) *spinach*

spise (-te, -t) *eat*

spisekort (-et, -) *menu*

sprede (-te, -t) *spread, scatter*

springe ud (sprang, sprunget) *burst/come into leaf*

sprog (-et, -) *language*

sprogkursus (-et, -kurser) *language course*

sprogskole (-n, -r) *language school*

spændende *exciting*

spøg (-en) *joke*

spørge (spurgte, spurgt) *ask*

spørgsmål (-et, -) *question*

stadig *still*

stadigvæk *still*

stakkels *poor, pitiable*

starte (-ede, -et) *start, set up*

stave (-ede, -et) *spell*

sted (-et, -er) *place*

stemme på (-te, -t) *vote for*

sten (-en, -) *stone*

stil (-en, -e) *essay*

stille *quiet*

stille (-ede, -et) *put, place*

stille spørgsmål (-ede, -et) *ask questions*

stilling (-en, -er) *occupation, job*

stjæle (stjal, stjålet) *steal*

stof (-fet, -fer) *material*

stol (-en, -e) *chair*

stolt *proud*

stor *big*

storby (-en, -er) *city*

storm (-en, -e) *gale*

stormagasin (-et, -er) *department store*

strand (-en, -e) *beach*

studentereksamen (-en, -er or **-eksaminer)** *school leaving exam corresponding to A levels*

studium (studiet, -er) *study*

stue (-n, -r) *living room*

stuehus (-et, -e) *farmhouse*

stuve (-ede, -et) *stow, pack, cram*

stuvende fuld *packed, crammed*

stykke (-t, -r) *piece*

stykke tid; et stykke tid *some time*
styre (-ede, -et) *rule, govern*
stærk *strong (e.g. drink); heavy (e.g. traffic)*
større *bigger*
størrelse (-n, -r) *size*
støtte (-n) *support, backing*
stå (stod, stået) *stand*
stå til (stod, stået); det står dårligt til *things are bad*
sulten *hungry*
sund *healthy*
suppe (-n, -r) *soup*
sur *cross, in a bad mood*
svane (-n, -r) *swan*
svare (på) (-ede, -et) *answer*
Sverige *Sweden*
svimmel *dizzy, giddy*
svinesti (-en, -er) *pigsty*
svær *difficult*
sydlig *southern*
syg *ill*
synd (-en, -er) *sin;* **det er synd** *it is a pity*
synes (syntes, syntes) *think; seem*
synes om (syntes, syntes) *like*
synge (sang, sunget) *sing*
system (-et, -er) *system*
sælge (solgte, solgt) *sell*
sænke (-ede, -et) *lower*
særlig *particularly;* **(ikke) særlig (tung)** *(not) very (heavy)*
særstilling (-en, -er) *exceptional position*
sætning (-en, -er) *sentence*
sætte sig (satte sig, sat sig) *sit down*

sætte pris på (satte, sat) *appreciate, value*
sø (-en, -er) *lake*
sød *sweet*
sølvarmbånd (-et, -) *silver bracelet*
søn (-nen, -ner) *son*
søndag *Sunday*
sørge for (-ede, -et) *arrange*
så *so (that), so (=therefore);* **så (vi kan køre ud til Mols)** *so (we can drive out to Mols)*
så; så (dækker jeg bord i mellemtiden) *then (I shall lay the table in the meantime)*
så (godt) *so (good)*
så vidt jeg husker *as far as I remember*
sådan (adv.) *like this/that*

tablet (-ten, -ter) *tablet, pill*
tag (-et, -e) *roof*
tage (tog, taget) *take; go*
tage fri *take (time) off*
tage på *put on*
tage telefonen (tog, taget) *answer the telephone*
tagrende (-n, -r) *gutter*
tak (-ken, -) *thanks*
tale (-n, -r) *speech*
tale om (-n, -r); det kan der ikke være tale om *that is out of the question*
tale (-te, -t) *talk*
tanke (-n, -r) *thought*
tante (-n, -r) *aunt*
taske (-n, -r) *bag*
te (-en) *tea*

teater (teatret, teatre) *theatre*
teatergruppe (-n, -r) *theatre group*
telefon (-en, -er) *telephone*
temmelig *rather*
temperatur (-en, -er) *temperature*
termometer (-et, -metre) *thermometer*
terræn (-et, -er) *terrain*
tid (-en, -er) *time*
tidspunkt (-et, -er) *time, moment*
til *to*
til pynt *for decoration*
til sidst *finally*
tilbage *back*
tilbringe (tilbragte, tilbragt) *spend*
tilbyde (tilbød, tilbudt) *offer*
tilfredsstillende *satisfactory*
tilfældig *accidental, random*
tilsætningsstof (-fet, -fer) *additive*
tilværelse (-n, -r) *existence, life*
time (-n, -r) *hour; lesson, class*
tipoldemor (-moderen/-moren, -mødre) *great-great-grandmother*
tirsdag *Tuesday*
tit *often*
tog (-et, -) *train*
toilet (-let, -ter) *toilet*
tomat (-en, -er) *tomato*
tomatsuppe (-n, -r) *tomato soup*
top (-pen, -pe) *top*
tordenvejr (-et) *thunderstorm*
torsdag *Thursday*
tosproget *bilingual*

tosprogethed (-en) *bilingualism*
trafik (-ken) *traffic*
trappe (-n, -r) *staircase, stairs, steps*
trist *sad*
tro (-ede, -et) *think, believe*
træ (-et, -er) *tree*
trækrone (-n, -r) *crown/top of tree*
trænge til (-te, -t) *need*
træt *tired*
tulipan (-en, -er) *tulip*
tung *heavy*
tur (-en, -e) *walk, trip*
turde (tør, turde, turdet); tør *dare*
turist (-en, -er) *tourist*
TV-avis (-en) *television news*
tværtimod *on the contrary*
tyk *fat, thick*
tynd *thin*
tysk *German*
Tyskland *Germany*
tælle med (talte, talt) *include, count*
tænde (-te, -t) *light*
tænke (på) (-te, -t) *think (of)*
tænke sig; kunne tænke sig *feel like*
tæt *dense*
tøj (-et) *clothes*
tåle (-te, -t) *tolerate, endure, stand*
tårn (-et, -e) *tower*

ubehagelig *unpleasant*
ud/ude *out*
uddannelse (-n, -r) *training, education; degree*

uden for (byen) *outside (the town)*
uden *without;* **uden tvivl** *without doubt, undoubtedly*
uden videre *as a matter of course, just like that*
udendørs *out of doors*
udenfor (adv.) *outside*
udlandet *foreign countries;* **i udlandet** *abroad*
udlejning (-en) *letting*
udmærket *splendid*
udpege (-ede, -et) *point out*
udsendelse (-n, -r) *broadcast*
udsolgt *sold out*
udsyn (-et, -) *view*
udsætte (udsatte, udsat) *postpone*
udtale (-n, -r) *pronunciation*
udtale (-te, -t) *pronounce*
udtrykke (-te, -t) *express*
udvalg (-et, -) *selection*
udvendig *outside, externally*
ufornuftig *unwise*
uge (-n, -r) *week*
ulejlighed (-en) *inconvenience, trouble*
umulig *impossible*
umådelig *tremendous, immense*
under *under, below*
under ingen omstændigheder *under no circumstances*
undergrundsbane (-n, -r) *underground railway*
underlig *strange*
undersøge (-te, -t) *examine*
undervise (-te, -t) *teach*
undervisning (-en) *tuition, lessons*

undgå (undgik, undgået) *avoid*
Undskyld! *I am sorry!;* **undskyld, ...** *excuse me, ...*
undskylde (-te, -t) *excuse*
undtagen *except*
undvære (-ede, -et) *do without, spare*
ung *young*
universitet (-et, -er) *university*
utilfreds *discontented, dissatisfied*
utilfredshed (-en) *discontent, dissatisfaction*
utrolig (adv.) *incredibly*

valg (-et, -) *election, choice*
vand (-et) *water*
vare (-n, -r) *article, product*
vare (-ede, -et) *last, take* (time)
varm *warm*
vaske sig (-ede, -et) *wash (oneself)*
ved *by*
vedkommende; for mit vedkommende *as far as I am concerned*
vegetar (-en, -er) *vegetarian*
vej (-en, -e) *road, way;* **på vej** *on the way*
vejr (-et) *weather*
veksle (-ede, -et) *alternate*
vel *I suppose*
vel nok *really*
velbekomme; at the end of the meal the host/hostess says **velbekomme** *may it* (the food) *do you good.*
velkommen *welcome*

vellykket *successful*
ven (-nen, -ner) *friend*
venlig *kind, friendly*
venstre *left*
vente (-ede, -et) *wait*
vi *we*
vide (ved, vidste, vidst) *know*;
  ved du hvad, ... *listen ...*
videre *on, further*
vidne om (-ede, -et) *be a sign of,
  be evidence of, show*
vidt (forskellige) *widely
  (different)*
vig (-en, -e) *inlet, bay*
vigtig *important*
viking (-en, -er) *viking*
vikingehavn (-en, -e) *viking
  harbour*
vild (cf. **fare vild**)
villakvarter (-et, -er) *estate,
  residential neighbourhood*
ville (vil, ville, villet); vil *want,
  will*; **vil gerne** *would like to*
vin (-en, -e) *wine*
vind (-en, -e) *wind*
vindrue (-n, -r) *grape*
vinduesplads (-en, -er) *window
  seat*
vinglas (-set, -) *wine glass*
virke (-ede, -et) *work, function;
  appear*
virkelig *really*
vis *certain*
vise (-te, -t) *show*
vise sig at ... (-te, -t) *appear
  to ..., prove to ...*
vist *probably*
vokse (-ede, -et) *grow*

voksen *adult, grown up*
voksenbillet (-ten, -ter) *adult/full
  ticket*
vold (-en, -e) *rampart*
volde (-te, -t) *cause*
vores *our, ours*
væg (-gen, -ge) *wall*
væk *away*
vække (-ede, -et) *wake up*
vækkeur (-et, -e) *alarm clock*
vælge (valgte, valgt) *choose*
vænne sig til (-ede, -et) *get
  used to*
værd *worth*
være (er, var, været) *be*
være bange for (er, var, været)
  be afraid of
være færdig (er, var, været)
  have finished
være glad for *be fond of, like*
**være i færd med (er, var,
  været)** *be in the process of*
være i vejen (er, var, været)
  be wrong
være ked af (er, var, været)
  be sad about; **han er ked af det**
  he feels sad, he is unhappy; **jeg
  er ked af, at ...** *I am sorry that*
være klar over (er, var, været)
  realize, know
være længe om (er, var, været)
  *take a long time, be a long
  time*
være nødt til (er, var, været)
  have to, need to
være ved at (er, var, været) *be
  (in the process of) ...ing; be on
  the point of, be about to*

værelse (-t, -r) *room*
værre *worse*
Værsgo! *Here you are!*
vågne (-ede, -et) *wake up*

wienerbrød (-et) *Danish pastry/
pastries*; **et stykke wienerbrød**
a Danish pastry

yderliggående *extreme, radical*
yderst *furthest*

æble (-t, -r) *apple*
æblekage (-n) *a dessert similar
to trifle made with stewed
apples*
æbletræ (-et, -er) *apple tree*
æg (-get, -) *egg*
ægtefælle (-n, -r) *spouse,
partner*
ært (-en, -er) *pea*
æske (-n, -r) *box*

ø (-en, -er) *island*
ødelægge (-lagde, -lagt) *ruin,
destroy*
øje (-t, øjne) *eye*
øl (-let) *beer;* **en øl** *a beer* (bottle
or can) (pl. -, **øller**)
ønske (-ede, -et) *wish*
ønskestilling (-en, -er) *ideal
occupation*
øre (-t, -r) *ear*
ørebetændelse (-n) *inflammation
of the ear*
ørepine (-n) *earache*
østers (-en, -) *oyster*
østkyst (-en, -er) *east coast*

åben *open*
åbne (-ede, -et) *open*
ål (-en, -) *eel*
år (-et, -) *year*
århundrede (-t, -r) *century*
årtusinde (-t, -r) *millennium*

English–Danish vocabulary

a little **lidt**
about **om**
abroad, (go) abroad **(rejse) til udlandet;** *(live) abroad* **(bo) i udlandet**
accidental **tilfældig**
across **over**
actually **egentlig**
additive **tilsætningsstof (-fet, -fer)**
address (noun) **adresse (-n, -r)**
address (verb) **henvende sig til (-te, -t)**
admit **indrømme (-ede, -et)**
adult **voksen** (adj.)
adult ticket **voksenbillet (-ten, -ter)**
advice, a piece of advice **råd (-et, -)**
aeroplane **fly (-et, -)**
afraid (of) **bange (for)**
afternoon **eftermiddag (-en, -e)**
afterwards **bagefter**
again **igen**
ago, (five years) ago **for (fem år) siden**
agree on **blive enige om (blev, blevet)**
air **luft (-en)**
airport **lufthavn (-en, -e)**
alarm clock **vækkeur (-et, -e)**

already **allerede**
also **også**
alternate **veksle (-ede, -et)**
always **altid**
among **imellem**
amount **beløb (-et, -)**
and **og**
answer **svare (-ede, -et)**
apple **æble (-t, -r)**
apple tree **æbletræ (-et, -er)**
appreciate **sætte pris på (satte, sat)**
April **april**
apron **forklæde (-t, -r)**
area **område (-t, -r)**
arm **arm (-en, -e)**
around **omkring**
arrange **aftale (-te, -t), arrangere (-ede, -et), sørge for (-ede, -et)**
arrival **ankomst (-en, -er)**
arrive **ankomme (ankom, ankommet)**
artificial **kunstig**
as far as (I remember) **så vidt (jeg husker)**
as regards **med hensyn til**
ashore **i land**
ask **spørge (spurgte, spurgt)**
ask (for help) **bede (bad, bedt) (om hjælp)**
ask questions **stille (-ede, -et) spørgsmål**

at all, (not) at all **overhovedet (ikke)**
at home **hjemme**
attitude **holdning (-en, -er)**
August **august**
aunt **tante (-n, -r)**
autumn **efterår (-et, -)**
average height **middelhøjde (-n)**
avoid **undgå (undgik, undgået)**
away **væk**

back **tilbage**
backwards and forwards **frem og tilbage**
bad **gal, slem**
bag **taske (-n, -r)**
baker **bager (-en, -e)**
bathroom **badeværelse (-t, -r)**
be able to afford **have råd til**
be about **dreje sig om (-ede, -et), handle om (-ede, -et)**
be called **hedde (hed, heddet)**
be due to **skyldes (skyldtes, har skyldtes)**
be interested in **interessere (-ede, -et) sig for**
be right **have ret**
be **være (er, var, været)**
be wrong **tage fejl (tog, taget)**
be, find oneself **befinde sig (befandt, befundet)**
beach **strand (-en, -e)**
bear, give birth to **føde (-te, -t)**
beautiful **skøn, smuk**
because **fordi**
because of **på grund af**
become **blive (blev, blevet)**
bed **seng (-en, -e)**

bedroom **soveværelse (-t, -r)**
beer **øl (-let)**; a (bottle of) beer **øl (-len, -ler)**
before **før, inden**
begin **begynde (-te, -t)**
bell **klokke (-n, -r)**
belong to, be one of **høre til (-te, -t)**
below **under**
berry **bær (-ret, -)**
between **mellem**
bid (welcome) **byde (velkommen) (bød, budt)**
big **stor**
bilingual **tosproget**
bilingualism **tosprogethed (-en)**
bird **fugl (-en, -e)**
birthday **fødselsdag (-en, -e)**
bishop **biskop (-pen, -per)**
blackcurrant **solbær (-ret, -)**
blizzard **snestorm (-en, -e)**
blouse **bluse (-n, -r)**
blue **blå**
boat **båd (-en, -e)**
bonfire **bål (-et, -)**
book (noun) **bog (-en, bøger)**
book (verb) **bestille (-te, -t)**
border **grænse (-n, -r)**
boring **kedelig**
borrow **låne (-te, -t)**
both **begge**
both ... and **både ... og**
bottle **flaske (-n, -r)**
bottom **bund (-en, -e)**
bouquet **buket (-ten, -ter)**
bowl **skål (-en, -e)**
box **æske (-n, -r)**
boy **dreng (-en, -e)**

bracelet **armbånd (-et, -)**

break off **afbryde (afbrød, afbrudt)**

breakfast **morgenmad (-en)**

bridge **bro (-en, -er)**

brighten up **klare op (-ede, -et)**

bring **bringe (bragte, bragt)**

broadcast **udsendelse (-n, -r)**

brooch **broche (-n, -r)**

brother **bror (broderen/broren, brødre)**

brown **brun**

build **bygge (-ede, -et)**

building **bygning (-en, -er)**

burial mound **gravhøj (-en, -e)**

bury **begrave (-ede, -et)**

bush **busk (-en, -e)**

business meeting **forretningsmøde (-t, -r)**

busy, be busy **have travlt**

but **men**

buy **købe (-te, -t)**

by **ved**

capital (city) **hovedstad (-en, hovedstæder)**

car **bil (-en, -er)**

care for **bryde sig om (brød, brudt)**

carefully **forsigtigt**

carrot **gulerod (-en, gulerødder)**

case **sag (-en, -er)**

castle **slot (-tet, -te), borg (-en, -e)**

catch sight of **få øje på (fik, fået)**

cause (verb) **volde (-te, -t)**

cautious **forsigtig**

celebrate **fejre (-ede, -et)**

centre **centrum (centret, centrer)**

century **århundrede (-t, -r)**

certain, fixed **bestemt**

chair **stol (-en, -e)**

change (noun) **forandring (-en, -er)**

change (verb, intrans.) **forandre sig (-ede, -et)**

change (trans.) **lave om på (-ede, -et), lægge om (lagde, lagt), skifte (-ede, -et)**

chaos **kaos (-et)**

cheap **billig**

cheek **kind (-en, -er)**

cheese **ost (-en, -e)**

chest **bryst (-et, -er)**

chicken **kylling (-en, -er)**

chin **hage (-n, -r)**

chocolate **chokolade (-n, -r)**

choose **vælge (valgte, valgt)**

church **kirke (-n, -r)**

cinema **biograf (-en, -er)**

circumstance **omstændighed (-en, -er)**

city **storby (-en, -er)**

city hall **rådhus (-et, -e)**

class, lesson **time (-n, -r)**

clean **ren**

close, sultry **lummer**

clothes **tøj (-et) (only sing.)**

coalition government **koalitionsregering (-en, -er)**

coast **kyst (-en, -er)**

coffin **kiste (-n, -r)**

cold **kold**

collect, fetch **afhente (-ede, -et)**

colour **farve (-n, -r)**
come **komme (kom, kommet)**
come into leaf **springe ud
(sprang, sprunget)**
company **selskab (-et, -er)**
competition **konkurrence (-n)**
complain of **beklage sig over
(-ede, -et)**
completely **helt**
concentrate (on) **koncentrere sig
(om) (-ede, -et)**
concept **begreb (-et, -er)**
concerned: as far as I
am concerned **for mit
vedkommende**
confused **forvirret**
consider **betragte (-ede, -et),
overveje (-ede, -et)**
consideration **hensyn (-et, -)**
consist in **bestå i (bestod,
bestået)**
consist of **bestå af (bestod,
bestået)**
continue **fortsætte (-satte, -sat)**
control (verb) **bestemme over
(-te, -t)**
cookery book **kogebog (-en,
-bøger)**
Copenhagen **København**
corner **hjørne (-t, -r)**
cost (verb) **koste (-ede, -et)**
cosy **hyggelig**
count (verb) **tælle (talte, talt)**
country **land (-et, -e)**
countryside **natur (-en)**
course: in the course of i løbet af
crammed **stuvende fuld**
create **skabe (-te, -t)**

cross (adj.) **sur**
cucumber **agurk (-en, -er)**
culture **kultur (-en, -er)**
cup **kop (-pen, -pe)**
curtain **gardin (-et, -er)**
customer **kunde (-n, -r)**
cut **skære (skar, skåret)**
cycle **cykle (-ede, -et)**

daffodil **påskelilje (-n, -r)**
dance **danse (-ede, -et)**
Dane **dansker (-en, -e)**
Danish pastry (a) **et stykke
wienerbrød**
dark **mørk**
darling **skat**
daughter **datter (-en, døtre)**
day **dag (-en, -e)**
dear **kære**
December **december**
decide **bestemme (-te, -t),
beslutte (-ede, -et)**
deck **dæk (-ket, -)**
deckchair **liggestol (-en, -e)**
degree **grad (-en, -er)**
delayed **forsinket**
delicious **lækker**
demand **efterspørgsel (-en)
efter**
demolish **rive ned (rev, revet)**
dense **tæt**
depart **afgå (afgik, afgået)**
department **afdeling (-en, -er)**
department store **stormagasin
(-et, -er)**
depend on **afhænge af (afhang,
afhængt), komme an på (kom,
kommet)**

describe **beskrive (beskrev, beskrevet)**

dessert **dessert (-en, -er)**

destroy **ødelægge (-lagde, -lagt)**

detour **afstikker (-en, -e)**

die **dø (døde);** *he has died* **han er død**

different **forskellig, anderledes**

difficult **svær, besværlig**

disappear **forsvinde (forsvandt, forsvundet)**

disappoint **skuffe (-ede, -et)**

discuss **diskutere (-ede, -et)**

dish, course **ret (-ten, -ter)**

dismiss, sack **afskedige (-ede, -et)**

dissatisfaction **utilfredshed (-en)**

dissatisfied **utilfreds**

dissimilarity **forskellighed (-en, -er)**

district **egn (-en, -e)**

dizzy **svimmel**

do **gøre (gør, gjorde, gjort), lave (-ede, -et)**

do without **undvære (-ede, -et)**

doctor **læge (-n, -r)**

door **dør (-en, -e)**

down **ned**

dream (noun) **drøm (-men, -me)**

dream **drømme (-te, -t)**

dress (noun) **kjole (-n, -r)**

dress oneself **klæde sig på (-te, -t)**

drift (verb) **fyge (-ede, -et or føg, føget)**

drive **køre (-te, -t)**

each **hver**

each other **hinanden**

ear **øre (-t, -r)**

earache **ørepine (-n)**

earth **jord (-en)**

easily **sagtens**

east **øst**

Eastern Jutland **Østjylland**

easy **let, nem**

eat **spise (-te, -t)**

edge **kant (-en, -er)**

education **uddannelse (-n, -r)**

eel **ål (-en, -)**

egg **æg (-get, -)**

either … or **enten … eller**

election **valg (-et, -)**

employ **ansætte (ansatte, ansat)**

employee **funktionær (-en, -er)**

employment **beskæftigelse (-n, -r)**

encounter **møde (-te, -t)**

end (noun) **ende (-n, -r), slutning (-en, -er)**

end (verb) **slutte (-ede, -et)**

enemy **fjende (-n, -r)**

English **engelsk**

English person **englænder (-en, -e)**

enjoy **nyde (nød, nydt)**

enough **nok (penge nok)**

environmentally aware **miljøbevidst**

especially **især**

essay **stil (-en, -e)**

etc. **osv. (og så videre)**

evening **aften (-en, -er)**

eventually **omsider**

ever **nogensinde**
everybody **alle** (pl. of **al** *all*)
everywhere **allevegne**
exactly **netop, nøjagtig**
exaggerate **overdrive** (**overdrev,
  overdrevet**)
examination **eksamen** (**-en, -er**
  or **eksaminer**)
examine **undersøge** (**-te, -t**)
except **undtagen**
exceptional position **særstilling**
  (**-en, -er**)
exchange **bytte** (**-ede, -et**)
exciting **spændende**
Excuse me ...? **Undskyld ...?**
excuse **undskylde** (**-te, -t**)
exercise **motion** (**-en**)
existence **tilværelse** (**-n, -r**)
expectation **forventning**
  (**-en, -er**)
expensive **dyr**
experience **oplevelse** (**-n, -r**);
  erfaring (**-en, -er**)
export (verb) **eksportere**
  (**-ede, -et**)
express (verb) **udtrykke** (**-te, -t**)
eye **øje** (**-t, øjne**)

fabric, material **stof** (**-fet, -fer**)
face **ansigt** (**-et, -er**)
factory **fabrik** (**-ken, -ker**)
faint **besvime** (**-ede, -et**)
fair **lys**
fall **falde** (**faldt, faldet**)
fall asleep **falde i søvn**
family **familie** (**-n, -r**)
famous **berømt**
far (adv.) **langt**

farm **gård** (**-en, -e**)
farmhouse **stuehus** (**-et, -e**)
fat **tyk**
fate **skæbne** (**-n**)
father **far** (**faderen/faren, fædre**)
fauna **dyreliv** (**-et**)
favourite dish **livret** (**-ten, -ter**)
February **februar**
feel **føle** (**-te, -t**)
feel ill **føle sig dårlig tilpas**
  (**-te, -t**)
feel like **have lyst til, kunne
  tænke sig**
feel sick **have kvalme**
feeling **fornemmelse** (**-n, -r**)
fellow **fyr** (**-en, -e**)
ferry **færge** (**-n, -r**)
fetch **hente** (**-ede, -et**)
fill **fylde** (**-te, -t**)
finally **til sidst**
find **finde** (**fandt, fundet**)
find out **finde ud af** (**fandt,
  fundet**)
fine **fin**
finish **afslutte** (**-ede, -et**)
finished **færdig**; *have finished*
  være færdig med
firm **firma** (**-et, -er**)
first and foremost **først og
  fremmest**
first course **forret** (**-ten, -ter**)
fish **fisk** (**-en, -**)
flat (noun) **lejlighed** (**-en, -er**)
floor **etage** (**-n, -r**)
flower **blomst** (**-en, -er**)
flu **influenza** (**-en**)
fly **flyve** (**fløj, fløjet**)
following **følgende**

food **mad (-en)**
for once **for en gangs skyld**
foreign **fremmed**
forest **skov (-en, -e)**
forget **glemme (-te, -t)**
form (verb) **danne (-ede, -et)**
fortunate **heldig**
fortunately **heldigvis**
found **grundlægge
  (-lagde, -lagt)**
free **gratis**
freeze, feel cold **fryse (frøs,
  frosset)**
French **fransk**
Friday **fredag (-en, -e)**
friend **ven (-nen, -ner)**
from **fra**
from home **hjemmefra**
fruit **frugt (-en, -er)**
full **fuld**
fun **sjov (-et)**
funeral **begravelse (-n, -r)**
further **videre**

gale **storm (-en, -e)**
game **leg (-en, -e)**
garden **have (-n, -r)**
German **tysk**
Germany **Tyskland**
get **få (fik, fået)**
get hold of **få fat i (fik, fået)**
get on with (people) **komme ud
  af det med (kom, kommet)**
get used to **vænne sig til
  (-ede, -et)**
girl **pige (-n, -r)**
give **give (gav, givet)**
glass **glas (-set, -)**

glasses **briller** (pl.)
go **gå (gik, gået)**
go bankrupt **gå konkurs (gik,
  gået)**
good **god**
government **regering (-en, -er)**
gradually **efterhånden**
grammar **grammatik
  (-ken, -ker)**
grand **fin**
grape **vindrue (-n, -r)**
grave **grav (-en, -e)**
green **grøn**
greenhouse **drivhus (-et, -e)**
grey-haired **gråhåret**
grow **vokse (-ede, -et)**
grow, cultivate **dyrke (-ede, -et)**
gutter **tagrende (-n, -r)**

hair **hår (-et, -)**
half **halvdel (-en, -e)**
hand **hånd (-en, hænder)**
handbag **håndtaske (-n, -r)**
happen **ske (-te, -t)**
happy **lykkelig**
harbour **havn (-en, -e)**
harm **skade (-n, -r)**
have **have (har, havde, haft)**
head **hoved (-et, -er)**
headache **hovedpine (-n)**
healthy **rask**
hear **høre (-te, -t)**
heavy **tung**
help **hjælpe (hjalp, hjulpet)**
here **her**
Here you are! **Værsgo!**
hide **gemme (-te, -t), skjule
  (-te, -t)**

hill **bakke (-n, -r)**
hilly **kuperet**
history **historie (-n)**
hold **holde (holdt, holdt)**
holiday **ferie (-n, -r)**
holiday-maker **ferierejsende**
  (adj.); *the holiday-makers*
  de ferierejsende
home (adv.) **hjem**
hope **håbe (-ede, -et)**
hospitable **gæstfri**
hospitality **gæstfrihed (-en)**
hour **time (-n, -r)**
how **hvordan**
how many **hvor mange**
however **imidlertid**
human being **menneske (-t, -r)**
hungry **sulten**
hurry **skynde sig (-te, -t)**
husband **mand (-en, mænd)**

ice cream **is (-en)**
idea **idé (-en, -er)**
ideal (adj.) **ideel**
ideal occupation **ønskestilling**
  (-en, -er)
if **hvis**; (= *whether*) **om**
ill **syg**
immense **umådelig**
immensely **mægtig**
importance **betydning (-en)**
important **vigtig**
impossible **umulig**
impression **indtryk (-ket, -)**
in fact **faktisk**
in **i**
in jest **for sjov**
incredible **utrolig**

indeed **sandelig**
indoors **indendørs, inden døre**
inflammation **betændelse**
  (-n, -r)
inform (about) **oplyse (-te, -t)**
  (om)
ingredient **ingrediens (-en, -er)**
inhabitant **indbygger (-en, -e)**
inhabited **beboet**
inlet **vig (-en, -e)**
inn **kro (-en, -er)**
inside (adj.) **indvendig**; (adv.)
  indenfor
insist **insistere på (-ede, -et)**
instead (of) **i stedet (for)**
insurance **forsikring (-en, -er)**
intention **mening (-en)**
interest (in) **interesse (-n, -r)**
  (for)
interesting **interessant**
introduce **præsentere (-ede, -et)**
introduction **indledning**
  (-en, -er)
invitation **indbydelse (-n, -r),**
  invitation (-en, -er)
invite **invitere (-ede, -et)**
island **ø (-en, -er)**

jacket **jakke (-n, -r)**
jam **marmelade (-n, -r)**
January **januar**
jeweller **guldsmed (-en, -e)**
jewellery, piece of jewellery
  smykke (-t, -r)
job **stilling (-en, -er)**
joke (noun) **spøg (-en)** (only sing.)
journey **rejse (-n, -r)**
jug **kande (-n, -r)**

July **juli**
June **juni**
just (adv.) **lige**
Jutland **Jylland**

key **nøgle (-n, -r)**
kind **venlig**
kind, sort **slags (-en, -)**
king **konge (-n, -r)**
kingdom **kongerige (-t, -r)**
kitchen **køkken (-et, -er)**
know (a language) **kunne (kan, kunne, kunnet)**
know **vide (ved, vidste, vidst), kende (-te, -t)**
knowledge **kendskab (-et)**

lack **mangle (-ede, -et)**
lady **dame (-n, -r)**
lake **sø (-en, -er)**
land (verb) **lande (-ede, -et)**
landscape **landskab (-et, -er)**
language **sprog (-et, -)**
language course **sprogkursus (-kurset, -kurser)**
last (verb) **vare (-ede, -et)**
last **sidst**
late **sen**
later **senere**
lawn **græsplæne (-n, -r)**
lead to **føre til (-te, -t)**
learn **lære (-te, -t)**
leave **forlade (forlod, forladt)**
leave behind **efterlade (-lod, -ladt)**
left (left-hand) **venstre**
leg **ben (-et, -)**

let, allow **lade (lod, ladet or ladt)**
let, hire out **leje ud (-ede, -et)**
letting **udleje (-en)**
lettuce **salat (-en)**
lie **ligge (lå, ligget)**
life **liv (-et, -)**
light (verb) **tænde (-te, -t)**
like (verb) **holde af, kunne lide, synes om, være glad for**
limited **begrænset**
listen **lytte (-ede, -et)**
Listen… **Ved du hvad…**
litre **liter (-en, -)**
lively **livlig**
living room **dagligstue (-n, -r)**
lobster **hummer (-en, -e)**
long (adj.) **lang**
long (adv.) **længe**
look (pretty) **se (smuk) ud (så, set)**
look after **passe (-ede, -et)**
look forward to **glæde sig til (-ede, -et)**
look **kigge (-ede, -et)**
loosen **løse (-te, -t)**
lose **miste (-ede, -et)**
lose one's way **fare vild**
lot: a lot of words **en masse ord**
love **elske (-ede, -et)**
lovely **dejlig**
lower (verb) **sænke (-ede, -et)**
luggage **bagage (-n)**
lunch **frokost (-en, -er)**
luxury **luksus (-en)**

main course **hovedret
(-ten, -ter)**
majority **flertal (-let)**
make **lave (-ede, -et)**
make a speech **holde en tale
(holdt, holdt)**
make up one's mind **beslutte sig
(-ede, -et)**
manage (trans.) **klare (-ede, -et),**
(intrans.) **klare sig**
many **mange**
March **marts**
mark (noun) **mærke (-t, -r)**
market (verb) **forhandle
(-ede, -et)**
marry **gifte sig (-ede, -et)**
materialize **blive til noget
(blev, blevet)**
*matter: what is the matter
(wrong)?* **hvad er der
i vejen?**
May **maj**
meat ball **frikadelle (-n, -r)**
mean (verb) **betyde (betød,
betydet); mene (-te, -t)**
meantime **mellemtiden**
meat **kød (-et)**
medical profession **lægegerning
(-en)**
Mediterranean (the)
Middelhavet
meet **møde (-te, -t)**
merchant **købmand (-en,
købmænd)**
mermaid **havfrue (-n, -r)**
metre **m., meter (-en, -)**
milk **mælk (-en)**

millennium **årtusinde (-t, -r)**
million **million (-en, -er)**
mind: I don't mind **jeg har ikke
noget imod**
miserable **elendig**
Miss **frk. (frøken)**
miss **savne (-ede, -et)**
moment **tidspunkt (-et, -er)**
Monday **mandag (-en, -e)**
money **penge** (pl.)
month **måned (-en, -er)**
moor **hede (-n, -r)**
morning **morgen (-en, -er),
formiddag (-en, -e)**
mother **mor (moderen/moren,
mødre)**
mountain **bjerg (-et, -e)**
mouth **mund (-en, -e)**
move (verb, trans.) **flytte
(-ede, -et)**
move (verb, intrans.) **bevæge sig
(-ede, -et)**
move **rykke (-ede, -et)**
Mr **hr. (herre)**
Mrs **fru**
museum **museum (museet,
museer)**
mushroom **champignon (-en, -er)**

name **navn (-et, -e), betegnelse
(-n, -r)**
nanny **barnepige (-n, -r)**
nappy **ble (-en, -er)**
nausea **kvalme (-n)**
near **i nærheden**
nearly **næsten**
necklace **halskæde (-n, -r)**

need (verb) **behøve (-ede, -et),
have brug for, trænge til
(-te, -t)**
neglected **forsømt**
neighbour **nabo (-en, -er)**
neither…nor **hverken…eller**
nest **rede (-n, -r)**
never **aldrig**
new **ny**
next **næste**
night **nat (-ten, nætter)**
nightmare **mareridt (-et)**
nobody **ingen**
noise **larm (-en)**
northwards **nordpå**
nose **næse (-n, -r)**
November **november**
now and then **af og til**
now **nu**
number **nummer (-et, numre)**

obey **lystre (-ede, -et)**
obtain **opnå (-ede, -et)**
occasionally **engang imellem**
occupation **stilling (-en, -er)**
occupy **indtage (indtog,
indtaget)**
October **oktober**
of course **selvfølgelig,
naturligvis**
offer (verb) **tilbyde (tilbød,
tilbudt)**
often **ofte**
old **gammel**
on board **om bord**
on the contrary **tværtimod**
once **engang**
only **bare, kun**

open (adj.) **åben**
open (verb) **åbne (-ede, -et)**
opinion poll **meningsmåling
(-en, -er)**
opportunity **lejlighed (-en, -er)**
opposite **overfor**
order (noun) **ordre (-n, -r)**
ordinary **almindelig**
other **anden (andet, andre)**
out of doors **udendørs**
outside **udvendig**
over, finished **forbi**
own (verb) **eje (-ede, -et)**
owner **ejer (-en, -e)**
oyster **østers (-en, -)**

pain **smerte (-n, -r)**
paint **male (-ede, -et)**
pale **bleg**
paper **papir (-et)**
parcel **pakke (-n, -r)**
parents **forældre (pl.)**
park **park (-en, -er)**
Parliament (the Danish P.)
folketinget
part **del (-en, -e)**
part, role **rolle (-n, -r)**
particularly **særlig**
party **fest (-en, -er)**
party political **partipolitisk**
pass, wear off **gå over (gik, gået)**
passenger **passager (-en, -er)**
past **fortid (-en)**
pattern **mønster (-et, mønstre)**
pavement **fortov (-et, -e)**
pay (verb) **betale (-te, -t)**
pea **ært (-en, -er)**
peaceful **fredelig**

pear **pære (-n, -r)**
peninsula **halvø (-en, -er)**
people **folk (-et)** (sing.)
perform **opføre (-te, -t), spille
(-ede, -et)**
performance **forestilling
(-en, -er)**
perhaps **måske**
permission **lov** (common
gender)
person **person (-en, -er)**
personality **personlighed
(-en, -er)**
petrol **benzin (-en)**
pig-sty **svinesti (-en, -er)**
place **plads (-en, -er), sted
(-et, -er)**
plan **plan (-en, -er)**
play **lege (-ede, -et)**
pleasure **fornøjelse (-n, -r)**
point out **udpege (-ede, -et)**
police **politi (-et)**
police station **politistation
(-en, -er)**
police officer **politibetjent
(-en, -e)**
polite **høflig**
political **politisk**
politician **politiker (-en, -e)**
pollution **forurening (-en)**
poor, pitiable **stakkels**
possibility **mulighed (-en, -er)**
possible **mulig**
possibly **eventuelt**
postpone **udsætte (udsatte,
udsat)**
potato **kartoffel (-en, kartofler)**
pour **skænke (-ede, -et)**

pram **barnevogn (-en, -e)**
predestined **forudbestemt**
preferably **helst**
prejudice **fordom (-men, -me)**
prescription **recept (-en, -er)**
present moment **nu (-et)**
present **nuværende**
present, gift **gave (-n, -r)**
pretty **køn**
previously **før i tiden**
price **pris (-en, -er)**
probably **nok, vist**
problem **problem (-et, -er)**
produce **fremstille (-ede, -et)**
product **vare (-n, -r), produkt
(-et, -er)**
promise **love (-ede, -et)**
pronounce **udtale (-te, -t)**
pronunciation **udtale (-n, -r)**
proud **stolt**
pupil **elev (-en, -er)**
put aside **lægge til side
(lagde, lagt)**
put on (clothes) **tage (tøj) på
(tog, taget)**
put, lay **lægge (lagde, lagt)**
put, place **stille (-ede, -et)**

quality **kvalitet (-en, -er)**
quarter **fjerdedel (-en, -e)**
quarter (of an hour) **kvarter
(-et, -)**
quarter (part of town) **kvarter
(-et, -er)**
quay **kaj (-en, -er)**
queen **dronning (-en, -er)**
question **spørgsmål (-et, -)**
quickly **hurtigt**

quiet **stille**
quite **ganske**

radical, extreme **yderliggående**
rain (verb) **regne (-ede, -et)**
raincoat **regnfrakke (-n, -r)**
rampart **vold (-en, -e)**
raspberry **hindbær (-ret, -)**
rather (tall) **temmelig (høj)**
rather: (I would) rather **hellere**
rather: or rather **eller rettere**
reach **nå (-ede, -et)**
read **læse (-te, -t)**
ready **færdig**
realize **indse (indså, indset),**
  være klar over
really **virkelig**
recently **for nylig**
recession **nedgangstid (-en, -er)**
recipe **opskrift (-en, -er)**
recover **komme sig (kom,**
  kommet)
recycled paper **genbrugspapir**
  (-et)
red wine **rødvin (-en, -e)**
refuse **nægte (-ede, -et)**
reign (noun) **regeringstid (-en)**
relic **levn (-et, -)**
remember **huske (-ede, -et)**
remind (of) **minde (om)**
  (-ede, -et)
rent **leje (-ede, -et)**
repair **istandsætte (-satte, -sat)**
repay **gøre gengæld (gjorde,**
  gjort)
report **melde (-te, -t)**
resemble **ligne (-ede, -et)**
rest **rest (-en, -er)**

return ticket **returbillet**
  (-ten, -ter)
return, retaliation **gengæld**
  (-en)
reunion **gensyn (-et, -)**
right (right-hand) **højre**
ring (verb) **ringe (-ede, -et)**
road **vej (-en, -e)**
roast pork **flæskesteg (-en, -e)**
roll **rundstykke (-t, -r)**
roof **tag (-et, -e)**
room **værelse (-t, -r)**
rose **rose (-n, -r)**
round, lap **omgang (-en, -e)**
royal **kongelig**
rule **regere (-ede, -et)**
run **løbe (løb, løbet)**
rye bread **rugbrød (-et)**

sad **trist**
sad: be sad about **være ked af**
sail (verb) **sejle (-ede, -et)**
salad **salat (-en, -er)**
salary **løn (-nen)**
salmon **laks (-en, -)**
sandwich (a) **et stykke**
  smørrebrød
satisfactory **tilfredsstillende**
Saturday **lørdag (en, -e)**
saucepan **gryde (-n, -r)**
save (up) **spare sammen**
  (-ede, -et)
say **sige (sagde, sagt)**
scarcity: there is a scarcity of
  det kniber med (kneb, knebet)
school **skole (-n, -r)**
sea **hav (-et, -e)**
seat **siddeplads (-en, -er)**

seat *(in parliament)* **mandat (-et, -er)**

seat reservation **pladsbillet (-ten, -ter)**

second largest **næststørst**

see **se (så, set)**

selection **udvalg (-et)**

self-confidence **selvtillid (-en)**

self-pity **selvmedlidenhed (-en)**

sell **sælge (solgte, solgt)**

sensible **fornuftig**

sentence **sætning (-en, -er)**

separately **hver for sig**

September **september**

serious **alvorlig**

serve *(customers)* **ekspedere (kunder) (-ede, -et)**

several **flere**

sharpen **skærpe (-ede, -et)**

shave oneself **barbere sig (-ede, -et)**

shelf **hylde (-n, -r)**

shellfish **skaldyr (-et, -)**

shine **skinne (-ede, -et)**

ship **skib (-et, -e)**

shirt **skjorte (-n, -r)**

shop **butik (-ken, -ker), forretning (-en, -er)**

shop assistant **ekspedient (-en, -er)** *(male)*, **ekspeditrice (-n, -r)** *(female)*

shopping, purchase **indkøb (-et, -)**

short story **novelle (-n, -r)**

shortly **kort**

show **vise (-te, -t)**

show, be evidence of **vidne om (-ede, -et)**

shower **brusebad (-et, -e)**

side **side (-n, -r)**

sight *(tourist sight)* **seværdighed (-en, -er)**

since then **siden da**

sing **synge (sang, sunget)**

single **enkelt**

single room **enkeltværelse (-t, -r)**

single ticket **enkeltbillet (-ten, -ter)**

sit **sidde (sad, siddet)**

sit down **sætte sig (satte, sat)**

situation **beliggenhed (-en)**

size **størrelse (-n, -r)**

skirt **nederdel (-en, -e)**

sky *(and heaven)* **himmel (-en, himle)**

sleep **sove (sov, sovet)**

slender **slank**

slice **skive (-n, -r)**

slowly **langsomt**

small **lille** (pl. **små**)

smart **flot**

smoker **ryger (-en, -e)**

snow **sne (-en)**

so **så**

soft-boiled **blødkogt**

some *(time)* **et stykke (tid)**

somewhat **noget**

song **sang (-en, -e)**

soon **snart**

Sorry! I am sorry! **Undskyld!**

sound *(verb)* **lyde (lød, lydt)**

soup **suppe (-n, -r)**

southern **sydlig**

speech **tale (-n, -r)**

speed **fart (-en)**

spell **stave (-ede, -et)**

spend money **bruge penge (-te, -t)**

splendid **udmærket**

spread **sprede (-te, -t)**

square (noun) **plads (-en, -er)**

St. John's Eve **sankthansaften**

stage **scene (-n, -r)**

staircase **trappe (-n, -r)**

stand **stå (stod, stået)**

start **starte (-ede, -et)**

stay (noun) **ophold (-et, -)**

stay (verb) **bo (-ede, -et)**

steal **stjæle (stjal, stjålet)**

still **endnu, stadig, stadigvæk**

stock exchange **børs (-en, -er)**

stomach **mave (-n, -r)**

stone **sten (-en, -)**

stop (verb, intrans.) **holde op (holdt op, er holdt op)**

story **historie (-n, -r), fortælling (-en, -er)**

straight away **med det samme**

strange **mærkelig, underlig**

strawberry **jordbær (-ret, -)**

street **gade (-n, -r)**

strenuous **anstrengende**

strike **slå (slog, slået)**

strong **stærk**

study **studium (studiet, -er)**

succeed **lykkes (lykkedes, er lykkedes)**

successful **vellykket**

suddenly **pludselig**

suggest **foreslå (foreslog, foreslået)**

suit **passe til (-ede, -et)**

suitable **passende**

suitcase **kuffert (-en, -er)**

summary **resumé (-et, -er)**

summer **sommer (-en, somre)**

summer cottage **sommerhus (-et, -e)**

sun **sol (-en, -e)**

Sunday **søndag (-en, -e)**

supper **aftensmad (-en)**

support **støtte (-n)**

surname **efternavn (-et, -e)**

surprise **overraskelse (-n, -r)**

surround **omgive (omgav, omgivet)**

surroundings **omgivelser** (pl.)

survive **overleve (-ede, -et)**

swan **svane (-n, -r)**

Sweden **Sverige**

table **bord (-et, -e)**

take **tage (tog, taget)**

take it in turns **skiftes til (skiftedes til, har skiftedes til)**

take place **finde sted (fandt, fundet)**

talk **tale (-te, -t), snakke (-ede, -et)**

tall **høj**

taste (verb) **smage (-te, -t)**

tea **te (-en)**

teach **undervise (-te, -t)**

teacher **lærer (-en, -e)**

team **hold (-et, -)**

teddy bear **bamse (-n, -r)**

telephone (noun) **telefon (-en, -er)**

telephone (verb) **ringe (-ede, -et)**

television **fjernsyn (-et, -)**

tell **fortælle (fortalte, fortalt)**

terrace house **rækkehus (-et, -e)**
terrible **frygtelig**
than **end**
Thank you! **Tak! Mange tak!**
theatre **teater (teatret, teatre)**
theatre company **teatergruppe
(-n, -r)**
then **så**
then, at that time **dengang**
thin **tynd**
think **synes (syntes, syntes), tro
(-ede, -et)**
third **tredje**
this **denne, dette**
thought **tanke (-n, -r)**
throat **hals (-en, -e)**
through **gennem**
throw **kaste (-ede, -et)**
thunderstorm **tordenvejr (-et)**
Thursday **torsdag (-en, -e)**
ticket **billet (-ten, -ter)**
tidy person **ordensmenneske
(-t, -r)**
tidy up **rydde op (-ede, -et)**
tie **slips (-et, -)**
time **tid (-en, -er)**
time (next time) **gang (-en, -e)**
tired **træt**
to **til**
toast (bread) **riste
(-ede, -et)**
toast **skåle med (-ede, -et)**
today **i dag**
together **sammen**
tolerate **tåle (-te, -t)**
tomato **tomat (-en, -er)**
tombstone **gravsten (-en, -e)**
tomorrow **i morgen**

tonight, this evening **i aften**
too **for**
topic **emne (-t, -r)**
tourist **turist (-en, -er)**
towards **mod**
tower **tårn (-et, -e)**
town **by (-en, -er)**
town planning **byplanlægning
(-en)**
traffic **trafik (-ken)**
train **tog (-et, -)**
travel (verb) **rejse (-te, -t)**
travel agency **rejsebureau
(-et, -er)**
try **prøve (-ede, -et)**
Tuesday **tirsdag (-en, -e)**
tuition **undervisning (-en)**
tulip **tulipan (-en, -er)**
turn **dreje (-ede, -et)**
turn on **lukke op for (-ede,
-et)**
turn up **dukke op (-ede, -et)**

uncle **onkel (-en, onkler)**
understand **forstå (forstod,
forstået)**
undoubtedly **uden tvivl**
unemployed **arbejdsløs**
unfortunately **desværre**
unimportant **ligegyldig**
university **universitet
(-et, -er)**
unpleasant **ubehagelig**
until **indtil**
unwise **ufornuftig**
use **bruge (-te, -t)**
useful **nyttig**
usually **som regel**

vacant **ledig**
vegetables **grøn(t)sager** (pl.)
vegetarian **vegetar (-en, -er)**
very (big) **meget (stor)**; *(not) very (big)* **(ikke) særlig/ret (stor)**
view **udsyn (-et, -)**
viking harbour **vikingehavn (-en, -e)**
viking **viking (-en, -er)**
village **landsby (-en, -er)**
visit (noun) **besøg (-et, -)**
visit (verb) **besøge (-te, -t)**
vote (for) **stemme (på) (-te, -t)**

wait **vente (-ede, -et)**
wake up (trans.) **vække (-ede, -et)**
wake up (intrans.) **vågne (-ede, -et)**
walk (noun) **spadseretur (-en, -e), tur (-en, -e)**
walk (verb) **spadsere (-ede, -et)**
wall **væg (-gen, -ge)**
war **krig (-en, -e)**
warm **varm**
wash (oneself) **vaske (sig) (-ede, -et)**
water **vand (-et)**
way (in no way) **måde (på ingen måde)**
wear (e.g. clothes) **gå med (gik, gået)**
wedding **bryllup (-pet, -per)**
Wednesday **onsdag (-en, -e)**
weed (verb) **luge (-ede, -et)**
week **uge (-n, -r)**
welcome **velkommen**

when **da, når, hvornår**
where **hvor**
while **mens**
white wine **hvidvin (-en, -e)**
Whitsun **pinse (-n)**
widely **vidt**
wife **kone (-n, -r)**
wind **vind (-en, -e)**
windy: be windy **blæse (-te, -t)**
wine **vin (-en, -e)**
wise **klog**
wish (verb) **ønske (-ede, -et)**
with **med** *(stay with us* **bo hos os**)
without **uden**
woman **kvinde (-n, -r)**
word **ord (-et, -)**
work (noun) **arbejde (-t, -r)**
work (verb) **arbejde (-ede, -et)**
work, function **virke (-ede, -et)**
work out **finde frem til (fandt, fundet)**
worry about **bekymre sig om (-ede, -et)**
worse **værre**
worth (e.g. a visit) **værd**
would like **vil gerne**
wrap up **pakke ind (-ede, -et)**
write **skrive (skrev, skrevet)**
wrong **forkert**

year **år (-et, -)**
yellow **gul**
yesterday **i går**
young **ung**

Zealand **Sjælland**

Taking it further

This course will enable you to cope with a number of situations in Denmark. However, you may want to take your knowledge of the Danish language further. You can do so by spending some time at a Danish folk high school. There are about 80 folk high schools situated in different parts of the country, and some of them offer Danish language teaching at beginners' level as well as at more advanced levels, in addition to a wide range of other subjects. Courses take place throughout the year. There are long courses lasting from eight to 40 weeks, shorter courses taking from four to seven weeks, and then there are short courses of only a few days' duration.

If you are interested in information about the Danish folk high schools you can visit http://www.hojskolerne.dk. You can get a brochure that lists all the folk high schools from the following address:

Højskolernes Hus
Nytorv 7
1450 Copenhagen K
Denmark
Telephone: +45 33 36 40 40
Fax: +45 33 13 98 70

If you are interested in Danish literature, you will now be able to read short stories and novels with a dictionary. The two-volume anthology Nordlys 1 & 2 provides a good introduction to Danish literature. The two volumes contain short stories from the period 1824 to 1994, and at the back of the books unusual words are explained. *Nordlys 1 & 2* are published by Gyldendal, Copenhagen (1996).

There are many different Danish–English/English–Danish dictionaries available to students of Danish. The following are published by Gyldendal: *Dansk–engelsk ordbog* and *Engelsk–dansk ordbog*. New editions of these appear regularly. In addition, there are the two much larger dictionaries, also published by Gyldendal: H. Vinterberg and C. A. Bodelsen, *Dansk–engelsk ordbog*, and B. Kjærulff Nielsen, *Engelsk–dansk ordbog*.

If you want to consolidate your knowledge of Danish grammar you can do so by, reading *Danish – A Grammar* by W. Glyn Jones and Kirsten Gade and, in conjunction with the grammar, do the exercises in *Danish – Exercises*, also by W. Glyn Jones and Kirsten Gade. Both books are published by Gyldendal (1981). Then there is *Danish: A Comprehensive Grammar* by R. Allan, P. Holmes and T. Lundskjær-Nielsen published by Routledge (1995).

MULTIMEDIE-DANSK, Danish for Ducklings, by Bodil Jeppesen and Grethe Maribo, is a course in Danish offering tuition at three different levels: beginners' level, intermediate and advanced. The material consists of a book, three CD-ROMs, three videotapes and a tape. The course is published by G. E. C. Gads Forlag and their address is:

G. E. C. Gads Forlag
Vimmelskaftet 32
1161 Copenhagen K
Denmark
Telephone: +45 77 66 60 00
Fax: +45 77 66 60 01

There are a number of books dealing with various aspects of the Danish language:

Politikens HÅNDBOG I NUDANSK – opslagsbog i praktisk sprogbrug, Henrik Galberg and Peter Stray Jørgensen, Politikens Forlag A/S, Copenhagen (1999).

Politikens SLANGORDBOG – dansk slang i brug fra 1955 til i dag, Søren Anker-Møller and Peter Stray Jørgensen, Politikens Forlag A/S, Copenhagen (1997).

Danske talemåder, Allan Røder, G. E. C. Gads Forlag, Copenhagen (1998).

Den lille sproglære(r) – en bog om sprog for dansklærere og lærerstuderende, Peter Lykke-Olesen and Peter Schmidt, Dansklærerforeningen, Copenhagen (1998).

Rigtigt dansk, Erik Hansen, Hans Reitzels Forlag, Copenhagen (1993).

Litteraturhistorie for folkeskolen – tekster, selected and edited by Jørgen Aabenhus, Dansklærerforeningen, Copenhagen (1993).

For længe siden. Lige før. 1980–1990. Antologi, edited by Marianne Lindgren, Dansklærerforeningen, Copenhagen (1993).

Glossary of grammatical terms

Adjectives Adjectives are words that name attributes. They are placed next to or are grammatically related to nouns. Their function is to provide information about nouns, e.g. *The journey is very **long**. **Rejsen er meget** lang. The **red** roses are* **expensive**. *De **røde** roser er* **dyre**.

Adverbs Adverbs are words that qualify or modify verbs, adjectives or other adverbs. *She sings **beautifully**.* **Hun synger** *smukt*. *She is not **very** pretty.* **Hun er ikke særlig køn.** *He spoke **tremendously fast**.* **Han talte** *umådelig hurtigt*. Many adverbs are formed from an adjective by means of an ending. In English, this ending is *-ly*, e.g. *slow-ly*. In Danish, too, an adjective can be turned into an adverb by means of an ending. Here **-t** is added, *langsom-t*.

Articles There are two types of articles, the indefinite and the definite article. The indefinite article *a* is in Danish either **en** (common gender) or **et** (neuter). The definite article *the* is an ending: in the singular **-en** or **-et**, in the plural **-ne**.

Comparative When we make comparisons we need the comparative form of the adjective. In English, this usually means adding *-er* to the adjective or putting *more* in front of it. In Danish, the ending is **-ere**, while **mere** is used in front of longer adjectives. *My son is **taller** than my daughter.* **Min søn er** *højere* **end min datter.** *The centre of the town is **more interesting** than the suburbs.* **Byens centrum er** *mere interessant* **end forstæderne.**

Gender In English, there is only one gender as far as nouns are concerned. Personal pronouns, however, have masculine, feminine and neuter forms in the third person singular:

he, him (masculine), *she, her* (feminine) and *it, it* (neuter). Danish nouns are either common gender or neuter. There used to be three genders, but the masculine and the feminine merged into the common gender. There are no satisfactory rules by which the gender of a noun can be determined: *a chair,* **en stol**; *a table,* **et bord**; *a boy,* **en dreng**; *a child,* **et barn**. *The chair,* **stolen**; *the table,* **bordet**; *the boy,* **drengen**; *the child,* **barnet**.

Imperative The imperative is the form of the verb that is used to give directions, instructions, orders or commands: *Fetch the chair*. **Hent stolen**. *Remember to give him the money*. **Husk at give ham pengene**.

Infinitive The infinitive is the basic form of the verb. This is the form that you will find in the dictionary. In Danish, the infinitive ends in unstressed **-e**, which is added to the stem. If the stem of the verb has only one syllable and ends in a stressed vowel, no **-e** is added. *To drive at køre, to visit at besøge, to live at bo, to go at gå.*

Irregular verbs In English, the regular verbs add -ed in the past tense and in the past participle: *to help, (he) helped, (he) has helped; to fetch, (he) fetched, (he) has fetched*. Irregular verbs behave differently: *to drink, (he) drank, (he) has drunk; to swim, (he) swam, (he) has swum*. In Danish, similarly, there are both regular and irregular verbs: *at hente, (han) hentede, (han) har hentet; at drikke, (han) drak, (han) har drukket.*

Nouns Nouns are words that name things, places, people and qualities: *a fork,* **en gaffel**; *a house,* **et hus**; *a girl,* **en pige**; *poverty,* **fattigdom**.

Number The word is used grammatically to classify words by their singular or plural forms. In Danish, as in English, nouns have a singular and a plural form: *a horse* (singular) and *horses* (plural); **en hest, heste**.

Object There are two kinds of grammatical object: a direct object and an indirect object. In the sentence: *I gave **my mother the money**, the money* is the direct object (what was given) and *my mother* is the indirect object (the recipient of the direct object). *I lent **him*** (indirect object) ***my car*** (direct object) **Jeg lånte *ham min bil.***

Personal pronouns See **Pronouns**. The personal pronouns are used instead of a person or people already mentioned or known. The personal pronouns *he* or *him* may be preferred to *the man* or *Victor* to avoid repetition. The personal pronouns *I, you* (singular), *he, she, it, we, you* (plural), *they* are in Danish: **jeg, du/De, han, hun, den/det, vi, I/De, de.**

Plural See **Number**.

Possessive The possessive is the form of nouns and pronouns that express possession. The nouns add an *-s*: *The **man's** office, my **aunts'** cottage.* In Danish, the apostrophe is not used: ***Mandens** kontor, mine **tanters** sommerhus.* The possessive pronouns are words like *my* (house), *his* (car), *their* (children), **mit hus, hans bil, deres børn.**

Prepositions A preposition is a word used to relate a noun or pronoun that it precedes to another part of the sentence. Prepositions may indicate orientation, i.e. the position of something in time or space: *The chair is **in** the kitchen,* **stolen er *i* køkkenet.** *He came **after** lunch,* **han kom *efter* frokost.** Or they may express direction or reason: *He could not see **for** tears,* **han kunne ikke se *for* tårer.**

Pronouns Pronouns perform the same function as nouns and are used instead of these to avoid repetition.

Reflexive pronouns These pronouns are used with verbs (reflexive verbs). There are a great number of reflexive verbs in Danish. If *to wash* means *to wash oneself*, the verb must be followed by the reflexive pronouns in Danish: He washes before he dresses in the morning, **han vasker *sig*, før han klæder *sig* på om morgenen**.

Singular See **Number**.

Subject The grammatical subject is the person(s) or thing(s) performing the action of the main verb. In the sentence: *The woman is reading the book*, *the woman* is the subject. Other examples: *We* (subject) *lent them the money*, **vi lånte dem pengene**; *the train* (subject) *leaves at 9 o'clock*, **toget kører klokken 9**.

Superlative This form of the adjective expresses the highest or a very high degree of a quality. In English, the superlative is usually formed by adding *-est* to an adjective or putting the word *most* in front of it. In Danish the ending is **-est**, while **mest** is used in front of longer adjectives. *The **tallest** boy*, **den højeste dreng** (the **-e** at the end of **højest-e** is an ending). *The beginning is the **most interesting** part of the book*, **begyndelsen er den mest interessante del af bogen**.

Tense The form taken by a verb to indicate the time of the action: present tense, past tense, perfect tense. *He is* (present tense) *at home*, **han er hjemme**. *He was* (past tense) *at home*, **han var hjemme**. *He has been* (perfect tense) *at home*, **han har været hjemme**.

Verbs Words that indicate actions, e.g. *to swim*, **at svømme**; *to eat*, **at spise**; *to happen*, **at ske**.

Index

Numbers refer to units.

Credits